FILIPPIJNSE PATATAS, MYSTERIEUZE VERDWIJNINGEN EN EEN ROKENDE VUILNISBERG

Filippijnse patatas, mysterieuze verdwijningen en een rokende vuilnisberg

Peter Hoogenboom

the house of books

Voor Julia, Floris en Monique

Inhoud

Thuis

Spreekbeurt

Pieter ontwijkt een kuil en gaat weer naast Karlijn fietsen.

'Dus jij wilt Sharilla er ook bij hebben?' vraagt Karlijn zachtjes.

Pieter knikt. 'Ze heeft goede ideeën en zij heeft tenslotte de actie bedacht om geld in te zamelen voor kinderen in de Filippijnen.'

'Dat weet ik ook heus wel,' reageert Karlijn fel. 'Maar dat is toch nog geen reden dat ze meteen in het bestuur van onze club moet. Dan begint Daan natuurlijk te zeuren dat Betine er ook bij moet. Nou, als jullie dat goed vinden, dan ben ik weg.' Ze kijkt nijdig opzij. 'Wil je dat?'

'Nee joh!' roept Pieter uit.

De boze uitdrukking op Karlijns gezicht is meteen verdwenen.

'Nou ja, dat hoef je niet zo te schreeuwen, hoor,' reageert ze lachend.

Pieter hoort het niet eens meer. Hij staat al vol op zijn trappers. Voor zich uit ziet hij hoe Sharilla en het meisje bij wie ze achterop zit worden lastig gevallen. Een paar tellen later is Pieter ter plekke. 'Laat ze toch met rust,' roept hij met overslaande stem.

'Bemoei je er niet mee,' laat de grootste van de twee jongens horen.

Pieter voelt zijn benen trillen. Kalm blijven, zegt hij tegen zichzelf. Hij haalt diep adem en zegt zo rustig en zelfverzekerd mogelijk: 'Ze hebben jullie toch niets gedaan. Hou dan op met pesten.'

'Hoor je dat?' roept de jongen lachend naar de ander. 'Meneer hier zegt dat we moeten ophouden met pesten.'

Pieter ziet hoe de ogen van Sharilla zijn kant op flitsen. Het is meer ongeloof of verbazing dan angst dat hij van haar gezicht afleest. Het kan niet anders, weet Pieter. Dit moeten de pestkoppen zijn die al vaker kinderen van zijn school hebben lastiggevallen.

Terwijl Pieter nog aarzelt, steekt de grootste zijn arm uit naar Sharilla. In een snelle beweging schiet Sharilla's voet naar voren. Het volgende moment zakt de jongen kreunend in elkaar. Pieter kan een glimlach niet onderdrukken.

'We komen eraan,' horen ze Vincent boven alles uitroepen. Een paar tellen later springt hij van zijn fiets. En hij is niet de enige van de klas. De twee pestkoppen zien meteen dat de overmacht nu te groot wordt.

'Ik krijg jullie nog wel,' gromt de grootste van de twee terwijl hij, met een hand in zijn kruis, moeizaam achter zijn vriend aan strompelt.

'Moet je nodig?' informeert Vincent belangstellend.

'Niet hier in het park plassen, hoor,' voegt Daan er lachend aan toe.

'Grote klasse Sharilla,' roept Betine bewonderend. 'Echt cool hoor. Ik denk dat ik ook op die vechtsport ga. Jito-jitsa, zo heet het toch?'

'Jiu-jitsu,' verbetert Sharilla, 'en het is geen vechtsport. Je leert er jezelf te verdedigen. Maar ik snap het niet,' gaat ze verder. 'Is het omdat ik uit de Filippijnen kom?'

'Welnee,' reageert Vincent meteen. 'Ze weten gewoon niets beters te doen dan pesten.'

'We moeten verder,' roept één van de anderen. 'Anders zijn we te laat terug op school.'

'Wanneer ze met z'n allen weer op weg zijn, zwaait Karlijn nijdig met haar arm.

'Het is ook stom dat je hier niet eens normaal door het park kunt fietsen.'

'Dat bedoel ik nou,' reageert Vincent. 'We moeten die rotzakken zo bang maken dat ze hier nooit meer terug komen.'

Karlijn kijkt snel even achterom. 'En hoe wil je dat doen?'

'Oh gewoon. We lokken ze in de val en daarna... Nou ja...'

'Daarna mag Sharilla zich uitleven,' roept Betine enthousiast. 'Ik vind het een vet plan.'

Karlijn doet geen moeite om haar ergernis te onderdrukken. 'Ja hoor, Betine. Wat zijn we weer slim. Je snapt toch ook wel dat die jongens dan wraak zullen nemen? Dat maakt het allemaal alleen maar erger. Dan is het pas echt oorlog.'

'Dus jij wilt ze gewoon hun gang laten gaan?' snauwt Betine. 'Ja hoor Karlijn, dát is zeker slim dan?'

'Nee, natuurlijk wil ik ze niet hun gang laten gaan. Ik vind het prima als we iets doen. Maar het moet wel een beetje slim zijn.'

'Dan moet jij het maar niet bedenken,' reageert Betine fel.

Pieter zucht eens diep en kijkt opzij.

'Gaat weer lekker met die twee,' fluistert Vincent.

'We graven een valkuil en gooien er een paar van die giftige vogelspinnen in,' bedenkt Daan. 'Ik ken iemand die zulke beesten thuis heeft.'

'We kunnen er ook puntstokken inzetten,' roept een van de andere jongens.

'Dan kunnen ze daarna meteen op de barbecue,' grapt Vincent. 'Getverderrie,' gaat Karlijn nijdig verder. 'Wat zijn jullie toch primitief.'

'Als je het allemaal zo goed weet, Karlijn, kom dan zelf eens met een goed idee.'

'Kijk jij nou maar voor je,' roept Karlijn als Betine bijna onderuit gaat, terwijl ze Karlijn uitdagend aankijkt.

'Fietsen is ook erg moeilijk hè,' roept Karlijn haar toe.

'Wacht eens,' roept Betine. 'Hebben die mensen ook slangen?'

Het duurt even voor het tot Daan doordringt dat de vraag voor hem bestemd is.

'Die mensen van de spinnen bedoel je?'

Als Betine ja knikt antwoordt Daan: 'Ze hebben echt een hele kudde slangen en ook zo'n hele grote. Een boa con nog wat.'

'Een boa constrictor,' roept Pieter uit. 'Dat zijn ongelofelijke joekels.'

'Klopt,' weet Daan. 'Dat beest slokt in een keer een hele koe naar binnen.'

'Overdrijf je niet een beetje, Daan?' lacht Karlijn.

Betine hapt meteen. 'Karlijn weet het weer beter, hoor. Mevrouw de wijsneus.'

Pieter ziet hoe Karlijn simpelweg haar schouders ophaalt. Verder zwijgt ze.

'Nou weet je zeker niets meer te zeggen?' gilt Betine.

'Hier word ik dus echt niet goed van,' fluistert Vincent.

'We sturen die boa gewoon op die rotjongens af,' roept Betine. 'Als hij een koe op kan, dan kan hij die etterbakken ook wel opeten.'

'Ja hoor, Betine. Dat is nou echt een intelligent plan. Bravo.'

Karlijn schuift nijdig heen en weer op haar zadel. De ergernis druipt van haar gezicht.

'Misschien lust hij ze wel niet,' grapt Vincent. 'Dat kan ik me goed voorstellen.'

'Je kunt die boa echt niet loslaten in het park, hoor,' roept Karlijn. 'Volgens mij is een boa constrictor een wurgslang. Zo'n beest in het stadspark is echt belachelijk gevaarlijk.'

'Dat is toch ook precies de bedoeling, Karlijn?'

Opnieuw waagt Betine het om achterom te kijken. Ditmaal blijft ze keurig rechtop.

'Zodra die etterbakken weten dat die boa in het park zit, durven ze er niet meer in. Dat willen we toch?'

'Denk nou na, Betine, dan durven we er toch zelf ook niet meer in, of jij wel soms?'

Op fluistertoon mompelt Karlijn nog: 'Ga jij er dan maar lekker wandelen.'

'Dit is echt niet leuk meer, Karlijn,' neemt Daan het op voor zijn vriendin Betine.

Karlijn schudt nijdig haar hoofd. 'Dacht je dat ik het leuk vind? Ze moet eerst eens nadenken voor ze iets zegt.'

'Kappen,' wordt er van achter uit de groep geroepen, 'en doorfietsen. Die man wordt gek als we deze week weer te laat zijn. Hij is in staat om ervoor te zorgen dat we voortaan niet meer in het park mogen gymmen.'

'Zullen we vanavond bij elkaar komen?' stelt Betine voor. 'Dan kunnen we een plan bedenken.'

'Mij best,' laten Daan en Vincent horen.

'Jij komt toch ook, Pieter?' roept Betine.

'Natuurlijk komt hij niet,' reageert Karlijn meteen. 'Pieter gaat echt niet meewerken aan dat idiote plan van jou.'

'Nou ja, ik vraag het aan Pieter hoor, of beslis jij over wat hij wel en niet mag doen?'

Op tijd, alsof er niets is gebeurd, staat Sharilla een dikke tien minuten later voor de klas. De leraar Nederlands heeft zijn favoriete positie ingenomen. Met de handen achter zijn rug, naast zijn bureau. Zoals altijd beweegt hij zijn heupen voortdurend van achteren naar voren en weer terug.

'Ik word zo moe van dat wippen,' verzucht Betine op fluistertoon.

Of de leraar het hoort blijft onduidelijk. In ieder geval trekt hij zich er niets van aan.

'Sharilla heeft het woord,' laat hij met een ernstig gezicht weten.

'Eh ja, dat klopt,' lacht Sharilla de klas in. 'Ik heb vandaag mijn spreekbeurt. Die gaat over het vrijwilligerswerk dat ik in de vakantie ga doen. Samen met Pieter en Jochem ga ik helpen op een kinderziekenhuisschip. De naam zegt het al. Dat schip is een varend ziekenhuis dat steeds weer in een andere haven ligt. Het ligt nu nog in de Chinese stad Hong Kong. Daar gaan we aan boord en dan varen we naar Manilla in de Filipijnen. Het schip is van een organisatie die zieke kinderen helpt die anders geen dokter kunnen betalen. Mijn vader, of eh nou ja, ik bedoel eigenlijk de krant waar hij voor werkt, sponsort onze reis. In ruil daarvoor maken wij een verslag van alles wat we meemaken. Dat komt dan in de krant. Dus als jullie op de hoogte willen blijven kun je het iedere dag in de krant lezen.'

Ze kijkt nadrukkelijk even de klas rond voordat ze verder gaat. 'Eerst wil ik iedereen nog een keer bedanken voor jullie hulp bij de acties voor de kinderbank. Als we in Manilla zijn aangekomen gaan we het geld dat we met de boekenmarkt en met de andere acties hebben verdiend zelf naar de kinderbank brengen.'

Lachend voegt ze er aan toe: 'Maar dat weten jullie eigenlijk al wel, dus dan begin ik nu maar met mijn spreekbeurt.'

'Nu ga je even te snel,' onderbreekt de leraar Sharilla. 'Dit is voor mij de eerste keer dat ik over die kinderbank hoor. Wil je daar nog wat meer over vertellen?'

Karlijn buigt zich opzij naar Pieter en fluistert: 'Hoe kan dat nou? De hele school hing vol met posters van de tweedehandsboekenmarkt. Die moet hij toch ook gezien hebben.'

'Hij is net een verstrooide professor,' fluistert Pieter terug. 'Meer een verstrooide wipkip,' meent Vincent vanuit zijn bank achter ze.

Sharilla aarzelt geen seconde. Pieter weet dat ze het verhaal over de kinderbank al tientallen keren heeft verteld en dat is te merken ook. In een rap tempo gaat ze van start.

'De kinderbank in Manilla is bedacht door Boy. Hij is veertien jaar en hij woont zelf op Smokey Mountain, dat betekent rokende berg. Dat is de grootste vuilnisbelt in de wereld. Op sommige plaatsen ligt het afval daar dertig tot vijftig meter hoog en iedere dag komt er afval er afval bij. Het is er smerig en ongezond maar er leven duizenden kinderen op en in de buurt van de vuilnisbelt. Zij proberen in leven te blijven door afval te sorteren, bijvoorbeeld flessendoppen, stukjes aluminium en andere dingen. Die brengen ze naar de *bodegero*, dat is de voddenkoopman die ze er een paar cent voor geeft. Dat geld hebben ze nodig om van te leven, maar soms houden ze in de week een paar centen over. Boy heeft nu bedacht dat die kinderen die centen bij hem op de bank kunnen zetten. Hij schrijft in een schriftje op wat iedereen brengt en bewaart het veilig voor ze. De meeste kinderen die hun geld op de kinderbank zetten, sparen om later een eigen zaak te kunnen beginnen. Maar eh, omdat dat sparen vaak veel te lang duurt kun je bij de bank ook een lening nemen. Als iemand een lening komt vragen, moeten alle spaarders het ermee eens zijn, want het is ook hun eigen spaargeld dat wordt uitgeleend. Als je wilt lenen moet je een goed idee hebben en een goed plan om het idee uit te voeren. Als dat zo is en de bank heeft genoeg geld, dan kun je een lening krijgen. Die moet je wel met rente terugbetalen als het goed gaat met de zaken.'

'En doet die jongen dat helemaal alleen?' wil de leraar weten.

'Nou, in het begin wel, maar nu wordt hij geholpen door iemand van de Kerk.'

'En heeft er al iemand een lening afgesloten?'

'Ja, dat is zo. Een jongen heeft er gereedschap mee gekocht en werkt nu als timmerman. Een ander heeft twee oude cassetterecorders op batterijen gekocht en kopieert nu muziekbandjes die hij verkoopt. Weer een ander heeft een stoel en schoenpoetsspullen gekocht en is schoenpoetser geworden.'

De leraar staat zowaar even stil als hij bedachtzaam over zijn halve brilletje heen staart. 'Geweldig idee,' mompelt hij. 'Geweldig initiatief.'

Soepblikwerpen

'De vader van Sharilla heeft me nog gebeld,' begint Hugo, de vader van Pieter, die avond het gesprek aan tafel.

Pieter kijkt verschrikt op.

'Hij heeft de vliegtickets voor jou en Jochem en natuurlijk voor Sharilla klaarliggen. Jullie vertrekken om een uur of twaalf. Dus hopelijk komt Jochem op tijd aan uit Parijs.'

Pieter knikt opgelucht. Blij dat het niet over het park gaat. Dat levert alleen maar gezeur op.

'Geen probleem,' laat hij weten. 'Jochem is op tijd.'

'En ik heb een eigen club,' onderbreekt Emma haar grote broer.

Ze kijkt trots om zich heen.

'Goed hè?'

'En ze gaan net als de Action Kids Club van Pieter andere kinderen helpen,' voegt Hugo er lachend aan toe.

'Ja, arme kinderen,' roept Emma. 'We hebben vandaag al klusjes gedaan in de buurt om geld te verdienen. Het ging hartstikke goed.'

'En hoe heet je club dan?' wil Pieter weten.

'De FDLE-club. Dat zijn gewoon onze namen,' lacht Emma als Pieter haar verbaasd aankijkt.

'Fleur, Daniek, Loes en ikzelf.'

Marieke slaat een arm om haar moeder heen. 'Nou, fijn voor je, mam. Nog een club in huis. Jij boft maar.'

'En we gaan ook acties voeren, net als de club van Pieter,' gaat Emma enthousiast verder. 'We hebben al bedacht dat we een wedstrijd willen houden.'

Ze kijkt Pieter smekend aan. 'Wil jij ons helpen?'

Pieter laat zich achterover zakken in zijn stoel en kijkt zijn zus nadenkend aan.

'Jullie moeten natuurlijk iets voor de kleintjes organiseren.'

'Kleintjes,' protesteert Emma meteen. 'We zijn echt geen kleintjes, hoor.'

Pieter zit meteen rechtop. 'Wacht eens, misschien moet je een wereldkampioenschap organiseren. Daar komen de krant en de televisie ook op af.'

Hij gaat enthousiast verder. 'Met de Action Kids Club hebben we heel in het begin wel eens bedacht om een wereldkampioenschap knuffelwerpen te organiseren. Maar Karlijn vond het niets.'

'Dat is ook zielig,' roept Emma. 'Maar een wereldkampioenschap is wel leuk.'

'Knakworstgooien,' bedenkt Pieter. 'Wie een knakworst het verst kan gooien, wint.'

Marieke kijkt haar jongere broer zuchtend aan. 'Dat kan echt niet hoor, Pieter. Je kunt niet iets organiseren om geld te verdienen voor kinderen die aan alles gebrek hebben en dan met eten gaan gooien.'

'Dat ben ik wel eens met Marieke,' sluit Hugo zich bij zijn dochter aan. 'Dat kun je niet maken. Hoe denk je trouwens geld te verdienen met zo'n wedstrijd?'

'O, heel simpel. Het is net als een sponsorloop. De kinderen die

13

willen meedoen moeten zich laten sponsoren. Voor iedere meter die ze gooien krijgen ze dan geld van hun sponsors.'

'En het geld is voor Unicef,' antwoordt Emma vrolijk. 'Als we genoeg verdiend hebben gaan we het zelf brengen.'

'Naar die kinderen?' roept Marieke verbaasd uit.

'Nee hè, natuurlijk niet. Naar het postkantoor, bedoel ik.'

'Soepblikwerpen,' roept Pieter plotseling. 'Dat klinkt lekker. Het wereldkampioenschap soepblikwerpen.'

'Toch wel lege soepblikken, mag ik hopen?' lacht Hugo.

'Of lege knakworstblikken,' roept Emma op haar beurt. 'Soep is vies en alle kinderen lusten knakworst.'

'Maak er dan maar een wedstrijd blikwerpen van,' stelt Marloes voor.

'Dat is goed, mam,' reageert Emma enthousiast. 'Dat gaan we doen.'

Emma staat al op van tafel en kijkt haar grote broer aan. 'Kunnen we dan meteen beginnen?'

'Nee joh,' lacht Pieter. 'Ik moet nog even weg en bovendien moet ik alles nog inpakken. Morgen ga ik naar Hong Kong. Dat weet je toch?'

Emma kijkt meteen naar Marieke en dan naar haar vader en moeder. 'Jullie kunnen me toch ook wel helpen? Dan kunnen we het mooi in de vakantie doen.'

'Welnee,' zegt Pieter. 'Je moet wachten tot na de vakantie. Dan komen er vast veel meer kinderen en dan gaan we met de Action Kids Club jouw club helpen.'

'Is het nou verstandig om de deur nog uit te gaan, Pieter?' vraagt Marloes bezorgd. 'Je hebt morgen een vermoeiende dag en...'

'Waar moet je dan naar toe, Pieter?' wil Emma weten.

'Oh, iets met Daan en Vincent en nog wat anderen uit mijn klas.'

'Met de Action Kids dus. Mag ik dan mee, Pieter?' vraagt Emma. 'Dan kunnen we toch meteen beginnen?'

'Nee, joh.'

Marloes kijkt haar zoon onderzoekend aan. 'Wat zit je nou vaag te doen?'

'Ik doe helemaal niet vaag. Ik wil ze gewoon nog even zien.'

'Heeft het soms met het stadspark te maken?' wil Marieke weten.

Pieter kijkt zijn zus verbluft aan. Dan reageert hij nijdig: 'Het park, hoezo het park?'

14

'Ik kwam Karlijn vanmiddag tegen,' verklaart Marieke. 'Ze vertelde me dat Sharilla in het stadspark is lastiggevallen en dat jij haar te hulp bent geschoten.'

'Ach nee toch,' roept Marloes. 'Die lieve schat. Het gaat toch wel goed met haar?'

Marloes kijkt Pieter bestraffend aan. 'Waarom heb je dat niet verteld?'

'O eh, nou ja...' gaat Pieter aarzelend van start.

'Pieter heeft ze verjaagd,' legt Marieke uit. Ze kijkt Pieter aan als ze zegt: 'Karlijn was helemaal trots op je. Volgens mij wil ze echt weer verkering met je.'

'Hou daar nou over op,' roept Pieter nijdig. 'Bovendien heeft Sharilla ze zelf verjaagd. Ze is de beste van onze jiu-jitsuklas, weet je nog wel?'

Marieke gaat plagend verder: 'Volgens mij is Karlijn hartstikke jaloers op Sharilla.'

'Ach man, zit niet te zeuren,' reageert Pieter boos.

'Marieke!' roept Hugo waarschuwend. 'Zo is het genoeg.'

'En weet je, Pieter,' gaat Marieke onverstoorbaar verder, 'Karlijn vindt het dus helemaal niet leuk dat jullie samen naar de Filippijnen gaan.'

'Daar heeft ze toch niets mee te maken,' reageert Pieter boos.

'Je hoeft niet zo fel te doen hoor. Of voelt Karlijn het soms goed aan? Ben je verliefd op Sharilla?'

Pieter weet één ding zeker. Sharilla is hartstikke aardig, maar hij is niet verliefd op haar. Maar ondanks dat weet hij toch niet goed waar hij moet kijken. Gelukkig redt zijn moeder hem.

'Marieke, nu is het mooi geweest,' zegt ze streng. 'Laat die jongen met rust. En Pieter, ik wil graag van jou horen wat er in het stadspark is gebeurd.'

Nadat Pieter zijn verhaal heeft gedaan vraagt Marloes: 'Jullie zijn toch geen domme dingen van plan?'

Pieter ontwijkt de blik van zijn moeder. 'Nee, hoezo zouden we iets van plan zijn?'

'Nou, kom op, Pieter. Toevallig ben jij altijd iets van plan. Ik vind alles best, als je uitstapje vanavond maar niets met die jongens te maken heeft. Ik vind het doodeng. Zorg nu alsjeblieft dat je uit hun buurt blijft. En Pieter,' gaat zijn moeder waarschuwend verder, 'als jullie op dat kinderziekenhuisschip zijn, gedragen jullie je, hè? Geen domme dingen dus en jullie bemoeien je nergens mee. Ik wil niet opnieuw doodsangsten hoeven uit te staan omdat jullie in de problemen komen. Deze keer dus geen waanzinnige avonturen!'

Pieter trekt zijn gezicht in de meest onschuldige stand en zegt:

'Nee, naturlijk niet. We gaan gewoon helpen op dat schip en we gaan met Sharilla mee als ze op de Filippijnen haar familie bezoekt.'

'Alles is goed geregeld, Marloes,' stelt Hugo haar gerust. 'Ik heb vandaag nog gesproken met de directeur van de hulporganisatie die dat kinderziekenhuisschip laat varen. De kapitein weet van hun komst. Ze blijven een week op het schip en daarna zet de kapitein ze op het vliegtuig terug naar huis. Zij heeft trouwens al een leuk karwei voor jullie in gedachten,' zegt Hugo met een snelle knipoog naar Pieter.

'Dat wordt dus heel veel afwassen aan boord, Pieter,' merkt Marieke op.

'Nou, dat geloof ik niet,' lacht Hugo. 'Ik geloof dat het schip hard toe is aan een nieuwe verfbeurt.'

'Toch niet aan de buitenkant?' roept Marloes verschrikt.

'Welnee, gewoon vanbinnen. Niets aan de hand, dus.'

Dag 1

Hong Kong

Jochem zucht eens diep. 'Ik zal blij zijn als we eindelijk landen,' laat hij weten.

'Ik zal het ook niet erg vinden als we er zijn,' merkt Sharilla op haar beurt op. 'Ik heb bijna niet geslapen.'

Pieter ziet hoe Sharilla zich vanaf haar plaats dichter naar zijn beste vriend toebuigt en zegt: 'Maar het was wel heel gezellig. Het is net of we elkaar al heel lang kennen.'

'Ja, om precies te zijn een uurtje of vijftien,' grijnst Jochem.

'Hoe laat komen we aan?' geeuwt Pieter. 'Ik ben na die tussenlanding in Rusland de tel kwijtgeraakt.'

'Om iets na negen uur landen we in Hong Kong,' laat Jochem lachend weten. Dat hebben ze net omgeroepen. Maar jij lag natuurlijk weer te slapen.'

Sharilla gaat onrustig verzitten. 'Het is wel een gek idee dat ik nu al zo dicht bij mijn moeder en mijn zusje in de buurt ben,' zegt ze. 'Ik kan bijna niet wachten tot we met het ziekenhuisschip in Manilla aankomen.'

Vluchtig tikt Jochem met zijn hand op de knie van Sharilla.

'Hou oud was jij eigenlijk toen je geadopteerd werd?'

'O, net als jij, een paar maanden oud. Mijn moeder was pas dertien toen ik geboren werd. Haar ouders waren arme boeren op het land. Het leven was daar zo slecht dat ze mijn moeder op haar tiende hebben meegegeven aan iemand uit de grote stad. Die gaf haar ouders geld en beloofde dat hij goed voor mijn moeder zou zorgen. Maar toen ze in Manilla aankwam werd ze gedwongen om te werken in een sekshuis. Ze moest met mannen naar bed. Toen is ze zwanger geraakt.'

Jochem knikt stilletjes.

Pieter moet opnieuw een paar keer slikken en knijpt zijn vuisten samen. Hij heeft het verhaal nu al een paar keer van Sharilla gehoord, maar steeds opnieuw voelt hij dat hij kwaad wordt.

Het blijft even stil voordat Jochem aarzelend vraagt: 'Weet je ook wie je vader is? Je echte vader, bedoel ik?'

Sharilla haalt schijnbaar ongeïnteresseerd haar schouders op, maar haar stem trilt licht als ze zegt: 'Een van de klanten in het sekshuis. Mijn moeder weet het niet.'

Ze kijkt even door een raampje naar buiten voordat ze verder praat. 'Mijn moeder werd gedwongen om mij af te geven bij de zusters van de kerk. Die hebben geregeld dat ik geadopteerd werd. Pas toen ze vijftien was is ze uit het sekshuis ontsnapt. Ze is teruggegaan naar de zusters, maar toen was ze ik allang weg. De zusters hebben haar geholpen om uit handen van de seksbaas te blijven. Nu is ze getrouwd met een heel aardige man. Hij heeft een heel mooi versierde tricycle.'

'Een driewieler!' roept Jochem grijnzend uit. 'Rijdt je stiefvader op een driewieler?'

'Nee gekkie,' reageert Sharilla lachend. 'Dat is een motor met een overdekt zijspan. Het is gewoon een taxi.'

'Maar dan op drie wielen,' vult Jochem aan.

'Precies. Hij, ik bedoel mijn eh, nou ja, stiefvader, spreekt gelukkig goed Engels. Mijn moeder spreekt ook wel een beetje Engels, hoor. Maar als ze iets niet begrijpt vertaalt mijn stiefvader het.'

Een stralend kijkende stewardess onderbreekt Sharilla. Ze voorziet hen alledrie van een ontbijt.

Als de stewardess weg is vervolgt Sharilla haar verhaal. 'Mijn Nederlandse vader en moeder hebben me twee jaar geleden geholpen om in de Filippijnen mijn moeder terug te vinden. Dat is gelukt via de zusters van de kerk. Toen was mijn zusje net geboren. Dit is de tweede keer dat ik haar zie. Ik ben zo benieuwd.'

Jochem knikt begrijpend. 'Dat kan ik me voorstellen.'

'We beginnen straks meteen,' zegt Jochem even later met volle mond.

'Met de reportage natuurlijk,' lacht hij als Pieter hem verbaasd aankijkt. 'Ik ben van plan om ongelofelijk veel foto's te maken. Kunnen we gelijk gebruiken voor onze eigen clubkrant. Trouwens,' gaat Jochem enthousiast verder, 'Sharilla moet nu natuurlijk ook in het bestuur van onze club.'

Pieter moet meteen denken aan Karlijn. Die heeft meer dan duidelijk gemaakt dat ze geen behoefte heeft aan nieuwe bestuursleden. Hij neemt snel een hap en knikt maar wat vaag voor zich uit.

Jochem geeft het niet op. 'Ja toch, Pieter? Sharilla hoort er toch ook bij. Dan zijn we met zijn zessen. Dat is toch leuk.'

Pieter wijst op zijn volle mond en knikt maar van ja.

'Oké,' grijnst Jochem, 'dat is dan geregeld. Vanaf nu ben je officieel lid van de Action Kids Club.'

'Nee joh, dat kan niet zomaar hoor. Karlijn, Vincent en Daan moeten het er ook mee eens zijn,' protesteert Sharilla. 'En van Karlijn weet ik het niet, hoor.'

'Ach wat, natuurlijk zijn ze het er mee eens. Voor mij hoor je er in ieder geval bij.'

Met een brede glimlach kijkt Sharilla Jochem aan. 'Nou, dank je wel. Ik vind het een hele eer, hoor.'

Niet lang nadat de dienbladen met de ontbijten zijn weggehaald gaat de aanduiding FASTEN YOUR SEATBELTS branden.

'Nee hè,' roept Jochem uit. 'Ik moet hartstikke nodig. Het kan nog best,' besluit hij, en hij staat al op.

De stewardess is er meteen bij. Het is een andere dan degene die het ontbijt bracht. Maar ook dit meisje kijkt stralend. Ondanks die stralende glimlach maakt zij Jochem heel duidelijk dat hij niet meer van zijn stoel mag.

'Krijg nou wat,' moppert Jochem terwijl hij zich toch maar terug laat zakken in zijn stoel.

'Het duurt vast niet lang meer voordat we geland zijn,' probeert Sharilla hem gerust te stellen.

Minder dan een half uur later staan ze in de aankomsthal van het vliegveld van Hong Kong bij de lopende band waarover hun bagage moet langskomen. Letterlijk trappelend van ongeduld kijkt Jochem om zich heen. 'Daar,' roept hij opgelucht. Zonder nog om te kijken begint hij te rennen.

'Halen jullie mijn tas van de band?' hoort Pieter nog, en weg is zijn vriend.

'Nou, een mooie schatbewaarder is dat,' lacht Sharilla. 'Eerst meldt hij zich als vrijwilliger om het geld voor de kinderbank in zijn tas te bewaren en nu holt hij weg.'

Lang laat de bagage niet op zich wachten. Ze hebben geluk. De tas van Sharilla ligt vooraan en die van Pieter rolt als vierde over de band. Terwijl Sharilla een bagagekarretje haalt, wacht Pieter op de tas van Jochem.

Ingespannen tuurt hij naar de band totdat hij op zijn schouder wordt geklopt. Een onbekende vrouw met een wat bol, blozend gezicht kijkt hem aan. Ze drukt hem een kleine digitale camera

19

in de hand en vraagt zonder aarzeling in het Engels: 'Wil je zo vriendelijk zijn om een foto van mij te maken?'

Pieter knikt maar, terwijl de vrouw duidelijk maakt wat er allemaal op de foto te zien moet zijn. Zij zelf natuurlijk, de bagageband en het bord dat boven de band hangt waarop staat: WELCOME TO HONG KONG.

Pieter heeft net afgedrukt als hij vanuit zijn ooghoek het blauwgroen van de tas van Jochem voorbij ziet komen. Met de camera nog in zijn hand schiet hij weg en grist de tas van de band.

'Wat doe je?' hoort hij iemand achter zijn rug roepen. Nee hè, flitst er door zijn hoofd. Straks gaat ze nog gillen. Hij weet meteen wat de vrouw denkt. Ze is natuurlijk bang dat hij er met haar camera vandoor zal gaan. Zo'n soort misverstand heeft hij één keer eerder meegemaakt en daar heeft hij allesbehalve goede herinneringen aan.

Zo snel hij kan draait hij zich om en tovert zijn liefste lach op zijn gezicht.

'Sorry, mevrouw. Ik moest even mijn tas pakken.'

Het is niet het gezicht van de vrouw dat hij voor ogen krijgt. Hij meent de man te herkennen als een van de passagiers die in Rusland is ingestapt. Maar de man lijkt niet op een Rus. Hij is dun en niet groter dan Pieter zelf. Terwijl de donkere ogen in het verweerde bruine gezicht Pieter vriendelijk aankijken, zegt de man lachend: 'Ik denk dat je je vergist, jongeman. Die tas is van mij.'

Op datzelfde moment komt de Amerikaanse vrouw haar camera terughalen.

'Deze is van jou,' zegt de man terwijl hij een tas voor Pieters voeten neerzet die exact hetzelfde is als die Pieter van de band heeft gepakt.

'O, eh, ja sorry,' mompelt Pieter terwijl hij de tassen omruilt.

'Woon je soms zelf in Hong Kong?' begint de vrouw tegen hem aan te praten. 'Of ben je net als wij toerist?'

'Toerist,' antwoordt Pieter die absoluut geen zin heeft in een gesprek. Hij wordt gelukkig gered door Sharilla die aan komt lopen met een karretje. Zij pakt met zichtbare moeite de tas van Jochem op en zet hem boven op die van Pieter en haarzelf.

'Wegwezen hier,' sist hij Sharilla toe.

'Och, en jij meisje, ik weet bijna zeker dat jij uit de Filippijnen komt. Wat leuk! Daar gaan mijn man en ik ook nog naar toe.'

'Sorry mevrouw, maar we hebben haast,' zegt Pieter snel, terwijl hij het karretje al wegduwt.

'Het riool kon het maar net aan,' grijnst Jochem als hij zich een paar tellen later bij hen voegt. 'Stevige beveiliging,' constateert Pieter als hij een groepje Chinese soldaten met mitrailleurs in de aanslag in het oog krijgt.

Onder het toeziend oog van de soldaten laten ze voor de tweede keer na aankomst hun paspoorten zien. Ze mogen met hun bagage doorlopen naar het openbare gedeelte van de aankomsthal.

Sharilla is de eerste die het bordje ziet met haar naam erop.

'Dat moet de oud-collega van mijn vader zijn,' laat ze de jongens weten, terwijl ze wijst op de man die het bord hoog boven zijn hoofd houdt. 'Hij werkt hier in Hong Kong als journalist voor een paar buitenlandse tv-zenders en kranten.'

Met zijn reusachtige gestalte, zijn gympen, een korte broek en een fel gekleurd bloemetjesoverhemd valt de man flink op tussen de kleine Chinezen en de vele nette pakken.

'Het is een Amerikaan,' fluistert Sharilla als uitleg voor de kleding van de man.

'Hello, hello my friends,' worden ze een paar tellen later enthousiast begroet. 'I am John.'

Hij neemt het karretje van Pieter over en maakt duidelijk dat ze hem moeten volgen.

'Het heeft me de grootste moeite gekost om een hotel voor jullie te vinden,' legt hij uit. 'Maar het is gelukt. Twee kamers, een voor de heren en een apart voor mevrouw, maar wel op verschillende verdiepingen.'

'Een hotel met een zwembad hoop ik,' zucht Jochem. 'Het is echt bloedheet hier.' Om te demonstreren hoe heet het is laat hij zijn tong uit zijn mond hangen.

'Kijk maar uit,' waarschuwt John. 'Sinds de Chinezen in Hong Kong de baas zijn wordt dat als belediging van het gezag gezien. En ze hebben in China de doodstraf nog,' voegt hij er met een serieus gezicht aan toe. 'In sommige steden rijden ze met de terdoodveroordeelden op een open kar door de stad. Die mensen dragen een groot bord waarop staat wat ze hebben misdaan. Op die manier proberen ze mensen af te schrikken om dezelfde

21

misdaden te begaan. De executie zelf is een groots gebeuren. Er komen altijd veel kijkers op af.'

Johns bulderlach schalt door de aankomsthal als Jochem snel zijn tong inhaalt. Als hij weer is bijgekomen gaat hij verder: 'Jullie kunnen gerust zijn. Er is een zwembad in het hotel. Ik dacht zo, dan kunnen jullie vast wennen aan het water, want het is zo'n duizend kilometer varen vanaf Hong Kong naar Manilla.' Hij maakt een vaag gebaar met zijn hand in wat waarschijnlijk de richting van de zee is.

'Ik ben al even wezen kijken naar dat schip waarmee jullie morgenochtend vertrekken. Tenminste, dat is de bedoeling, want er is een stormwaarschuwing. Er raast een tyfoon boven zee, die recht op ons af lijkt te komen. Het is er eentje met een dubbel oog en die zijn extra verwoestend. De wind kan snelheden van wel tweehonderd kilometer per uur bereiken.'

'Dan moetje knap hard lopen om de storm voor te blijven,' constateert Jochem.

'Dat kun je wel zo stellen,' buldert John. 'In ieder geval wordt er dan niet gevlogen en zal jullie schip niet uitvaren. Maar misschien is het loos alarm, hoor,' zo gaat hij verder. 'Vorig jaar woedde hier ook een tyfoon. Die heeft flinke schade aangericht in delen van China en Taiwan, maar hij is ons gepasseerd. Dus misschien kan jullie zeereis morgen toch gewoon beginnen. Jullie varen dwars over de Zuid-Chinese zee naar de Filippijnen met zijn meer dan zevenduizend eilanden en eilandjes. En weten jullie,' buldert hij zonder onderbreking verder, 'dat slechts een kwart van al die eilanden bewoond zijn? Dat betekent dus dat de Filippijnen vele duizenden onbewoonde eilanden heeft. Heerlijk, als je rust zoekt.'

Een paar Chinezen maken snel plaats om de reusachtige gestalte van John door te laten als ze bij de uitgang aankomen.

'We gaan met een taxi,' buldert John. 'Het verkeer in Hong Kong is zo druk dat maar weinig mensen een eigen auto hebben. Als je er wel eentje hebt, kun je er niet veel meer mee doen dan in de file staan. En geld voor een eigen helikopter heb ik jammer genoeg niet.'

'Het lijkt hier New York wel,' merkt Pieter op, als ze even later tussen de torenhoge gebouwen door op weg zijn naar hun hotel. 'Ja, maar dan nog drukker,' merkt John op, 'en met nog veel meer Chinezen dan in de New Yorkse wijk Chinatown. Maar

22

dat is ook niet zo gek natuurlijk, als je in China bent,' voegt hij er luid lachend aan toe.

Pieter lacht uit beleefdheid maar een beetje mee. John heeft zich omgedraaid in de stoel naast de bestuurder en praat verder.

'Ik ga jullie alles over de geschiedenis van Hong Kong vertellen,' laat hij enthousiast weten.

Pieter en Jochem kijken elkaar snel even aan. Ze hebben geen woorden nodig om elkaar duidelijk te maken wat ze van dit vooruitzicht denken. Pieter kijkt snel de andere kant uit als Jochem uitgebreid gaat zitten geeuwen. Maar de oud-collega van Sharilla's vader praat vrolijk verder.

'Laat ik om te beginnen maar vertellen dat Hong Kong heel lang een kolonie is geweest van Engeland. De Engelsen waren dus heel lang de baas in dit kleine stukje China. Pas in 1997 hebben ze het teruggegeven aan de Chinezen. Gelukkig,' zo gaat de man verder, 'hebben de Chinezen de vrije handel niet erg beperkt. Hierdoor is Hong Kong nog steeds een belangrijk handelscentrum met de op een na grootste haven ter wereld.'

'Er zijn toch mensen die hier op boten wonen,' merkt Sharilla enthousiast op. 'Dat zou ik best eens willen zien.'

'Klopt,' roept John door de auto. 'Het zijn er niet zoveel meer als vroeger, maar er zijn nog altijd gezinnen die op het water wonen. Maar maak je geen zorgen want ik ga het jullie allemaal laten zien.'

Pieter gaat iets meer rechtop zitten. Dit idee bevalt hem beter dan een eindeloos verhaal over de geschiedenis te moeten aanhoren.

'Kunnen we even stoppen?' vraagt Jochem plotseling.

'Moet je alweer?' roept Pieter verbaasd uit.

'Nee joh,' grijnst Jochem. 'We moeten toch een reportage maken. Ik wil even mijn camera pakken.'

'Niet nodig, niet nodig.' De zware basstem dreunt door de cabine. 'We komen hier nog terug. Ik heb eerst nog even een klusje, maar daarna pik ik jullie op in het hotel en gaan we op stap. En vanavond gaan we iets gevaarlijks doen,' voegt hij er maar met-een aan toe.

'Kogelvis eten in een Japans restaurant,' zegt hij, als reactie op de vragende blikken.

'Hier in Hong Kong?' vraagt Pieter maar voor de zekerheid.

'Ja, wat dacht je dan?' buldert de man. 'Dat we even naar Tokio heen en weer vliegen? Japan ligt hier wel in de buurt hoor, maar het is toch echt te ver voor een dineetje.'

Hij wijst in een onduidelijke richting en vervolgt: 'Ik heb hier een Japanse vriend en die heeft een eigen restaurant. Hij is een van de weinige koks die veilig kogelvis kan klaarmaken.'

'Wat is er dan onveilig aan kogelvis?' is de logische vraag van Sharilla.

'Lieve meid,' buldert hun gids door de auto. 'Een kogelvis is de giftigste vis in de wereld. Als je ook maar het kleinste spoortje gif binnenkrijgt, is het met je gedaan. Dan is er geen redding meer mogelijk en sterf je binnen een paar minuten een afschuwelijke dood. Als de kok de eetbare delen van de vis verkeerd wegsnijdt, dan...'

Hij maakt zijn zin niet af, maar maakt met een vlakke hand een snijdend gebaar langs zijn keel.

'O,' zegt Jochem droogjes. 'Volgens mij vindt mijn moeder het prettiger als we naar MacDonald's gaan. Ik heb nog niet gehoord dat hamburgers ook meteen dodelijk zijn.'

'Kogelvis eten is net Russische roulette,' zegt de Amerikaan handenwrijvend. 'Jullie weten toch wat dat is, hè?'

Als Sharilla nee schudt, vertelt hij enthousiast: 'Dat is een leuk spel met een revolver. Je stopt een kogel in het magazijn, sluit de revolver en draait dan aan het magazijn. Dan zet je de revolver tegen je hoofd en haalt de trekker over. De grap is dat je nooit zeker weet of de kogel op dat moment zal worden afgevuurd.'

'Nou ja,' reageert Sharilla verbaasd. 'Is het dan grappig om jezelf dood te schieten? Waarom doen ze dat?'

'Gewoon om stoer te doen,' merkt Jochem op.

'Dat ook wel. Maar het was in Rusland een gokspel. Trouwens,' gaat John meteen verder, 'hier in de buurt ligt Macau. Dat is een soort Las Vegas, maar dan in Azië. Macau puilt uit van de casino's waar je kunt gokken. Toevallig zijn de Chinezen dol op gokken, dus dat komt goed uit. Als jullie willen, gaan we daar ook nog even een kijkje nemen. Alleen komt er dan vannacht niet veel van slapen.'

'Mogen wij dan in het casino naar binnen?' vraagt Jochem verbaasd.

'Officieel niet, maar ik ken daar mensen dus dat komt wel goed.'

'Kijk eens aan, we zijn er al,' laat John weten als de taxi voor de overkapte ingang van een hotel stopt. 'We schrijven jullie snel in bij de receptie en daarna moet ik even werken. Ik heb een tv-interview met een krokodillenvanger.'

Opnieuw klinkt de bulderende lach als John de drie verbaasde gezichten ziet.

'Het is geen grapje, hoor. Krokodillen komen hier normaal gesproken niet voor, maar sinds twee weken zit er eentje in een belangrijke rivier. Ze hebben al van alles geprobeerd om dat beest te vangen, maar het wil niet lukken. Nu hebben ze een echte krokodillenvanger laten komen. Die man heeft al honderden krokodillen gevangen.'

'Hij voert ze zeker kogelvis,' grijnst Jochem.

'Leuk bedacht,' vindt John, 'maar ik geloof dat hij ze hypnotiseert.'

'Jaaa, echt niet,' roept Jochem uit. 'Dat wil ik dan wel zien.'

'Daar kunnen we voor de krant een mooi verhaal over maken,' bedenkt Pieter.

John aarzelt even maar zegt dan: 'Kan geregeld worden. De krokodillenvanger gaat vanmiddag aan het werk. Ik zal ervoor zorgen dat de receptie van het hotel een taxi regelt en dat jullie naar de rivier worden gebracht. Dan zie ik jullie daar om een uur of drie. Tot die tijd kunnen jullie zwemmen en lunchen, hier in het hotel.'

'Ik ben benieuwd,' zegt Jochem met een brede grijns op zijn gezicht, 'en ik verheug me al op die kogelvis.'

'Ja, daar kunnen we ook een mooi verhaal over maken,' merkt Pieter met een zuur gezicht op.

'Ik weet de kop al: "Kogelvis maakt nieuwe slachtoffers". Daar halen we gegarandeerd de voorpagina mee.'

Tegelijkertijd worden de deuren van de taxi geopend.

'Welcome to the Hong Kong Carlton Sixstar Hotel, madame,' krijgt Sharilla te horen van een jongen in een rood uniform. Iemand anders uit het hotel is al bezig de bagage uit de achterbak te halen.

'Eindelijk een beetje service,' grijnst Jochem. 'Ik werd al moe bij de gedachte dat ik zelf mijn tas moest dragen.'

'Wat saai, een kamer alleen,' klaagt Sharilla als ze bij de receptie hun kamersleutels krijgen.

'Orders van je bezorgde vader,' laat John weten.

Het ontgaat Pieter niet dat Sharilla even de hand van Jochem vastpakt als ze zegt:

'Ik kom straks wel naar jullie kamer toe, dan lopen we samen naar het zwembad.'

'En die orders zijn misschien wel terecht,' buldert John lachend, terwijl hij Pieter een vette knipoog geeft.

De verwisseling

'Krijg nou wat,' roept Jochem uit als hij op de hotelkamer zijn reistas open ritst.

Pieter kijkt zijn vriend vragend aan.

'Kijk dan,' reageert Jochem nijdig. 'Dit is de verkeerde tas. Deze is helemaal niet van mij.'

'O.'

'Ja, o. Mijn vader zal blij zijn. Een satelliettelefoon, het aller-nieuwste model digitale camera en wat dacht je van mijn lap-top.'

'En het geld voor de kinderbank,' voegt Pieter er aan toe. 'Had je dat maar nooit in je tas gestopt.'

'Krijg nou wat,' valt Jochem nijdig uit. 'Sharilla zei zelf dat ze het zo eng vond om dat geld bij zich te hebben. Had jij maar aangeboden om het te bewaren.'

'Jij was me voor,' zegt Pieter met een zuur gezicht.

'Leuk ben jij, nou ga je mij een beetje de schuld geven dat het geld voor de kinderbank kwijt is.' Hij kijkt Pieter niet al te vrien-delijk aan als hij vraagt: 'Wat heb je nou gedaan, man. Je hebt de verkeerde tas van de band gepakt.'

'Het is die man,' stamelt Pieter onzeker. 'Die man heeft zich ver-gist.'

'Wat, welke man, waar heb je het nou over?'

'Er was een man,' gaat Pieter verder. 'Hij had precies dezelfde tas als die van jou.'

Het is even stil terwijl Pieter langzaam zijn hoofd schudt.

'Ik had dus toch de goede gepakt,' mompelt hij voor zich uit. 'Ja, dus echt niet hè.' Jochem komt nijdig omhoog en met wilde gebaren schudt hij de tas boven het bed leeg.

Hij graait uit de stapel kleren een keurig donkerblauw heren-overhemd en een stropdas tevoorschijn.

'Denk je soms dat dit mijn kleren zijn? Dit is echt de verkeerde tas hoor, Pieter. Hier, en dit dan?' Jochem pakt met zichtbare in-

26

spanning de grote glimmende zilverkleurige koker tussen de kleren vandaan. Met twee handen houdt hij het zware ding bij zijn oor.

'Dit is echt geen mobiele telefoon, hoor.'

'Sorry, dat snap ik ook wel,' reageert Pieter verslagen. 'Het was die man. Hij zei dat ik zijn tas had gepakt en die vrouw stond ook maar tegen me aan te kletsen. Ik heb er verder niet op gelet.'

Jochem kijkt alsof hij het idee heeft dat Pieter gek is geworden. Hij laat zich neerploffen op het bed en zegt zachtjes: 'Ik snap er echt helemaal niets van. Hoe kun je nou de verkeerde tas pakken?'

'Dat heb ik helemaal niet gedaan,' protesteert Pieter. 'Luister dan, er was een man en die heeft de tassen verwisseld. Het waren precies dezelfde tassen. Hij zei dat die van jou van hem was en omgekeerd.'

'Omgekeerd?'

'Ja natuurlijk,' gaat Pieter nerveus verder. 'Ik bedoel dat hij eerst zei dat jouw tas van hem was en daarna dat zijn tas, die dus eigenlijk van hem is, van jou was. Nou ja, zo zei hij het natuurlijk niet precies, maar hij bedoelde het wel. Alleen wist hij toen natuurlijk niet dat die van hem van jou was en die van jou van hem.' Pieter schudt verward met zijn hoofd terwijl hij uitroept: 'Ik weet het ook niet. Die man heeft zich vergist. Die van hem is helemaal niet van jou.'

In stilte staart Jochem Pieter zeker vijf volle tellen aan.

'En het label met mijn naam en adres,' vraagt Jochem ten slotte. 'Heb je daar dan niet op gelet?'

'Nee,' reageert Pieter, meer nijdig op zichzelf dan op Jochem die maar blijft doorvragen. 'Die vrouw stond tegen me aan te kletsen. Ik was afgeleid en ik wilde daar weg.'

'Hoe kan dat nou?' roept Jochem terwijl hij de reistas ronddraait in zijn handen. Er moet toch een label op zitten? Alle tassen en koffers die in de bagageruimte van het vliegtuig meegaan krijgen toch bij het inchecken op het vliegveld een label of een sticker?'

Pieter knikt nadrukkelijk. 'Zeker weten.'

'Nou,' gaat Jochem verder. 'Waarom deze dan niet?'

Het enige dat Pieter weet te doen is zijn schouders ophalen. Hij heeft er geen idee van.

In de volgende minuten doorzoeken ze grondig de inhoud van de tas op zoek naar een aanwijzing.

'Als we het adres van die man hebben kunnen we hem opbellen of zo,' merkt Jochem op.

Pieter knikt. Dat snapt hij ook wel. En hij weet ook dat wanneer ze geen adres vinden, er maar één kans is om de spullen van Jochem terug te krijgen.

'De naam van dit hotel staat toch ook op jouw label?' vraagt hij voor de zekerheid aan Jochem.

Die knikt slechts terwijl hij opnieuw de glimmende ronde koker bestudeert. 'Dit ding is loodzwaar. Het lijkt wel of er een paar bowlingballen inzitten.'

'Maak maar open,' stelt Pieter voor. 'Misschien vinden we wel een aanwijzing.'

'Dan moet ik wel een mes of een schaar hebben,' reageert Jochem. 'Ze hebben wel tien kilometer plakband gebruikt om de deksel vast te plakken.'

Pieter pakt van het schrijfbureautje op hun hotelkamer een pen met de naam van het hotel erop en loopt ermee naar Jochem. Met zichtbaar ongeduld kijkt Jochem toe hoe Pieter met de punt van de pen het plakband te lijf gaat.

'Op deze manier ben je morgen nog bezig,' concludeert hij al snel. Hij staat op van het bed en gaat onrustig op zoek naar iets scherps.

Plotseling vraagt hij: 'Zouden ze het erg vinden als we een raam ingooien?'

Pieter kijkt even op om te zien of zijn vriend het meent. De bekende grijns maakt duidelijk dat dat niet zo is.

Hij gaat snel verder met zijn werk en vraagt zich ondertussen af hoe de man op het vliegveld zich zo heeft kunnen vergissen. Maar vooral ook vraagt hij zich af hoe hij zelf zo stom heeft kunnen zijn om de tassen om te ruilen. Hij voelt zich schuldig dat hij niet even het label heeft gecontroleerd.

'Wacht eens,' roept hij plotseling hardop.

'Wat?' roept Jochem die inmiddels in de badkamer op zoek is.

'Yes, ik heb iets,' roept Pieter triomfantelijk.

Hij houdt het donkerblauwe overhemd en een visitekaartje omhoog.

'Het zat in het borstzakje,' legt hij uit. 'Ik bedacht plotseling dat mijn vader daar ook altijd zijn visitekaartjes instopt. Meestal zitten ze er nog steeds in als zijn overhemden uit de was komen. Dat is bij deze man ook gebeurd.'

28

Pieter gooit het overhemd terug op het bed en concentreert zich op het kaartje.

'De inkt is wel uitgelopen,' mompelt hij, 'maar het is nog leesbaar.'

Jochem staat al bij het bed en grist het kaartje uit Pieters hand.

'Doctor José Lopez,' leest hij hardop. 'Nee hè, die man komt uit Manilla! Misschien is hij alweer weg.'

'Man,' roept Pieter opgelucht, 'we gaan toch zelf ook naar Manilla? Het belangrijkste is dat we nu een adres hebben.'

Hij kijkt Jochem aan. 'Ja toch, er staat toch zeker wel een adres op?'

'Er staat van alles op,' laat Jochem weten en hij leest het adres, telefoonnummer en het e-mailadres hardop voor.

'Ik ga meteen bellen,' besluit hij. 'Misschien is er wel iemand thuis. Die kan me misschien vertellen of die man een mobieltje heeft. Dan kunnen we hem meteen waarschuwen dat hij de verkeerde tas heeft meegenomen.'

'Of anders weten ze thuis misschien waar hij nu is. Hij zit vast net als wij in een hotel hier ergens in Hong Kong.'

Jochem is al op weg naar de telefoon op het bureautje als er drie zachte klopjes op de deur klinken.

'Dat zal Sharilla wel zijn. Ik doe wel open.'

Zittend op het bed hoort Pieter hoe Jochem de deur opendoet. Hij herkent vrijwel meteen het wat zangerige Engelse accent van de man van het vliegveld.

'En wie mag jij dan wel zijn?' hoort Pieter de man vragen.

Hij wacht niet eens op antwoord maar geeft een snelle beschrijving van Pieter.

'We zoeken die jongen,' legt de man uit.

Het gevoel van opluchting dat Jochem zijn tas nu terugkrijgt, maakt bij Pieter meteen plaats voor enige schrik. De spullen van de man liggen kriskras over het bed. Hij hoopt dat de man zal begrijpen dat ze op zoek zijn geweest naar zijn adres.

'Dat is mijn vriend. Hij zit binnen,' hoort hij vanuit het gangetje bij de ingang van de hotelkamer.

Voor Pieter het weet kijken twee paar ogen hem aan. De kleine man van het vliegveld kijkt hem vriendelijk aan. Hij is samen met een andere man. Pieter ziet hoe de blik van de kleine bruine man over het bed dwaalt. Zijn ogen vernauwen zich als hij kortaf vraagt: 'Hebben jullie in mijn spullen zitten rommelen?'

29

Blijkbaar ziet hij dan pas de koker met het beschadigde plakband rond de deksel. Als door een wesp gestoken deinst hij terug en met een hese paniekerige stem stelt hij zijn tweede vraag: 'Hebben jullie de koker opengemaakt?'

Pieters ogen flitsen meteen naar de koker en vervolgens terug naar de man.

'We zochten uw adres,' verdedigt hij zichzelf.

'Dus hij is open geweest?' vraagt de man met doodsangst in zijn ogen.

Jochem stapt brutaal naar voren en zegt: 'Welnee, dat ding is helemaal niet open geweest en ik wil graag mijn tas terug. Die heeft u toch meegenomen? U bent toch doctor José Lopez?'

Zeker een volle vijf seconden staart de man Jochem verbijsterd aan.

Dan stamelt hij: 'Hoe weet jij dat?'

'Ja, sorry hoor,' begint Jochem, 'maar we hebben dit in uw spullen gevonden.' Hij houdt het visitekaartje voor zich uit.

Met trillende vingers pakt de kleine man het van hem over.

Alsof hij zijn ogen niet kan geloven kijkt hij naar het kaartje.

'Het zat in het borstzakje van uw overhemd,' legt Jochem uit.

'In het borstzakje,' herhaalt de man met een vreemde hoge fluisterstem de woorden.

'We waren bang dat u misschien al op weg was naar Manilla,' mengt Pieter zich in het gesprek. 'Dat was niet echt erg geweest hoor, we gaan er zelf ook naar toe,' praat hij verder.

Zonder nog op Pieters woorden te reageren, draait de man zich om naar de ander. Hij praat te zacht voor de jongens om het te kunnen verstaan.

'Mijn tas. Ik wil mijn tas graag terug,' laat Jochem nog maar eens horen. 'Ik was in het toilet, maar het is mijn tas.'

Hij loopt iets door en gaat bij Pieter staan.

'Is het hem nou, of is het hem niet?' vraagt hij fluisterend.

'Zeker weten,' knikt Pieter vanaf het bed. 'Die kleinste is de man van het vliegveld. Hij heeft jouw tas meegenomen. En die ander was er misschien ook bij. Maar daar heb ik niet op gelet.'

'Wat staat die kleine dan een partij moeilijk te doen?'

Pieter haalt zijn schouders op en kijkt onzeker naar de mannen.

'Ik werd net bij de deur gewoon opzij geduwd,' fluistert Jochem, 'en even sorry zeggen dat ze mijn tas hebben meegenomen is er ook al niet bij,' moppert hij.

De kleine man draait terug naar het bed. Het overleg is blijkbaar ten einde. De angst die Pieter eerder in zijn ogen zag is verdwenen.

'Het spijt me,' begint de man. 'Het is allemaal een misverstand en ik bied jullie bij deze mijn verontschuldigingen aan. Sorry ook, dat ik net zo fel reageerde toen ik de koker zag. Hij bevat eh, nou ja, dat doet er ook niet toe. Het is in ieder geval belangrijk dat die koker niet geopend wordt.'

Hij wacht even voordat hij er aan toevoegt: 'Ik ben dokter. Precies zoals op mijn kaartje staat.'

Vervolgens kijkt hij de jongens een voor een vriendelijk aan en haalt zijn portefeuille te voorschijn.

'Ik vind dat een schadevergoeding voor het ongemak op zijn plaats is.'

'Ik heb liever mijn tas terug,' reageert Jochem.

'Maar natuurlijk, jongeman. Je tas staat voor je klaar. We konden jullie dankzij het label eenvoudig vinden. Ik ben blij dat alles nu goed komt.'

De dokter kijkt om zich heen en richt zich dan tot Pieter. 'En eh, je was toch samen met een eh, dame? Waar is die?'

'O eh, die is giftige vis eten,' reageert Jochem.

De man lijkt even in de war van het antwoord, maar hij herstelt zich snel. Uit zijn portefeuille komt een flinke stapel Amerikaanse dollar bankbiljetten tevoorschijn. Hij pelt er een aantal briefjes af en geeft de jongens allebei een stapeltje.

'Oh, maar dat is echt niet nodig hoor.'

Een stevige schop tegen zijn enkel snoert Pieter de mond.

'Nou, bedankt dan maar,' zegt Jochem snel. 'Daar kunnen we vast extra veel giftige vis voor bestellen.'

De man wisselt een snelle blik met zijn metgezel.

'Hou nou op over die vis, man,' waarschuwt Pieter zijn vriend.

'Als jullie even meelopen naar onze helikopter, kunnen we de tassen omruilen,' stelt de dokter voor.

Ditmaal zijn het de jongens die elkaar verbaasd aankijken. 'De koker moet zo snel mogelijk op de juiste plaats komen,' zegt de kleine man er snel achteraan. 'Er hangen levens van af.'

Geschrokken staart Pieter naar de koker. Hij hoopt maar niet dat hij met het gepruts aan het plakband iets heeft beschadigd. Hij heeft er nu al spijt van dat hij eraan begonnen is. Maar dit kon hij natuurlijk ook onmogelijk weten, vertelt hij zichzelf. Snel begint hij met het bij elkaar rapen van de spullen van de dokter. Hij aarzelt als hij een van de overhemden in handen heeft.

'Eh, ik ben bang dat ik niet zo goed kan opvouwen.'

'Geeft niets, hoor,' lacht de dokter. 'Stop het er maar in. Ik laat het allemaal wel strijken.'

Hij geeft zelf het goede voorbeeld door in een razend tempo zijn tas vol te proppen. Ten slotte legt hij voorzichtig de koker boven op de kleding en ritst de tas dicht.

'We kunnen gaan,' laat hij weten.

'Een moment,' roept Pieter terwijl hij naar het bureautje loopt. 'Hang ik even op de deur onze vriendin,' legt hij uit als de dokter vragend naar het berichtje kijkt dat Pieter met een klodder spuug tegen de buitenkant van de hotelkamerdeur plakt.

'Ze komt ons straks ophalen.'

'Jochem had de verkeerde tas. We zijn hem omruilen,' leest Jochem hardop voor om meteen daarop in de lach te schieten.

'Zeg gewoon dat we zo terug zijn. Dat is veel eenvoudiger.'

'De helikopter staat op het dak,' legt de dokter uit als de lift omhoog zoeft.

Op het dak van het hotel zien de jongens maar liefst drie grote helikopter-landingsplaatsen. Slechts een ervan is nu bezet. Er staat een helikopter waarvan de wieken draaien.

'Dat is het allernieuwste type,' laat Pieter bewonderend horen.

'Die dingen hebben zo'n goede geluidsisolatie dat je binnenin gewoon met elkaar kunt praten. Net als in een auto.'

Met de tas in zijn hand draaft de collega van de dokter vooruit en verdwijnt in de helikopter.

Even snel als hij in de buik van de helikopter verdwijnt komt hij weer tevoorschijn, maar niet alleen. Drie mannen vergezellen hem.

'Yes,' roept Jochem enthousiast. 'Dat is mijn tas.'

Met nog steeds de vriendelijke blik in zijn ogen pakt de dokter de tas over en houdt hem omhoog voor Jochem.

'Hier zijn je spullen weer, jongeman,' hoort Pieter hem nog zeggen.

Het volgende ogenblik wordt hij van achteren in een ijzeren greep genomen. Eerst is hij te overdonderd om te reageren. Voor zijn ogen ziet hij hoe ook Jochem door twee van de kerels wordt gepakt. De dokter kijkt zwijgend en met een strak gezicht toe.

'Rotzakken,' weet Jochem nog te schreeuwen voordat een van de mannen een lap tegen zijn gezicht drukt. Vrijwel tegelijkertijd is Pieter zelf aan de beurt. Op hetzelfde ogenblik dat er een stinkende lap tegen zijn eigen gezicht wordt aangeduwd plaatst hij zijn eerste trap naar achteren. Zonder nog veel te zien worstelt hij verder en trapt woest om zich heen. Hij weet zeker dat hij een van de twee mannen die hem vasthouden flink raakt. Maar het heeft geen enkel effect. Tegelijkertijd krijgt hij een gevoel alsof hij zweeft. Dan weet hij het plotseling. Ze worden verdoofd. Hij kan onmogelijk bedenken waarom dit gebeurt en wat de dokter met hen van plan is, maar een ding weet hij heel zeker: ze zitten hopeloos in de val. Als hij door blijft worstelen om los te komen zal dat alleen maar betekenen dat hij meer lucht nodig heeft en meer van het verdovende spul binnenkrijgt. Met een woeste uithaal van zijn elleboog brengt hij degene die de lap vasthoudt even uit zijn evenwicht. 'Niet inad...,' weet hij uit te brengen voordat hem de mond weer wordt gesnoerd. Niet meer ademen, hamert er door zijn hoofd. Niet meer ademen en net doen alsof het ze gelukt is. Hij sluit meteen zijn ogen en ontspant zijn spieren.

'Deze hebben we al te pakken,' hoort hij nog vaag, voordat hij het bewustzijn verliest.

Boven zee

Voorzichtig laat Pieter zijn dikke, gezwollen tong langs zijn lippen glijden. Met moeite tilt hij zijn hoofd iets op en opent zijn vochtige ogen. Hij knippert tegen het felle zonlicht dat door een van de ramen recht op zijn gezicht schijnt. Vreemd genoeg kost het hem geen enkele moeite om te bedenken waar hij is en wat er is gebeurd. Op minder dan twee meter afstand staan de tas van Jochem en die van de dokter als een onafscheidelijke tweeling bij elkaar. Jochem ligt uitgestrekt op de vloer, naast Pieter. Zijn regelmatige ademhaling verraadt dat hij nog leeft. Door het eentonige gedreun van de helikoptermotor heen hoort hij stemmen vanuit de cabine, met op de achtergrond zachte muziek. Het is hem snel duidelijk dat Jochem en hijzelf in het vrachtruim van de helikopter liggen. Hier staan geen stoelen. Een oranje deurtje van kunststof vormt de afscheiding

met de cabine. Eigenlijk is het meer een luik dan een deur. NO ENTRANCE DURING THE FLIGHT staat er in zwarte letters op de oranje ondergrond. Die tekst is voor Pieter overbodig. Hij voelt geen enkele behoefte om door het oranje luik in de cabine naar binnen te kruipen. In een poging weer helder te worden schudt hij voorzichtig met zijn hoofd. Hij heeft er geen idee van hoelang hij buiten bewustzijn is geweest. Hoewel zijn hoofd bonkt als een gek, heeft hij toch het gevoel dat het niet lang geweest is.

'We konden geen risico nemen met deze knapen,' dringt de stem van de dokter tot hem door. 'Het was gezonder voor ze geweest als ze mijn naam en adres niet gevonden hadden.' Hij pauzeert even voordat hij zegt: 'Ik ben nog steeds niet over de schrik heen. Wat stom dat er een visitekaartje in mijn overhemd was achtergebleven. Als die jongens bij de douane waren gepakt had het spoor rechtstreeks naar mij geleid.' Na weer een korte stilte zegt hij, op kille toon: 'Mijn huishoudster zal hier zwaar voor boeten.'

'Ik zal haar met plezier voor u onder handen nemen, baas.' De man laat zijn woorden volgen door een lach die klinkt als het hinniken van een paard.

'Het is gelukkig goed gegaan,' laat een nieuwe stem horen. 'Ik lach me nog rot als ik terugdenk aan het vliegveld. Net als we zien dat er extra beveiliging is, zie ik de tas van dat jochie over de band aan komen rollen. Precies dezelfde als die van u. Dat was een buitenkans die we niet konden laten lopen. Die jongens hebben ons spul veilig door de douane geloodst,' besluit de stem lachend.

Dan hoort Pieter de man met de hinnikende lach weer. Op een manier alsof hij over het weer praat, zegt de man: 'Neemt u ze mee baas, om ze open te snijden en leeg te halen, of maken we er hier een eind aan om ze daarna in zee te gooien?'

Pieter twijfelt er geen moment aan dat de man het over hem en Jochem heeft. Hij schuift voorzichtig iets opzij en strekt zijn trillende hand naar Jochem uit. Voorzichtig duwt hij tegen de schouder van zijn vriend.

'Jochem, wakker worden, man,' fluistert hij zacht.

'Uh, uh,' is de enige reactie.

Opnieuw schudt hij aan Jochems schouders.

Niets. Geen enkele reactie. Hij kan alleen maar hopen dat Jochem zijn waarschuwing heeft begrepen en er ook voor heeft gezorgd niet te veel van het verdovingsmiddel binnen te krijgen. Zo niet, dan zal zijn vriend misschien nog uren bewusteloos blijven.

Pieter staakt zijn pogingen en laat zijn bonkende hoofd terugzakken op de metalen vloer van de helikopter.

Opnieuw klinkt de hinnikende lach. 'Oké, dat is dus een uitgemaakte zaak. Ik maak ze halverwege de afstand naar Manilla af en dan kieperen we de lijken in zee. Ik kan bijna niet wachten.'

Het blijft even stil tot een van de anderen zegt: 'Je bent een echte sadist, Benigno. Een smerige, moordlustige rat.'

De Rat, zoals Pieter de man in gedachten doopt, trekt zich weinig aan van deze opmerking. 'Die vinden ze nooit meer terug,' constateert de man tevreden. In zijn verbeelding ziet Pieter bijna voor zich hoe de Rat handenwrijvend in de cabine zit en zich erop verheugt om Jochem en hemzelf te vermoorden. Hij slikt een paar keer en bevochtigt zijn droge lippen. Gelukkig voelt zijn tong al iets minder dik, maar het bonken in zijn hoofd gaat onverminderd door. Zijn gedachten gaan terug naar het vliegveld en de Amerikaanse met haar fototoestel. Misschien hoort die er ook bij, bedenkt hij. Misschien had die vrouw de opdracht om hem af te leiden zodat de dokter in de verwarring de tas kon verwisselen. En wat zit er dan in de koker? Het moeten wel drugs zijn.

'Vuile leugenaar,' mompelt hij in zichzelf bij de gedachte aan de dokter. Hij verbaast zich erover hoe hij zo stom heeft kunnen zijn. Als hij even had opgelet op het moment dat de dokter de tassen omruilde, had hij geweten dat het niet klopte. Maar dat heeft hij niet gedaan. Hij sluit zijn ogen in het besef dat die fout hun dood kan betekenen. Niet kán betekenen, verbetert hij zichzelf, maar zál betekenen. Hij wordt overspoeld door de onverbiddelijke gedachte dat er geen ontsnappen meer mogelijk is. Hoewel hij zijn ogen stijf gesloten houdt, lopen de tranen over zijn gezicht. Hij doet nog een poging om zichzelf wijs te maken dat hij in een boze droom zit. Maar het heeft geen enkele zin. Hoe onwaarschijnlijk hun situatie ook is, hij moet de werkelijkheid onder ogen zien. Binnen nu en misschien een of twee uur, of misschien al veel eerder, zal het afgelopen zijn met hen. Het is vreselijk om te bedenken dat nooit iemand zal weten wat er is gebeurd of waar ze zijn gebleven. Of toch wel? De politie zal vast een grootscheeps onderzoek beginnen. En Sharilla heeft de dokter gezien. Ze zullen die gek vast vinden. Die gedachte maakt hem even vrolijk. Maar lang duurt dat niet. Ook als de dokter gepakt wordt, zullen Jochem en hij er niets meer aan hebben. Hij opent langzaam zijn ogen en staart nietsziend naar de rekken in de wand tegenover hem. Tegelijkertijd klinkt er een stemmetje in zijn hoofd dat zegt: Probeer helder te blijven, Pieter. Nergens aan denken, behalve aan één ding: hoe kom je hier levend vandaan?

'Uh, uh,' kreunt Jochem naast hem.

Opnieuw doet hij een poging om zijn vriend bij zijn positieven te laten komen.

'Jochem, Jochem! Wakker worden,' sist hij in zijn oor.

Even lijkt Jochem zijn ogen te openen. Maar het is maar schijn. De verdoving werkt nog volop.

Moedeloos kijkt Pieter naar het oranje cabineluik waarachter de dokter en zijn mannen zitten. Opnieuw stromen de tranen in stilte over zijn wangen bij de gedachte dat deze afschuwelijke mannen de laatste mensen zullen zijn... 'Niet aan denken, Pieter,' mompelt hij voor zich uit.

Maar hoe hij ook zijn best doet, hij kan de gedachte aan de naderende dood niet verdringen.

Hoe zullen ze ons vermoorden? vraagt hij zich in stilte af. Niet met een pistool. Dat is veel te gevaarlijk in de lucht. Dan weet hij het plotseling. Ze zullen gewurgd worden. De kerels zullen denken dat ze allebei nog verdoofd zijn. Ze zullen zijn keel en die van Jochem dichtknijpen net zolang totdat ze niet meer ademen. En dan, dan worden ze dus in zee gegooid. Hij heeft er geen idee van of er hier haaien zitten. Onwillekeurig trekt er een droevige glimlach over zijn gezicht bij de gedachte dat hij zich daar niet druk over hoeft te maken. Hij zal er weinig meer van merken als hij dood in zee valt.

Wacht eens, flitst er door zijn hoofd. Die kerels weten niet dat je bij kennis bent. Daar moet je gebruik van maken. In de hoop zittend helderder te kunnen denken, drukt hij zich voorzichtig omhoog. Ze zijn met zijn vijven, vertelt hij zichzelf. Zijn ogen blijven rusten op de metalen schuifdeur die de weg naar buiten vormt. Die schuifdeur zullen die kerels open moeten schuiven om ze naar buiten te gooien. Dat kan niet anders. De vraag is, zo gaat hij in gedachten verder, of de deur open zal gaan voordat ze vermoord worden of pas daarna. Als het is voordat ze vermoord worden, heeft hij misschien een kans. Hij kan gebruikmaken van de verrassing en met een paar welgemikte jiu-jitsutrappen de kerels naar buiten werken. Op het moment dat hij dit bedenkt weet hij dat het een onzinnige gedachte is. Misschien kan hij er een of twee naar buiten werken, maar nooit alle vijf. En zelfs als het hem wel lukt, wat dan? Dan zit hij samen met zijn bewusteloze vriend in een stuurloze helikopter. Hij balt zijn vuist. Je kunt het, Pieter, vertelt hij zichzelf. Je hebt genoeg uren achter je joystick gezeten om ook in het echt met een helikopter te kunnen vliegen. En anders? Anders springen we er gewoon uit, bedenkt hij. Met hernieuwde belangstelling bestudeert hij de inhoud van het rek al eerder gezien. Maar toen is de betekenis ervan niet goed tot hem doorgedrongen. Maar nu wel. Die zwemvesten zullen ze prima kunnen gebruiken. Het zijn automatische zwemvesten, weet hij. Een ruk aan het koord is voldoende, dan blazen ze zichzelf op. Zo moet het gaan, weet hij. Hij werkt de vijf kerels naar buiten en probeert zolang mogelijk door te vliegen. Als dat niet meer lukt, zal hij Jochem een zwemvest omdoen en er zelf ook een aantrekken. Dan springen ze eruit. Achter in het ruim ziet hij een pakket liggen dat hij herkent als een automatisch reddingsvlot. Hij heeft pas nog een demonstratie van zo'n ding gezien in een tv-programma over boten. Hij kruipt er zo geruisloos mogelijk naartoe en bestudeert de Engelse handleiding die op het rubber staat afgedrukt. De handleiding meldt dat er een watersensor in zit die ervoor zorgt dat het vlot zichzelf opblaast zodra het in contact komt met water. De symbolen die erbij staan, maken duidelijk dat er in het vlot een overlevingspakket zit. Een mes, een harpoen, een seinpistool met lichtkogels, een waterdichte schijnwerper, een EHBO-kist en voor vier personen eten en drinken voor achtenveertig uur. Hij herinnert zich van het televisieprogramma dat het mes en de harpoen bedoeld zijn om vis te vangen en die schoon te maken.

Het vinden van het reddingsvlot is nog mooier dan hij had kunnen bedenken. Maar ondanks de opwinding die hij voelt, weet hij dat zijn plan weinig kans van slagen heeft. Ook al zijn de kerels niet groot, hij zal het in zijn eentje nooit op kunnen nemen tegen vijf volwassen mannen. Als Sharilla nu hier was. Dan zouden ze met gebruik van hun jiu-jitsutechnieken misschien een kans hebben. Maar zij is er niet. Hij slikt. De beelden van thuis verschijnen als vanzelf voor zijn ogen. Niet aan denken en niet opnieuw gaan janken, fluistert hij zichzelf bestraffend toe.

Het lichte kreunen van Jochem leidt zijn aandacht af. Hij sluipt op zijn tenen naar zijn vriend toe en knielt naast hem neer. 'Jochem, wakker worden,' probeert hij voor de derde keer, maar Jochems enige reactie is een nieuwe kreun. Nog zeker een volle minuut probeert Pieter om zijn vriend bij bewustzijn te laten komen. Maar het is tevergeefs. Hij weet maar net overeind te blijven als de helikopter een onverwachte beweging maakt. 'Je houdt dit ding toch wel in de lucht hè?' klinkt er vanuit de cabine.

'Concentreer je op het vliegen,' klinkt er scherp. Pieter herkent de stem van de dokter die overduidelijk de leider is van deze bende.

Pieter houdt zijn adem in als de Rat het woord neemt. 'Zullen we ze zo langzamerhand maar eens overboord zetten, baas?' hoort Pieter de man voorstellen. 'Je kunt niet wachten hè, Benigno? Je zit bijna te kwijlen, man,' zegt een van de collega's met een stem waarin de walging doorklinkt.

'Afgelopen,' reageert de dokter op scherpe toon. 'Benigno doet gewoon zijn werk en daarin is hij de beste. Trouwens Benigno,' zo gaat de dokter verder, 'als deze klus klaar is ga je terug naar Hong Kong. Zorg dat je dat meisje vindt dat samen met die jochies op het vliegveld was. Zij heeft mij gezien, ze is dus een gevaarlijke getuige. Bovendien is er een kans dat die jongens haar verteld hebben over het visitekaartje. Dan weet ze ook mijn naam en het adres van mijn huis in Manilla. Dat risico wil ik niet nemen, er staat te veel op het spel. Ik wil dat ze verdwijnt.' 'En die vrouw dan, baas, die met dat fototoestel stond te zwaaien, heeft die ook iets met die jochies te maken?' Pieter vermoedt dat dit de stem is van de man die samen met de dokter op het vliegveld was. De Amerikaanse kent de dokter dus niet, weet hij nu meteen. Het was allemaal stom toeval.

'Moet ik die ook vermoorden, baas?' vraagt de Rat hoopvol.

Het is even stil voordat de dokter zegt: 'Ik denk niet dat we ons daar zorgen over hoeven te maken. Maar dat meisje moet verdwijnen en wel zo snel mogelijk.'

'Natuurlijk baas. Ik zal ervoor zorgen,' antwoordt de Rat. 'Zal ik dan nu maar beginnen met die jochies?'

Pieter trilt over zijn hele lijf. Moedeloos laat hij zich vanuit zijn geknielde houding terugzakken op de vloer. Het is hopeloos, weet hij. Zijn plan om de vijf mannen naar buiten te gooien is waardeloos. Het zal hem in zijn eentje nooit lukken. Met een flinke stomp raakt hij Jochem in zijn zij. 'Word dan ook wakker, man,' sist hij nijdig. Jochem kreunt, maar daar blijft het bij.

Pieter doet geen enkele poging het trillen te onderdrukken. De angst bij de gedachte wat de Rat met hem en Jochem zal gaan doen overspoelt hem. En nu ook Sharilla, de Rat gaat ook Sharilla vermoorden. Hij laat zijn tranen de vrije loop. Alle kracht en alle energie lijken uit zijn lichaam weg te vloeien. Misschien komt het ook omdat hij op geen enkele manier was voorbereid op wat er is gebeurd. Misschien nog maar twee of drie uur geleden zijn ze aangekomen in Hong Kong. En nu zit hij hier in een helikopter boven zee met een vrijwel zekere dood voor ogen.

'Vergeet niet hun zakken leeg te halen,' hoort hij door zijn tranen de stem van de dokter. 'Ik wil mijn dollars terug.'

'Dus ik kan beginnen?' vraagt de Rat.

Pieters ogen flitsen door de laadruimte.

'Stop toch met janken, idioot,' sist hij voor zich uit. 'Je moet iets doen, man. Je laat je toch niet zomaar pakken?'

Zijn hersens werken op volle toeren. 'Hoeveel tijd heb ik nog?' denkt hij. Een minuut, twee minuten of minder. Hij weet dat het absoluut hopeloos is, maar hij wil er niet meer aan toegeven. Hij is zich er van bewust dat de klok de seconden die hem nog scheiden van een zekere dood snel weg tikt. Als vanzelf komt hij overeind. Hij moet iets doen. Zijn ogen flitsen nerveus heen en weer door de cabine. Er moet iets zijn dat hij kan gebruiken om zich te verdedigen. Hij zal zich niet zomaar laten afslachten. Zijn ogen blijven rusten op een bijl die tegen de zijkant van een rek is vastgesjord. Hij aarzelt niet.

'Toe dan,' smeekt hij hardop als de knoop van het sjortouw niet wil loslaten. Hij haalt diep adem en probeert zijn trillende vingers onder controle te krijgen.

39

'Yes.'

Hij pakt de bijl met twee handen vast en loopt zo ver mogelijk naar de achterkant van de laadruimte. Met ogen groot van angst staart hij naar het oranje cabineluik. Langzaam brengt hij de bijl omhoog tot boven zijn hoofd en zo blijft hij staan.

Een diepe duik

'We wachten nog een half uur,' dringt de stem van de dokter tot Pieter door. 'Dan zitten we boven een stuk zee dat ver bij de vaste scheepvaartroutes vandaan is. Daar gaan ze eruit.'

'Kun je zolang nog wachten, Benigno?' roept een van de mannen.

'Genoeg,' snauwt de dokter. 'Ik wil hier niets meer over horen. Dat heb ik net al gezegd.'

'Kunt u even stil zijn?' vraagt een stem die Pieter nog niet eerder heeft gehoord, op een dwingende toon.

'Er is nieuws over de storm.'

Pieter hoort de radio kraken. Hij hoort een metaalachtige stem iets zeggen over zware regenval, maar het bericht dringt niet echt tot hem door.

Opnieuw trilt hij over zijn hele lijf. Zacht snikkend laat hij zich met zijn rug tegen de wand omlaag zakken. Het is waarschijnlijk de opluchting en de reactie op de ongelofelijke spanning van daarnet. Hij denkt er niet over na.

Een half uur, dendert er door zijn hoofd. Jochem en hijzelf krijgen een tweede kans. Een half uur moet genoeg zijn voor een goed plan, vertelt hij zichzelf. Voorzichtig legt hij de bijl naast zich neer. Een blik op Jochem is voldoende om te weten dat die nog steeds niet is bijgekomen uit zijn verdoving.

'Concentreer je,' fluistert Pieter. 'Dit is je laatste kans.'

Dan valt zijn oog op de tassen. Zijn eerste gedachte is dat hij de telefoon van Jochem kan gebruiken om alarm te slaan. Hij vraagt zich tegelijkertijd af waarom hij daar niet eerder aan gedacht heeft. Maar meteen weet hij dat het een onzinnige gedachte is. Niemand zal op tijd hier kunnen zijn om hen te redden. Bovendien zal hij de positie van de helikopter door moeten geven en hij heeft er geen idee van hoe het in de telefoon van Jochem ingebouwde GPS-apparaat werkt. Dat heeft hij nodig om

40

hun positie te bepalen. Onrustig dwalen zijn ogen verder. Opnieuw ziet hij de zwemvesten. Hij komt overeind en schuifelt zo zachtjes mogelijk naar het rek waarin ze liggen. Hij haalt er eentje uit het rek en leest de handleiding. Het is zoals hij al dacht. De vesten blazen zichzelf op zodra je aan het koord trekt.

Plotseling draait hij zich om en staart een hele tijd naar de stalen schuifdeur die de weg naar buiten vormt. Op de deur staat in knotsgrote gele letters aangegeven in welke stand de hendel moet staan voor open en dicht.

'Dat is het natuurlijk,' praat Pieter in zichzelf. 'Ik moet niet wachten tot ze hier komen, we moeten er zelf uitspringen. Niet meer nadenken, gewoon doen,' mompelt hij verder. Heel even vraagt hij zich verbaasd af waarom hij dit niet veel eerder bedacht heeft. Ze zijn nu inmiddels ongelofelijk ver uit de kust, bijna halverwege de afstand tussen Hong Kong en de Filippijnen.

'Doorgaan, Pieter,' spreekt hij zichzelf weer toe. 'Hierover nadenken heeft geen enkele zin.'

Hij trekt het zwemvest over zijn hoofd en loopt met een tweede vest naar Jochem toe. Het lichaam van zijn vriend is helemaal slap. Hij gaat op zijn knieën bij diens hoofd zitten en duwt hem voorzichtig in een zittende houding. Terwijl hij er met een hand voor zorgt dat Jochem niet naar opzij wegzakt, trekt hij hem zonder al te veel moeite het zwemvest aan. Vervolgens sleept hij zijn vriend centimeter voor centimeter naar de deur. Verschillende keren houdt hij zijn adem in en staart angstig naar het oranje luik dat hen scheidt van de cabine. Maar het gaat gelukkig goed. Als Jochem klaarligt bij de deur neemt Pieter even de tijd om naar buiten te kijken. Daar weerkaatst het felle zonlicht op het eindeloze wateroppervlak. De zee reikt zover hij kan kijken. Stap voor stap probeert hij te bedenken hoe het straks zal gaan. Zodra de deur openschuift zullen de vijf voorin het horen. Ze zullen meteen in actie komen. Dat betekent dat hij maar een onderdeel van een seconde de tijd heeft om samen met Jochem naar buiten te komen. Pas tijdens hun val naar beneden kunnen de zwemvesten worden opgeblazen. Hij heeft eens een demonstratie van die dingen op de televisie gezien en weet dat zoiets een flink gesis geeft. Eerder opblazen betekent dus dat ze zichzelf zullen verraden. En dan, als ze eenmaal in het water liggen? Wat gebeurt er dan? Zijn grootste angst is dat de helikopter laag boven ze zal gaan hangen en dat die kerels op hen zullen schieten. Hij haalt zijn schouders maar op. Hij kan er niets aan veranderen. Het enige dat hij weet is dat ze niet aan boord kunnen blijven. En dan de haaien, gaat er door zijn hoofd. Hij staart een paar seconden strak naar het water dat onder hem voorbij flitst.

'Niets te zien,' mompelt hij. Maar hij weet dat hij zichzelf voor de gek houdt. Het is onmogelijk van boven af te zien of er wel of geen haaien in de zee zitten. Plotseling moet hij denken aan de giftige kogelvis. Hij heeft er geen idee van of die beesten ook mensen aanvallen. En dan die reuzenkwallen, die hij laatst in het journaal heeft gezien. Die beesten zwommen met duizenden tegelijk voor de kust van Japan en ze waren zo groot als een auto. Het kan best dat die beesten ook hier zitten. Hij wordt bijna misselijk bij het idee in die slijmerige massa verstrikt te raken. Misschien zuigen die beesten je wel naar binnen, zo spookt het door zijn hoofd. Hij maakt zijn ogen los van het water en speurt nog eens langs de horizon. Hoe graag hij het ook zou willen, er is nergens land te zien. Hij weet het ook wel. Ze zitten hier midden op zee en zijn waarschijnlijk vele honderden kilometers verwijderd van welke kust dan ook. De dokter heeft niet voor niets gewacht met hen naar buiten te gooien. Die wil er natuurlijk zeker van zijn dat hun lijken niet gevonden worden. Het vooruitzicht dat ze uren, misschien wel dagen, hulpeloos in hun zwemvesten op zee zullen drijven bezorgt Pieter opnieuw de rillingen. Met een nadenkende blik in zijn ogen schuifelt hij naar het reddingsvlot. Het is een flink pakket. Hij betwijfelt of hij erin zal slagen om het vlot geruisloos bij de deur te krijgen. En dan? Als de deur eenmaal open is zal hij behalve Jochem ook het vlot naar buiten moeten duwen om vervolgens zelf te springen. En dat moet allemaal in een onderdeel van een seconde gebeuren. Dat lijkt een onmogelijke opgave. Hij is al op de terugweg naar de deur als hij stopt. Hij weet dat het dagen kan duren voordat ze worden gered. In zijn achterhoofd borrelt de gedachte dat er een grote kans is dat ze helemaal niet gered worden. Hij heeft de dokter horen zeggen dat ze overboord gaan in een gebied waar bijna geen scheepvaart is. Daar moeten ze nu dus bijna zijn. En als ze dan het geluk hebben om toch een schip tegen te komen, zullen ze in hun zwemvesten waarschijnlijk niet opvallen. En dan de haaien en andere griezels en de brandende zon. Eigenlijk weet hij het zeker. Zonder vlot is de kans op overleving vele malen kleiner…

Maar op dat moment lacht het geluk hem toe. Al de hele tijd klinkt er zachte muziek vanuit de cabine. Er komt iemand op het idee om het volume flink open te draaien. Pieter hoort hoe de dokter uit volle borst meezingt. Er verschijnt een grimmige trek rond zijn mond.

'Je moet het risico nemen, Pieter,' klinkt zijn stem op fluister-toon door het laadruim. 'Het is nu of nooit.'

Hij pakt een touw aan de zijkant van het opgevouwen vlot en begint te trekken.

'Kom op dan,' spreekt hij het vlot toe als het niet meteen mee-geeft. Hij zet zich schrap en geeft een flinke ruk. Met een scheu-rend geluid komt het pak los van de vloer. Vastgeplakt, gaat er meteen door zijn hoofd. Door de hitte is het rubber van het vlot aan het metaal van de vloer vastgeplakt. Hij staat doodstil en durft niet meer te bewegen. Na een seconde of tien blaast hij langzaam zijn ingehouden adem uit. De stem van de dokter galmt onverminderd door de helikopter. Het is een vrolijke boel daar voorin, constateert Pieter tot zijn opluchting.

Blijkbaar hebben de mannen er geen last van dat ze op het punt staan om een dubbele moord te plegen. Dat komt hem nu goed van pas.

Nu het vlot eenmaal los is, trekt hij het zonder veel problemen naar de deur, tot het naast Jochem ligt. Hij moet nu nog één pro-bleem oplossen en dat is: alles straks zo snel mogelijk naar bui-ten werken. De meest logische volgorde, zo bedenkt Pieter, is om eerst het vlot naar buiten te gooien en er dan zelf achteraan te springen. Maar het is nu geen normale situatie. Zodra de bui-tendeur openschuift zullen de mannen voorin gealarmeerd zijn, zelfs nu de muziek zo hard staat. Het zware pak naar buiten duwen kost toch een paar seconden en zelfs dat zal te veel zijn. Er is dus maar één oplossing mogelijk, zo bedenkt hij. Hij moet zichzelf en Jochem met een touw vastbinden aan het vlot. Ze zullen eerst zelf springen en hun eigen gewicht zal ervoor zor-gen dat het vlot mee naar buiten wordt getrokken, hoopt hij. Het enige risico van deze constructie is dat ze het vlot boven op zich zullen krijgen als ze eenmaal in het water liggen. Maar een beter idee heeft hij niet. Hij begint meteen en gebruikt de red-

dingslijnen die bij het horen. Om het gevaar van een bot-
sing te verminderen gebruikt hij de volle lengte van de lijnen.
Zo zit er zeker tien meter touw tussen het vlot en henzelf. Voldoende afstand, zo hoopt Pieter, om opzij te zwemmen en het
vlot bij het neerkomen te ontwijken. Terwijl in het snikhete laadruim het zweet aan alle kanten van hem afdruipt, knoopt hij ingespannen verder. Hij controleert alles nog een keer en kijkt dan
naar Jochem.

'Oké, tijd om te gaan,' zegt hij tegen zijn nog steeds bewusteloze vriend.

Als hij naar Jochem kijkt, ziet hij ook de tassen staan. De telefoon, weet hij meteen. De telefoon zal onmisbaar zijn om hulp
te vragen als ze straks in zee drijven. Hij hoopt maar dat de satelliettelefoon die Jochem van het werk van zijn vader heeft
meegekregen, waterdicht is. Hij stapt over Jochem heen naar de
tassen toe. Zonder adreslabel zien de tassen er opnieuw exact
hetzelfde uit. Hij staat op het punt om een van de tassen open
te ritsen, als hij zich net op tijd bedenkt.

'Niet doen, idioot,' sist hij zichzelf toe. 'Dat horen ze.'
Maar hij weet ook dat ze zonder de telefoon verloren zijn. Zonder er echt over na te denken kiest hij voor een andere oplossing. Hij grist een lang stuk touw uit het rek, sjouwt de tassen
naar de schuifdeur toe en koppelt ze met het lange touw vast
aan het reddingsvlot. Voor de laatste keer kijkt hij door het raam
naast de stalen schuifdeur naar de zee beneden hen. De afstand
tot het water lijkt niet al te groot, maar hij weet ook dat het
moeilijk is om dat in te schatten. Dan stopt de dokter met zingen en een tel later wordt ook de muziek afgezet. De stem van
de dokter klinkt koud maar overduidelijk.

'Ga je gang, Benigno.'
Alsof dat nu van enig belang is kijkt Pieter automatisch op zijn
horloge. Er zijn pas twintig minuten voorbij en de dokter had
het eerder over een half uur.

Vanaf zijn horloge flitsen zijn ogen in de richting van het oranje
cabineluik. In stomme ontzetting staart hij ernaar. Hij weet dat
hij in actie moet komen maar zijn spieren zijn verstijfd. Terwijl hij
kostbare seconden verliest, probeert hij uit alle macht de controle over zijn eigen lichaam te herwinnen. Eindelijk schiet zijn
hand uit naar de hendel. Hij geeft een ruk en zet het ding met een
krachtige beweging in de open stand. Geholpen door de wind

knalt de deur meteen open. Zijn oren vangen het geschreeuw uit de cabine op. Vanuit zijn ooghoek ziet hij het cabineluik openvliegen. Het gaat allemaal nog honderd keer sneller dan hij zich had voorgesteld. De wind giert krachtig naar binnen als hij Jochem bij de reddingslijn om diens middel vastgrijpt en het laatste stuk naar de uitgang sleept. Tijd om na te denken is er nu niet meer. Met zijn vrije hand rukt hij aan het koord van Jochem's zwemvest. Met een luid sissend geluid pompt het ding zichzelf op. Hij rukt opnieuw aan de reddingslijn waar Jochem aan vast zit. Het hoofd van zijn vriend schokt over de metalen bodem als Pieter hem tot bij de drempel trekt. Uit alle macht probeert hij de opkomende paniek te onderdrukken. Hij weet dat het allemaal veel te langzaam gaat. In zijn hoofd worden de geluiden van de gierende wind, het gedreun van de helikoptermotor en het schreeuwen van de mannen vermengd tot een gekmakend kabaal. Er trekt een waas voor zijn ogen en zijn lichaam lijkt het op te geven. Maar de wil om te overleven is sterker. Zich nauwelijks nog bewust van wat hij doet lijkt een ander deel van zijn hersenen de controle over te nemen. Met onvermoede kracht tilt hij Jochem in één keer omhoog. Dan blijft zijn voet haken achter het touw waar de tassen aan vast zitten. Met Jochem hangend in zijn armen struikelt hij voorover en minder dan een tel later zweven ze in de lucht. Zijn spieren trillen van inspanning, zo stevig omklemt hij Jochem. Hij sluit zijn ogen en zet zich schrap voor de klap op het water. De schok die hem treft is zo hevig dat hij Jochem moet loslaten. De lucht wordt uit zijn longen geperst en even lijkt het of hij het bewustzijn verliest. Met zijn ogen nog gesloten wacht hij op het water dat hem zal omspoelen. Maar het enige dat hij voelt is de reddingslijn die door zijn kleren heen ongenadig in zijn vlees snijdt. Zijn inmiddels opengesperde ogen kijken vol ongeloof naar boven. Het nog opgevouwen reddingsvlot hangt voor een deel uit de helikopter. Zijn eerste gedachte is dat het ergens achter is blijven haken. Maar dan ziet hij de twee handen die het vlot omklemmen.

'Nee!' Hij schreeuwt het woord door de lucht. Als vanzelf kijkt hij naar Jochem die aan zijn langere touw iets beneden hem hangt. Tussen hen in loopt een strak gespannen derde touw. Pieter volgt met zijn ogen het touw naar beneden waar het in de golven verdwijnt. Het moeten de tassen zijn, weet hij, maar ze zijn nu uit het zicht. Verdwenen onder water. Hij realiseert zich dat hij die moet hebben meegesleurd in zijn val. Net als hijzelf is ook het slappe lijf van Jochem een speelbal van de krachtige wind. In een poging eindelijk hulp en steun te krijgen gilt hij naar beneden. 'Word dan toch wakker.'

Maar hij wacht de reactie niet eens af. Zijn ogen zijn alweer naar boven gericht, waar hij ziet hoe het pak van het reddingsvlot stukje bij beetje naar binnen wordt getrokken. Hij weet dat het nog slechts een kwestie van seconden is voor ze boven de reddingslijnen zullen pakken. Dan is alles verloren. Dan zullen Jochem en hij willoos omhoog worden getrokken. En dan... Hij huivert bij de gedachte. Dan zullen ze door de Rat worden afgeslacht. De rust die over hem komt kan hij niet verklaren. Het is een gevoel alsof hij buiten zichzelf treedt, alsof het hem allemaal niet meer aangaat. De geluiden om hem heen verstommen en op zijn gezicht verschijnt een glimlach. Hij draait zijn gezicht naar de zon en koestert zich in de warmte. Zijn ogen sluiten zich en hij laat zijn lichaam losjes wiegen in de wind. Heel zachtjes begint hij te zingen. Het is een liedje dat de hele week al in zijn hoofd zit. Het zorgt ervoor dat hij steeds rustiger wordt. Hij is zich niet langer bewust van zijn omgeving en laat zich verder meeslepen in zijn eigen wereld. Een wereld waar niets of niemand hem meer kan deren.

De snel opeenvolgende knallen en de langsfluitende kogels brengen hem ruw en meedogenloos terug in de werkelijkheid. Zijn ogen zien meteen de loop van een pistool dat over het pak heen naar beneden wijst. Er wordt snel achter elkaar, maar ongericht geschoten. In een reflex maakt hij zich zo klein mogelijk en staart naar het pistool. Plotseling weet hij wat hem te doen staat. Het is een allerlaatste kans. Met alle kracht die in hem is begint hij zich aan de reddingslijn omhoog te trekken. De omstandigheden zijn ondenkbaar moeilijk. De wind trekt hem schuin naar achteren, weg bij de helikopter en de kunststof reddingslijn is dun en glad. Daar komt bij dat touwklimmen niet zijn sterkste kant is. Op pure kracht ziet hij echter toch kans om zich stukje bij beetje omhoog te worstelen. Tegelijk is hij zich ervan bewust dat iedere centimeter omhoog een centimeter dichter bij de dodelijke kogels betekent.

'Het moet, het moet,' schreeuwt hij tegen de gierende wind in, terwijl zijn handen branden.

Hij kijkt omhoog en laat bijna los als de loop zijn kant uit wijst. Dan verdwijnt het pistool uit het zicht. 'De kogels zijn op,' vertelt hij zichzelf opgelucht. Het enige dat hij nu nog boven zich ziet zijn de onderkant van de helikopter, het reddingsvlot dat half uit de deuropening ligt en, nog net, de vingers van degene die het vlot uit alle macht weer naar binnen probeert te trekken. Ongezien werkt hij zich verder omhoog tot vlak onder de helikopter. Zijn trillende handen zien maar nauwelijks kans het touw nog vast te klemmen. Hij slikt en voelt hoe zijn benen als een gek trillen. De angst voor de pijn die komen gaat verlamt hem bijna, maar tegelijkertijd weet hij wat hem te doen staat. Onder het uitstoten van een rauwe, onherkenbare kreet laat hij los. Hij laat zich vrij in de ruimte vallen. De pijn golft door zijn lichaam als het touw zich met een ongelofelijke kracht opnieuw vastbijt in zijn vlees.

Hij merkt pas dat hij even het bewustzijn moet hebben verloren als hij, meters onder water, zijn ogen opent. In de wetenschap dat zijn plan is geslaagd verschijnt er een glimlach rond zijn mond. De schok van zijn val heeft ervoor gezorgd dat het reddingsvlot uit de helikopter is getrokken en dat was ook precies de bedoeling. Met een bijna onwerkelijke kalmte sluit zijn hand zich om het koord van zijn zwemvest. Hij geeft er een ruk aan en het ding begint vol lucht te lopen. Met nog steeds de glimlach rond zijn mond schiet hij snel en zeker naar het oppervlak. Na de inspanningen die hij heeft moeten leveren voelt de verkoelende werking van het water aangenaam aan. Maar koud is het allerminst. Zijn opluchting maakt snel plaats voor verbijstering, als hij boven water ziet wat er is gebeurd.

Het vlot heeft zich in volle omvang uitgevouwen en deint opgeblazen en wel mee met de lange golven. Jochem lijkt uit zijn verdoving ontwaakt en staart hem met grote ogen aan. Zijn vriend beweegt zijn mond maar de woorden bereiken hem niet. De gierende wieken van de helikopter boven hem maken een gesprek vrijwel onmogelijk. Maar dit alles is niet in de eerste plaats wat Pieters aandacht trekt. Met afgrijzen kijkt hij naar de figuur die meters verderop in het water spartelt en om hulp schreeuwt.

Onverwacht gezelschap

Met boven hun hoofden het gierende geluid van de helikopter-wieken en omringd door een mist van opstuivend water deinen de jongens in hun zwemvesten mee met golven van zeker een meter hoog. Het zijn lange golven die langzaam aan komen rollen. Ondanks het kabaal dringt het schreeuwen van Jochem uiteindelijk toch tot Pieter door.

'Waar zijn we?' wil zijn vriend weten.

Pieter wijst naar de helikopter. 'Ze willen ons vermoorden en Sharilla ook. We zijn eruit gesprongen.'

Jochem steekt niet begrijpend zijn armen omhoog en schreeuwt terug: 'Waar is Sharilla dan?'

Met een paar snelle slagen is Pieter bij zijn vriend en legt hem al schreeuwend in een paar woorden de situatie uit.

'Ik snap er niets van,' schreeuwt Jochem op zijn beurt in Pieters oor terwijl hij met twee handen naar zijn hoofd grijpt. 'Ik heb het gevoel dat mijn kop uit elkaar barst en het lijkt wel of ik een koeientong in mijn mond heb.'

Pieter knikt begrijpend. Hij weet nog maar al te goed hoe hij zichzelf voelde toen hij net bijkwam. En Jochem is veel en veel langer verdoofd geweest.

'En die kerel daar,' schreeuwt Jochem verder. 'Is dat één van die gasten uit de helikopter of zwemt hij hier toevallig?'

Tot Pieters vreugde doet Jochem een flauwe poging om de bekende grijns op zijn gezicht te laten verschijnen.

Veel moeite om te bedenken waar de spartelende man vandaan komt heeft Pieter niet. Hij begrijpt dat het de man moet zijn die heeft geprobeerd om het vlot terug in de helikopter te trekken. Door de schok van Pieters val is hij met het vlot mee naar buiten gevallen.

Het is duidelijk dat de man niet of nauwelijks kan zwemmen. Zijn spartelende armen slaan alle kanten op en hij ziet maar nauwelijks kans om zijn hoofd boven water te houden. Terwijl Pieter zijn ogen probeert te beschermen tegen het opstuivende water kijkt hij naar boven. De schuifdeur waardoor ze ontsnapt zijn staat nog steeds open. Hij ziet twee mannen die kennelijk op de grond liggen en voorzichtig over de rand naar beneden kijken.

48

'Kom op Pieter,' gilt Jochem. 'We gaan in het vlot zitten.'

Jochem voegt meteen de daad bij het woord en begint de red-dingslijn in te halen. Het vlot komt meteen hun richting uit.

'Niet doen,' gilt Pieter terug. 'Als ze gaan schieten kunnen we beter niet in het vlot zitten. Als we in zee drijven zijn we moei-lijker te raken.'

'Hebben ze dan pistolen?' gilt Jochem.

Pieter knikt. Hij heeft het net allemaal aan Jochem verteld maar blijkbaar is niet alles tot zijn vriend doorgedrongen.

'Volgens mij zitten hier haaien,' is het volgende dat Jochem Pie-ter toeschreeuwt. 'Dan zit ik liever in het vlot.'

'Ook al wordt er geschoten?'

'Maakt me niets uit,' schreeuwt Jochem als antwoord. 'Liever een paar gaatjes dan door een haai uit elkaar gescheurd te wor-den.'

Pieter verwacht een grijns, maar Jochem kijkt hem ernstig aan. Eerlijk gezegd moet hij toegeven dat het idee om door een haai te worden aangevallen hem ook niet aanspreekt.

'Oké dan,' gilt hij terug. 'We klimmen erin.'

Jochem doet als eerste een poging in het vlot te komen, maar hij blijkt nog allesbehalve fit. Pieter op zijn beurt ziet wel kans om aan boord te komen en trekt door de opening in de overkapping Jochem naar binnen.

Uitgeput laat die zich op zijn rug vallen.

'Hij komt hier naartoe,' gilt Pieter, die bij de opening is geble-ven.

'Die kerel zwemt hier naartoe,' verduidelijkt hij zichzelf.

'Hij kan toch niet zwemmen?' reageert Jochem terwijl hij half overeind komt.

'Maar nu wel,' schreeuwt Pieter zonder om te kijken. 'Ze heb-ben een zwemvest naar beneden gegooid.'

'En nu?' vraagt Jochem.

Pieter kijkt snel even achterom. De gloed van het zonlicht dat door het dak naar binnen valt kleurt het gezicht van zijn vriend. Pieter aarzelt, maar haalt dan zijn schouders op. Hij heeft even geen antwoord. Opnieuw richt hij zijn blik op de man die zich dwars door het opspattende water hun kant uitworstelt.

'De Rat,' gilt hij plotseling.

'Wat?' roept Jochem achter zijn rug.

'De Rat,' herhaalt Pieter zijn woorden.

'Zwemmen die hier ook dan?' gilt Jochem.

'Nee, man. Ik bedoel dat die kerel een vuile rat is. Hij is degene die ons zou gaan vermoorden. Ik weet zeker dat hij het is. Hij stond al klaar om naar ons toe te komen. Het zijn zijn handen die ik heb gezien.'

'Waar heb je het nou over, Pieter. Zwemmen er hier nou ratten of niet?'

'Nee joh,' gilt Pieter met overslaande stem. 'Ik bedoel dat die kerel een rat is. Hij is een moordenaar, een sadist.'

'En hij is bijna hier,' constateert Jochem die inmiddels naast Pieter door de uitgang van nu vlot staart.

Ondanks de mist van opstuivend water is het gezicht van de man nu redelijk te onderscheiden. Pieter weet niet of hij het zich verbeeldt, maar hij heeft het gevoel dat de man hem boosaardig toegrijnst. Plotseling houdt de figuur in het water stil. Hij werpt zich achterover en blijft ruggelings op zijn zwemvest drijven. Voor zijn ogen ziet Pieter hoe de man een been optrekt en zijn broekspijp omhoog trekt. Hij wordt verblind door het zonlicht dat weerkaatst op glanzend staal.

'Een mes!' gilt Jochem vlak bij zijn oor. 'Hij steekt eerst het vlot lek en dan ons,' schreeuwt hij verder. 'Wat moeten we doen?'

Pieter sluit zijn ogen. Dit alles lijkt een nachtmerrie zonder einde. Opnieuw is hun situatie volkomen hopeloos. Wat moeten ze beginnen tegen die koelbloedige moordenaar? Hij vreest dat Jochem gelijk krijgt. De man zal eerst het vlot lek steken. Ze zullen gedwongen zijn om er uit te komen en dan heeft de Rat vrij spel.

'We moeten eruit en zo hard mogelijk allebei een andere kant uitzwemmen,' roept Jochem. Hij gaat veel langzamer.

Pieter knikt. Hij weet dat de Rat nauwelijks kan zwemmen, maar hij weet ook dat de helikopter boven ze hangt. Die zal zo laag mogelijk komen en eindeloos op ze blijven schieten. Dit angstbeeld speelt al een hele tijd door zijn hoofd. Ook al toen hij nog in de helikopter zat en dit plan bedacht. Maar hij wilde het toen niet weten. Nu kan hij niet anders. Hij moet toegeven dat ze uiteindelijk de strijd zullen verliezen, wat ze ook doen.

'Die kerel gaat Sharilla ook vermoorden,' roept hij opzij, terwijl hij zijn ogen op de Rat gericht houdt.

Even lijkt Jochem niet te weten wat hij moet zeggen. Met een stem die Pieter nauwelijks herkent zegt zijn vriend: 'Als ik dat mes te pakken krijg steek ik het recht in zijn keel.'

De woorden van Jochem echoën na in Pieters hoofd. Hij weet dat er iets mee is, maar hij kan er nu niet opkomen.

'Het vlot!' schreeuwt Jochem plotseling. 'We springen in het water en trekken samen het vlot. Als hij het vlot lek steekt zijn we erbij.'

Plotseling weet Pieter het. Hij draait zich om en speurt zenuw-achtig rond. Lang hoeft hij niet te zoeken. Recht tegenover de plek waar ze zitten is een flinke tas met twee banden vastge-maakt aan een zijwand van het vierkante vlot. Het lijkt op een sporttas zoals die ook wordt gebruikt voor voetbal en tennis, maar deze is van rubber en heeft dezelfde kleur als het vlot. SURVIVAL KIT staat er in kleine zwarte letters op. Met een men-geling van vreugde en verbijstering staart Pieter er even naar. Verbijstering, omdat hij nu pas bedenkt dat ze waarschijnlijk dingen aan boord hebben waarmee ze zich kunnen verde-digen.

Hij wijst ernaar met een trillende vinger. 'Daar moet een mes in zitten en ook een harpoen.'

'Perfect,' gilt Jochem. 'Ik knal die kerel recht voor zijn kop.'

'Pak het dan,' gilt hij er achteraan als Pieter nog lijkt te aarzelen. Pieter neemt een duik naar de andere kant van hun vlot, rukt de tas los uit de banden en trekt de waterdichte sluiting open. Zonder nog een spoor van aarzeling kiepert hij de inhoud op de bodem. Wat hij ziet lijkt nieuw en ongebruikt. Alles is keu-rig verpakt in waterdichte, doorzichtige plastic zakken. De flessen water en de 24-uurspakketten met eten schuift hij snel opzij. Wat overblijft zijn een alarmpistool, een mes en een klein harpoengeweer met een drietand aan het uiteinde van de spies.

'Ook een pistool,' juicht Jochem. 'Man, als we goed mikken kun-nen we die helikopter omlaag halen. Heb ik in een film gezien. Dat hele ding ging in de fik.'

'Het is geen gewoon pistool, hoor,' waarschuwt Pieter.

'Dat zie ik ook wel,' reageert Jochem. 'Dat ding heeft een loop als van een kanon. Maar dat moet ook, anders passen die licht-kogels er niet in. Dat was in die film ook. Ze raakten de heli-kopter met een lichtkogel.'

Ondanks de spanning valt het Pieter op hoe snel Jochem hersteld lijkt van de verdoving. Hij denkt dat het komt door de duik in het water.

Hetzelfde ogenblik overstemt een luid gesis het gedender van de helikopter en het kletterende geluid van waterdruppels die tegen het vlot aanslaan.

'Hij is er,' gilt Jochem. 'Hij steekt het vlot lek.'

'Ik zie hem nergens,' gilt Pieter op zijn beurt nadat hij een snoekduik naar de opening in het vlot heeft gemaakt. Jochem grist de harpoen van de bodem en scheurt het plastic eraf. Met een wilde beweging rukt hij het beschermkapje van de drietand.

'Waar zit je, vuile rat?' schreeuwt hij, terwijl hij het geweer in de aanslag houdt.

'Je moet dat ding nog aanspannen,' weet Pieter. Terwijl het vlot aan één kant zichtbaar dieper in het water komt te liggen, pakt Pieter het mes. Hij scheurt het ding uit het plastic om vervolgens wild uit te halen naar het dak.

'Wat doe je nou?' gilt Jochem ontzet.

Pieter neemt geen tijd om te antwoorden. Hij doet een nieuwe uithaal. Na een derde haal breekt de zon door het dak naar binnen.

'Nu kunnen we zien waar hij is,' maakt Pieter eindelijk duidelijk.

Dat hoeft hij geen tweede keer te zeggen. Jochem richt de harpoen dreigend op het gezicht van de man die op minder dan een meter afstand van het vlot dobbert.

'Niet schieten,' gilt Pieter geschrokken.

Hij kijkt naar het grimmige gezicht van zijn vriend. Zonder aarzeling zegt Jochem: 'Die rotzak wil ons en Sharilla toch ook vermoorden. Als hij nog een centimeter dichter bij komt, schiet ik.'

Pieter verwacht angst te zullen zien in het bruine gezicht dat voor hem in zee dobbert. Maar in plaats daarvan grijnst de man. Zijn ogen laten Jochem niet los. Het lijkt bijna of hij Jochem uitdaagt om te schieten. Dan ziet Pieter het gevaar. Net iets sneller dan de bliksemsnelle beweging van de man laat hij zich met zijn volle gewicht tegen Jochem aanvallen. Het mes dat hij voor Jochem was bestemd mist zijn eigen hoofd maar net.

'Man,' gilt Jochem terwijl hij de drietand van de harpoen terugtrekt uit de bodem. Een onderdeel van een seconde staart Pieter naar het water dat door de drie gaatjes gretig bij het vlot naar binnen borrelt. Het volgende ogenblik richt hij zijn aandacht weer op hun aanvaller.

'En nu schiet ik echt,' gilt Jochem. Opnieuw heeft hij de man onder schot. Maar ook deze maal vertoont de man geen spoor van angst.

'Die kerel is hartstikke gek,' schreeuwt Jochem voor zich uit.

Pieter raapt hun eigen mes op van de bodem en houdt het dreigend omhoog.

'Ik ga jullie afmaken,' schreeuwt de Rat als reactie.

De man verdwijnt half uit het zicht als een golf onder hen door rolt, maar dan is hij er weer.

Hoewel de woorden grotendeels in het kabaal verloren gaan is het duidelijk dat er vanuit de helikopter aanmoedigingen worden geschreeuwd.

Pieters ogen blijven rusten op de plastic zak waarin het alarmpistool met de lichtkogels zit. Zonder uitleg te geven over zijn plan bukt hij zich en dan haalt hij het pistool tevoorschijn. Hij heeft maar even nodig om te ontdekken hoe het werkt. Hij laadt moeiteloos en komt omhoog. Deze maal verdwijnt de vastgevroren glimlach van het gezicht van de Rat.

'Op de helikopter, Pieter. Je moet op de helikopter schieten!' gilt Jochem vlak bij zijn oor.

'Dat ben ik ook van plan,' gilt Pieter terug, terwijl hij vrijwel meteen richt en de trekker overhaalt. Een vreemd gesis klinkt en een paar tellen later barst honderden meters hoog in de lucht een fontein van kleurig licht open.

'Gemist,' laat Pieter simpelweg horen.

Hoewel de piloot aan boord van de helikopter de lichtkogel ook moet kunnen zien trekt hij zich er niets van aan. Het toestel blijft op dezelfde plek stil hangen. Pieter bedenkt dat er twee mogelijkheden zijn. Of de piloot beseft het gevaar niet, of de scène in de film die Jochem heeft gezien klopt niet. Snel laadt hij opnieuw. Hij heeft zijn vinger al aan de trekker als hij aarzelt.

Langzaam laat hij het pistool zakken.

'Probeer dat ding nou uit de lucht te knallen, man,' gilt Jochem.

'En dan?' vraagt Pieter zich hardop af. Hij geeft zelf het antwoord al als hij verder gaat: 'Dan drijven ze hier straks met z'n vijven in zee.'

Jochem kijkt snel even opzij, voordat hij zijn ogen weer dreigend op de man in zee laat rusten. 'Hij durft niet dichterbij te komen,' constateert hij tevreden.

'Ik probeer hem een klein beetje te raken,' besluit Pieter. 'Dan gaan ze misschien weg.'

'En deze griezel dan?' vraagt Jochem.

'Stil nou, ik probeer te richten.'

'Wacht, geef mij dat ding.'

'Hou jij die rat onder schot,' zegt Jochem terwijl hij de harpoen aan Pieter geeft.

Vier, misschien vijf tellen later boort de lichtkogel zich in de staart. Het is onmiddellijk duidelijk dat de piloot alle moeite heeft om zijn helikopter onder controle te houden.

'Geraakt!' juicht Jochem. Hij grijnst opzij naar Pieter. 'Veel geoefend met mijn lasergame. Ik heb de laatste maand wel drie van die feestjes gehad.'

'En nou jij, vuile rat!' schreeuwt Jochem. Hij bukt om een nieuwe lichtkogel te laden en richt.

'Je gelooft niet dat ik zal schieten, hè?'

'Niet doen, Jochem,' schreeuwt Pieter nog, maar zijn vriend heeft al afgedrukt.

Op een meter afstand van de man kolkt het water en even verdwijnt alles in een mistige wolk van stoom.

Als de mist optrekt blijkt de man al spartelend bezig om bij het vlot weg te komen.

'Hij weet nu dat we echt schieten,' grijnst Jochem. Pieter staart zijn vriend even sprakeloos aan. Dan zegt hij zachtjes maar toch verstaanbaar: 'Ik dacht even dat je hem echt wilde doodschieten.'

'Toch maar niet,' reageert Jochem met nog steeds een brede grijns op zijn gezicht. 'Hij was wel erg dichtbij.'

Veel tijd om van deze overwinning te genieten nemen ze niet. Er zitten lekken in de bodem en in een van de luchtkamers. Daardoor stroomt water bij het vlot naar binnen. Pieter kijkt bezorgd naar de zwalkende helikopter.

'Ik hoop niet dat ze alsnog neerstorten,' merkt hij op.

'Dat lijkt me ook niet gezellig,' reageert Jochem.

Pieter kijkt naar zijn vriend, maar kan de grijns op diens gezicht niet ontdekken.

Lekkage

Pieter ziet toe hoe de Rat langzaam maar zeker omhoog gaat. De helikopter heeft geen lier, maar er zijn genoeg mensen aan boord om te trekken. Dat doen ze dan ook.

'Als ze terugkomen schiet ik opnieuw,' zegt Jochem. Hij schreeuwt nog steeds, hoewel dat eigenlijk niet meer nodig is. De helikopter hangt stil op een afstand als van het ene doel naar het andere op een voetbalveld. Nou ja, stilhangen is een groot woord. Het ding draait en wiebelt voortdurend. Wat Jochem precies geraakt heeft is onduidelijk, maar duidelijk is wel dat de piloot er grote hinder van heeft.

Terwijl Jochem zijn geladen alarmpistool op de helikopter gericht houdt, zit Pieter op zijn knieën in het vlot. Hij gebruikt een halfgescheurde plastic zak om het naar binnen lekkende water overboord te krijgen. Het vlot hangt iets scheef. Maar het is niet dramatisch. De Rat heeft zich gelukkig beperkt tot het lek steken van slechts één van de acht luchtkamers. Waarom, daar kan Pieter alleen maar naar raden. Misschien had hij er plezier in om ze zo lang mogelijk in angst te laten zitten. Dat lijkt hem wel te passen bij zo'n sadist.

'Hij is binnen,' meldt Jochem.

Pieter kijkt op van zijn werk en ziet nog net hoe de Rat over de rand wordt getrokken. Samen met Jochem kijkt hij toe wanneer de helikopter met moeite een halve slag draait en dan hun kant op komt.

'Ze komen terug,' gilt Jochem in zijn opwinding. Tegelijk haalt hij de trekker over. Met een grote boog verdwijnt de lichtkogel in zee.

'Een nieuwe kogel, snel.' Jochem houdt zijn hand al op.

'Nee hè,' kreunt Pieter.

'Wat, wat dan?' schreeuwt Jochem. 'Geef die kogel nou, man! Ze zitten bijna boven ons.'

'Laat maar.'

'Niks laat maar,' gilt Jochem. 'Ik ga ze opnieuw raken.'

'Kijk dan.' Pieter vist de drie laatste lichtkogels omhoog uit het water in het vlot.

'Dit kunnen we vergeten, Jochem. Ik denk niet dat deze nog werken.'

Jochem grist een van de kogels uit Pieters hand en laadt opnieuw.

Tegelijkertijd zwenkt de helikopter bij ze weg. Na zeker een minuut lang ademloos te hebben gekeken hoe de helikopter van ze af beweegt, merkt Pieter voorzichtig op: 'Ik denk dat ze gaan.'

'Yes!' Jochem laat zijn vrije hand kletsend op Pieters schouder belanden.

'Die willen nog maar één ding,' roept hij uit, 'veilig aan land zien te komen.'

Zijn vrolijke stemming is maar van heel korte duur. De trilling in de stem van Jochem ontgaat Pieter niet als zijn vriend zegt: 'Als ze het halen is Sharilla in levensgevaar. We moeten haar waarschuwen.'

'Dat gaan we dan meteen maar doen.'

Lachend kijkt Pieter naar het verbaasde gezicht van zijn vriend. 'Als die telefoon van jou tenminste waterdicht is,' voegt hij eraan toe.

'Perfect, Pieter,' roept Jochem die het meteen begrijpt. 'Dus je hebt mijn telefoon te pakken gekregen.'

'En dat niet alleen,' roept Pieter die begonnen is met het ophalen van het derde touw dat hij aan het vlot heeft vastgekoppeld. Met de nodige moeite hijst hij de drijfhatte en daardoor extra zware tassen naar binnen.

Jochem fluit zachtjes door zijn tanden als hij de tassen ziet. Hij aarzelt niet en ritst de eerste open. 'Nu vergis ik me zelf,' grinst hij naar Pieter. 'Deze is van de dokter.' Hij graait onder de verfrommelde overhemden en haalt de koker naar boven.

'En deze hebben we dus ook,' zegt hij grijnzend.

Pieter moet zeker twee keer slikken voordat hij kan reageren. 'Ja, die hebben we ook,' fluistert hij nauwelijks hoorbaar. Nu pas realiseert hij zich hoe gevaarlijk het is geweest om de tas van de dokter mee te nemen. Als die dat had geweten, was de helikopter hier gebleven, gaat er door zijn hoofd. Dan had de dokter er alles aan gedaan om zijn koker terug te krijgen. Hun geluk is waarschijnlijk geweest dat hij de tassen in zijn val mee naar buiten heeft gesleurd en dat ze daarna onder water zijn verdwenen.

'Krijg nou wat, Pieter,' rukt Jochem hem los uit zijn gedachten. 'Ze hebben alles eruit gestolen. Mijn telefoon, de computer, de

56

camera en het geld voor de kinderbank. Alleen mijn kleren hebben ze laten zitten en daar heb ik nu net helemaal niets aan. Die vuile rotzakken.'

Nijdig smijt Jochem zijn tas op de bodem. Recht in de flinke plas water die daar inmiddels staat.

'Dit is mooi shit, Pieter,' raast Jochem. 'We kunnen Sharilla niet waarschuwen.'

Verbijsterd schudt Pieter met zijn hoofd. Hij weet maar al te goed wat dit betekent. Ze kunnen nu niet alleen Sharilla niet waarschuwen, zonder telefoon lijken ze zelf ook verloren. Met een dof gevoel in zijn hoofd wijst hij zwijgend naar het water in het vlot.

'We moeten hozen.'

De jongens maken de knopen los waarmee ze aan de reddingslijnen vastzitten en gaan aan de slag.

Terwijl Jochem drie vingers op de gaatjes drukt en zo het binnenstromen van nieuw water beperkt, hoost Pieter het meeste water weg. Ondertussen doet hij verslag van de gesprekken die hij heeft afgeluisterd in de helikopter.

'Het lijkt wel of die gaten groter worden door dat drukken,' merkt Jochem halverwege op.

Pieter onderbreekt zijn verhaal voor een onderzoek van de rest van het overlevingspakket. In de EHBO-kist vindt hij een tube secondelijm. 'Die lijm is om wonden dicht te plakken,' leest Pieter voor uit de gebruiksaanwijzing.

'Nou, dat komt mooi uit,' reageert Jochem. 'Ons vlot is ook ernstig gewond.'

'We moeten de plek in de bodem, waar de gaten zitten, omhoog duwen tot ze droog staan,' bedenkt Pieter. 'Dan plakken we er een stuk rubber op.'

'Ik ga dat water niet in, ik hou die gaten wel dicht,' laat Jochem resoluut weten.

'Mag ik even,' reageert Pieter. 'Misschien zitten we wel dagen op dit vlot.'

'Dagen?' roept Jochem verschrikt.

'Ja, dagen. Reken maar uit. We zitten hier midden in de Zuid-Chinese zee ergens halverwege Hong Kong en Manilla. Volgens John is dat een afstand van zo'n duizend kilometer.'

'Dus zitten we vijfhonderd kilometer van het dichtstbijzijnde land af,' rekent Jochem zelf al uit.

'Misschien spoelen we wel aan op een van die duizenden onbewoonde eilanden,' merkt hij somber op. 'Dan is alle kans verkeken dat we Sharilla kunnen waarschuwen.'

'Als we zinken ook,' is het commentaar van Pieter. 'Of wil je soms dagenlang in je zwemvest ronddrijven?'

'En door een haai besnuffeld worden? Nee, dank je,' zegt Jochem snel.

Na een korte aarzeling zegt hij: 'Ik wil ook wel gaan hoor.'

'Ik ga wel,' beslist Pieter. 'Ik houd die bodem omhoog en dan moet jij het dichtplakken.'

Met het mes snijdt hij een stuk rubber los van de tas en begint het in te smeren met de lijm.

'Ik zal proberen om je vingers niet mee vast te plakken,' grijnst Jochem als Pieter klaar is met zijn arbeid. Maar hij kijkt meteen weer ernstig.

'Eh,' begint hij aarzelend. 'Misschien moeten we er maar om loten wie er induikt, anders is het ook niet eerlijk.'

'Ik ga,' beslist Pieter. 'We moeten nu snel zijn, anders werkt de lijm niet meer.'

Hij trekt, op zijn onderbroek na, zijn kleren en schoenen uit.

'Ga zoveel mogelijk aan de zijkant zitten,' waarschuwt hij Jochem nog terwijl hij al op de rand klaarzit om het water in te gaan. 'Anders krijg ik die bodem met geen mogelijkheid omhoog.'

'Begrepen,' roept Jochem die al met de lap rubber klaar zit. Pieter zuigt zijn longen vol lucht en laat zich achterover in het water vallen. Hij heeft zich al voorgenomen om niet om zich heen te kijken. Maar zodra hij onder water is doet hij het toch. Het beeld van de reuzenkwallen die hij in het journaal heeft gezien, wil maar niet uit zijn hoofd verdwijnen. Even bekruipt hem een gevoel van paniek als hij onder water een schaduw meent te zien. Maar als hij beter kijkt ziet hij dat het maar verbeelding is. Het water is hier helder en warm. Hij kijkt snel even naar beneden. Niets te zien, behalve een peilloze diepte. Misschien wel duizenden meters, bedenkt hij. Niet doen, Pieter, niet aan denken, vertelt hij zichzelf, maar het helpt niet. Een gevoel van paniek bekruipt hem. Zo snel hij kan schiet hij terug naar boven en bedenkt hoe kalm hij was toen hij hier de eerste keer onder water verdween. Maar toen spookte dat beeld van die reuzenkwallen niet door zijn hoofd.

58

'Ik heb niets gemerkt,' merkt Jochem verbaasd op als hij Pieter boven ziet komen.

Pieter aarzelt, maar dan zegt hij: 'Eh, ik eh... ik had niet genoeg lucht.' Hij zuigt opnieuw een voorraad lucht naar binnen en duikt weer. Dankzij het zonlicht dat er doorheen schijnt heeft hij de gaten zo te pakken. Hij zet zijn hand ertegen en zet zoveel mogelijk druk. Met gesloten ogen begint hij te tellen. De tegendruk die Jochem maakt door eerst de plek met verband uit de EHBO-kist droog te maken en daarna de lap rubber vast te plakken is bijna te veel. Pieter moet als een gek watertrappen om in positie te blijven. Bij veertig moet hij opgeven.

'Ik denk dat het gelukt is,' verwelkomt Jochem hem met zijn grijns. Hij drukt de rubber lap nog steeds stevig aan. 'Ik hou hem zeker nog een kwartier aangedrukt,' laat hij weten. 'Dat moet genoeg zijn voor secondelijm.'

'Dat lijkt me ook,' reageert Pieter, terwijl hij opgelucht terugklautert in de boot.

Het volgende kwartier besteedt Pieter aan het herstel van het dak met behulp van watervaste pleisters uit de EHBO-doos. Ondertussen doet hij verder verslag van wat hij in de helikopter heeft gehoord.

'Dit is echt zwaar shit,' concludeert Jochem nijdig. 'Ik had nu gewoon mijn satelliettelefoon bij me moeten hebben. Dan was er niets aan de hand. Dan hadden we nu Sharilla kunnen waarschuwen en hulp kunnen vragen. Even met de GPS de coördinaten pakken en klaar waren we. En nu,' gaat hij opgewonden verder, 'kunnen we niets doen. Helemaal niets, behalve stom wachten of we een schip tegenkomen of tot we ergens aanspoelen op zo'n achterlijk, onbewoond eiland.'

Pieter ziet hoe zijn vriend zichtbaar slikt en dan snel zijn gezicht afwendt.

'Misschien hebben we wel geluk, man, en zien we straks een schip of vinden we een bewoond eiland. Dat zijn er ook bijna tweeduizend, hoor. Dan kunnen we haar op tijd waarschuwen. Die Rat is vast niet voor de avond terug in Hong Kong.'

Pieter merkt dat zijn eigen woorden hem vreemd in de oren klinken. Erg overtuigend klinken ze in ieder geval niet. Dat weet hij zeker.

Eindelijk vermindert Jochem heel voorzichtig de druk op de rubber lap.

'Volgens mij lekt het niet meer. Goed gedaan, Pieter,' zegt hij mat.

Terwijl het vlot eindeloos meedeint op de golven, zeggen de jongens zeker een uur niets. Ze zijn allebei alleen met hun eigen gedachten, tot Jochem plotseling zegt: 'Ik had die kerel gewoon voor zijn kop moeten schieten. Stom, stom, stom.'

Op de blik van Pieter reageert Jochem met een driftig armgebaar. 'Dan had die rotzak niet achter Sharilla aan kunnen gaan. Ik had het gewoon moeten doen.'

'Man,' probeert Pieter, 'dan was één van de anderen wel naar Hong Kong gegaan.'

'Waarom heb ik ze dan niet allemaal uit de lucht geschoten,' reageert Jochem fel.

'Omdat we dan zelf een nog groter probleem hadden gehad,' reageert Pieter.

'Je had me niet tegen moeten houden, Pieter. Als ze eenmaal in het water hadden gelegen, had ik ze wel op een afstand gehouden. Dan waren ze vanzelf verzopen.'

Pieter kijkt zijn vriend verbaasd aan. Zo fel als hij nu is heeft hij hem nog nooit eerder gezien.

Net als Pieter bedenkt dat dit misschien een effect is van de lange verdoving begint Jochem onverwacht te huilen.

'Het mag niet, Pieter,' weet zijn vriend door zijn tranen heen uit te brengen. 'Het mag niet. Ze mogen Sharilla niet vermoorden.' Pieter weet niet wat hij moet zeggen. Hij kent zijn vriend niet op deze manier.

'We kunnen beter geen ruzie maken,' begint hij voorzichtig.

'Ik maak ook geen ruzie!' schreeuwt Jochem woest. 'Ik maak me alleen idioot veel zorgen, man. Dat moet je toch begrijpen.'

'Om Sharilla.'

'Ja, om Sharilla,' snauwt Jochem opgewonden terug.

Opnieuw is het een hele poos stil.

Pieter sluit zijn ogen en probeert zijn eigen tranen tegen te houden. Tegelijk laat hij zich wat onderuitzakken in de hoop het draaierige gevoel in zijn hoofd te verminderen. Hij heeft het idee dat het erger wordt bij iedere nieuwe golf die onder het vlot door rolt.

'Hier, wil je ook wat drinken?' dringen de woorden van Jochem tot hem door.

Met een sombere blik in zijn ogen houdt Jochem een fles voor hem omhoog. Ze nemen allebei een paar slokken en zakken onderuit. Het is inmiddels uren geleden dat ze in het vliegtuig hebben ontbeten, maar honger hebben ze geen van beiden.

'We moeten wat doen, Pieter,' zegt Jochem op een vrij normale toon.

Pieter knikt.

'Maar wat?' vraagt Jochem zich hardop af. 'Ik kan niets bedenken. We kunnen met onze handen gaan roeien, maar dat heeft natuurlijk ook weinig zin. We hebben er geen idee van waar we zijn.'

'Volgens mij zit er niets anders op dan gewoon maar te wachten,' reageert Pieter.

Terwijl Pieter zich nog verder onderuit laat zakken, hangt Jochem half door de opening naar buiten. Met zijn handen laat hij het vlot langzaam draaien en bestudeert nauwgezet de horizon.

'Niets, helemaal niets,' zegt hij somber, nadat hij de tweede keer volledig rond is gegaan.

'Behalve water dan,' grijnst hij flauwtjes als hij Pieter aankijkt.

'Gaat het wel?' vraagt hij bezorgd.

'Ik heb me wel eens beter gevoeld,' geeft Pieter toe.

'Ook dat nog,' zucht Jochem. 'Je moet niet ziek worden, hoor,' waarschuwt hij.

Pieter schudt niet erg overtuigend met zijn hoofd.

Het is even stil tot Jochem zegt: 'Misschien moeten we een paar kijkgaten in de overkapping maken. Dan kunnen we in de gaten houden of er iets te zien is. Een schip, of land.'

'Goed idee,' knikt Pieter. 'Misschien moeten we maar om beurten de wacht houden.'

Nadat Jochem met het mes wat kijkgaten heeft gemaakt, spreken ze af dat Jochem als eerste twee uur de wacht zal houden.

Op de grens van waken en slapen neemt een nieuwe angstige gedachte bezit van Pieter. Hij vraagt zich af wat de dokter zal doen als hij ontdekt dat zijn koker is verdwenen. Zal hij omkeren, of zal hij het risico dat hij dan misschien in zee stort niet durven nemen? Pieter kan het antwoord op zijn eigen vraag met geen mogelijkheid bedenken. En dat is niet alles wat hij niet kan bedenken. Opnieuw vraagt hij zich af wat er in de koker kan zitten. Hij herinnert zich maar al te goed de doodsangst in de ogen van de dokter toen die dacht dat de koker was opengemaakt. Misschien moeten we de koker overboord gooien? Dat is het laatste dat hij zich afvraagt voordat hij in slaap valt.

Gered?

Het moet uren later zijn als Pieter ontwaakt uit een mistige slaap. Hij is in verwarring en veegt de druppels van zijn gezicht die hem wakker gemaakt moeten hebben. Het gekletter op het dak en de binnendruppelende regen maakt duidelijk dat het weer flink is omgeslagen. En dat is niet alles. Het is inmiddels donker. In het zwakke lichtschijnsel van buiten ontdekt hij tegenover zich de slapende Jochem. Hij kijkt op de verlichte display van zijn horloge en komt tot de conclusie dat die nog op de tijd van thuis moet staan. Hij rekent snel uit dat het tien uur in de avond moet zijn.

Als hij omhoog komt, merkt hij dat het draaierige gevoel is verdwenen.

'Uh, wat,' schrikt Jochem op, als Pieter hem wakker port. 'Waar zijn we?' luidt zijn klassieke vraag.

'Krijg nou wat, sorry man,' verontschuldigt hij zich zodra hem duidelijk wordt dat hij in slaap gevallen is.

Hij begint meteen met een snelle ronde langs de kijkgaten.

'Nog geen land in zicht,' laat hij terug op de bodem.

Met een diepe zucht zakt hij terug op de bodem.

'Ik hoop niet...' begint Jochem, maar hij maakt zijn zin niet af. Pieter kijkt peinzend voor zich uit. Het is best mogelijk dat er in de afgelopen uren een schip is gepasseerd. Dat hebben ze dan in ieder geval gemist. Hij besluit om er niets over te zeggen.

Nadat ook Jochem op zijn horloge heeft gekeken merkt die somber op: 'De Rat is nu vast al terug in Hong Kong.'

Pieter weet maar al te goed wat Jochem bedoelt.

'Misschien zijn ze op weg naar Manilla wel in zee gestort,' probeert hij zichzelf en zijn vriend op te beuren.

'Laten we het hopen,' mompelt Jochem voor zich uit, 'en anders...'

Geen van beiden durven ze de gedachte uit te spreken dat Sharilla misschien al dood is.

'Wacht eens,' zegt Pieter plotseling. 'Als ze Manilla hebben gehaald, moet die helikopter eerst worden gerepareerd voordat ze terug kunnen vliegen. Dat kost misschien wel dagen.'

62

'Denk na Pieter,' werpt Jochem hem tegen. 'De Rat kan toch zo op het vliegtuig stappen en terugvliegen. Met een gewoon vliegtuig is hij er nog veel sneller ook.'

'Dat snap ik ook wel,' mompelt Pieter. 'Ik probeer alleen maar positief te denken.'

'Of is er misschien toch nog tijd?' vraagt Jochem zich hardop af. 'Duizend kilometer heen van Hong Kong naar Manilla en duizend terug,' begint Pieter, 'dat is toch nog een flinke afstand.'

'Zo'n nieuw type helikopter kan anders snel vliegen, hoor.' Jochem haalt zijn schouders op. 'En wat dacht je van een gewoon passagiersvliegtuig? Kom op man, duizend kilometer is niets, minder dan twee uur vliegen. Reken maar uit,' gaat Jochem toonloos verder. 'We kwamen om negen uur aan in Manilla. Ik denk dat we om een uur of elf van dat dak zijn vertrokken. Dat betekent dat ze dus al meer dan tien uur de tijd hebben gehad.'

'Mag ik even,' onderbreekt Pieter zijn vriend. 'Die helikopter is wel mooi kapot. Je zag toch ook wel hoe vreemd dat ding deed toen ze hier wegvlogen. Misschien haalden ze nog maar honderd kilometer per uur of zo. Dat betekent dan mooi wel dat ze vanaf hier vijf uur nodig hebben gehad om in Manilla te komen.'

'Ja. Dat betekent ook dat de Rat meer dan vijf uur had om terug te vliegen naar Hong Kong.'

Pieter knikt langzaam en staart voor zich uit. Hij weet dat Jochem gelijk heeft, maar hij wil het niet weten.

'Maar misschien,' fluistert Jochem, 'misschien is hij er toch nog niet. Ik zou er het liefst inspringen en gaan zwemmen,' praat hij zachtjes verder. 'Dan heb ik tenminste het idee dat we iets doen.'

'Ondanks de haaien?' vraagt Pieter.

'Maakt me niets meer uit.'

Onrustig schuift Pieter heen en weer. Het idee dat ze hier alleen maar kunnen zitten en niets doen is inderdaad om gek van te worden.

'Ik vind het best,' fluistert hij terug.

'Wat?' klinkt er vanuit het duister.

'Om te gaan zwemmen en het vlot mee te slepen.'

'Nu?'

'Morgen, als het weer dag is. Dan doen we tenminste iets.'

'Mij best,' zegt Jochem mat, 'maar waar naartoe?'

Het is een hele poos stil, tot Pieter zegt: 'Op de waterscouting heb ik geleerd om met behulp van de zon om twaalf uur 's middags te bepalen waar het zuiden en het noorden is. Dan zet je een stok in de grond. Waar de schaduwlijn naar toe wijst is noorden en de tegengestelde richting is het zuiden. Maar of dat hier ook werkt weet ik niet. We zitten hier volgens mij in de buurt van de evenaar.'

Opnieuw klinkt een diepe zucht van Jochem, voordat hij zegt: 'En bovendien krijg je hier op zee moeilijk een stok in de grond.' Ondanks alles moet Pieter bijna lachen.

'Maar anders hebben we er óók niets aan,' gaat Jochem verder. 'Dan weten we nog steeds niet welke richting we uit moeten zwemmen. Of weet jij dat?'

'Het enige dat ik weet is dat de Filippijnen ten opzichte van Hong Kong in het oosten liggen.' Na een korte stilte voegt Pieter eraan toe: 'En daarachter ligt de grote oceaan.'

'Nou, dat is lekker dan, kunnen we tenminste fijn even doorzwemmen.'

Pieter knipt de zaklamp aan. Plotseling heeft hij behoefte aan licht.

De jongens zoeken wat te eten in het overlevingspakket.

'Gezellig hier,' merkt Jochem droogjes op, 'en het is ook zo lekker rustig.'

Kauwend op een stuk krakende toast dwalen Pieters gedachten af naar thuis. Hij vraagt zich af of zijn ouders al op de hoogte zijn van hun vermissing.

'Stil,' roept Jochem plotseling.

'Ik zeg niets,' protesteert Pieter met halfvolle mond.

'Ik bedoel, niet kauwen,' sist Jochem.

Behalve het getik van de afnemende regen en het voortdurende geraas van de onder het vlot door rollende golven is er niets te horen.

Plotseling duikt Jochem naar de opening.

'De zaklamp,' roept hij met zijn hand naar achteren. 'Uit dat ding.'

Pieter houdt zijn adem in en knipt de zaklamp onmiddellijk uit. Hij heeft er geen idee van wat Jochem heeft gehoord. 'Laat het waar zijn,' mompelt hij in zichzelf. 'Laat het een schip zijn.' Hij stelt zich al voor hoe ze, zodra ze aan boord zijn, zullen vragen of ze Sharilla mogen waarschuwen. Misschien is het nog niet te laat. Misschien zijn ze nog net op tijd. En dan, als Sharilla in veiligheid is? Wat dan? Gewoon doen wat ze van plan waren. Datgene doen waarvoor ze hier naartoe zijn gekomen. Plotseling hoopt hij heel erg dat Sharilla en John nog niemand gewaarschuwd hebben. Zijn eigen ouders niet en ook die van Jochem niet. Anders zullen ze vast en zeker meteen terug naar huis moeten. Nu kunnen ze doen alsof er niets gebeurd is. Misschien moeten ze voor de zekerheid zelfs aan John maar niet de waarheid vertellen. Maar dan moeten ze wel een goede smoes bedenken en snel ook. Als dat schip hen zo dadelijk oppikt kunnen ze binnen nu en misschien vijf of tien minuten Sharilla al aan de telefoon hebben. Maar met wat voor smoes dan? Of moeten ze John in vertrouwen nemen en vragen of hij niets doorvertelt? Maar misschien vindt hij het dan wel te gevaarlijk voor ze om nog naar Manilla te gaan. Hij kan het zo snel allemaal niet bedenken. Maar één ding weet hij zeker: ondanks alles wat er is gebeurd heeft hij absoluut geen zin om alweer naar huis te gaan. Hij wil in ieder geval samen met Jochem en Sharilla het geld afleveren bij het opvanghuis waar de moeder van Sharilla werkt. Daar rekenen ze op in Manilla.

'Nee hè,' sist hij als hij er weer aan denkt dat het geld dat ze met hun actie hebben ingezameld, uit de tas van Jochem is gestolen. Er verschijnt een vastberaden trek rond zijn mond. Hij is meteen zeker van zijn zaak. Dit mag niet gebeuren. Het geld voor de kinderbank mag niet in handen vallen van de bende van de dokter.

'Ik heb het verkeerd gehoord, denk ik,' laat Jochem teleurgesteld weten.

'Misschien zijn ze te ver weg om ze in het donker te zien,' bedenkt Pieter meteen. 'We moeten lichtsignalen geven.'

'Aan wat?' vraagt Jochem. 'Aan de maan soms?'

'Mag ik even?' roept Pieter opgewonden. Hij knipt de zaklamp aan en kruipt naar Jochem toe.

'Je hebt je vast niet vergist.'

Zonder nog op een reactie te wachten buigt Pieter naar buiten en wringt zich in bochten om naar alle kanten lichtsignalen te geven.

'Hou maar op, Pieter,' zegt Jochem na misschien een minuut of vijf. 'Ik heb me gewoon vergist. Dat kan toch. Ik denk dat het...' Jochem maakt zijn zin niet af. Hij kruipt terug naar zijn plek en bedekt zijn gezicht met zijn handen.

'Shit,' hoort Pieter door het zachte snikken heen. Zelf stopt hij met seinen en speurt met de zaklamp nog de zee af. Veel zin heeft het niet. Op korte afstand van het vlot lost de lichtstraal op in de eindeloze duisternis. Na een hele tijd geeft hij het op. Ondanks dat het absoluut niet koud is rilt hij over zijn hele lijf. Hij doet de zaklamp uit en kruipt stilletjes terug. Ook zonder dat ze nog iets tegen elkaar zeggen, weten de jongens allebei dat hun situatie hopeloos is. Wanhopig overdenkt Pieter wat hij op school heeft geleerd. Meer dan 70 procent van het aardoppervlak wordt in beslag genomen door water en minder dan 30 procent door land. Dit maakt de kans dat ze dagen, weken of zelfs nog langer kunnen ronddrijven zonder iets of iemand te zien, meer dan levensgroot. Ze hebben voor hoogstens een paar dagen eten en drinken aan boord. Misschien kunnen ze met de harpoen vis vangen, maar het drinkwater zal opraken. Zeewater kun je niet drinken, daar zit te veel zout in. Hij heeft wel gehoord van mensen die in dit soort situaties in leven zijn gebleven door hun eigen plas op te drinken. Alleen al bij de gedachte moet hij spontaan kokhalzen. Maar als het moet, dan moet het, neemt hij zich alvast voor. Maar dan nog. Als ze verder geen vocht binnenkrijgen zal er al snel ook geen plas meer zijn. Dan drogen ze uit en dan...

'Niet aan denken,' mompelt hij voor zich uit. Maar het lukt hem niet om aan andere dingen te denken. Misschien, zo gaat het verder in zijn hoofd, zal het niet eens zo ver komen dat ze geen drinken meer hebben. Misschien komen ze wel terecht in de tyfoon waar John het over had. Het is er eentje met een dubbel oog, heeft John verteld. Pieter heeft er geen idee van wat een dubbel oog betekent, maar hij heeft het gevoel dat een tyfoon net zoiets is als een wervelstorm. Hij stelt zich voor hoe het vlot als een veertje in de slurf van de storm omhoog zal worden gezogen om daarna te worden teruggesmeten in de zee. Maar ook als dat niet gebeurt zullen ze de huizenhoge golven vast niet overleven. Hij sluit zijn ogen en vraagt zich in stilte af hoe het zal zijn om te verdrinken. Dan realiseert hij zich dat hij sinds zijn duik voor het plakken van de bodem geen zwemvest meer aan heeft. Pieter aarzelt geen seconde en terwijl Jochem zwijgend toekijkt trekt hij opnieuw het zwemvest aan. Hierna laat hij zich terugzakken op de bodem. Hij laat zijn gedachten weer de vrije loop. Met een zwemvest aan zal hij in ieder geval niet

66

snel verdrinken, veronderstelt hij. Maar meteen twijfelt hij hier weer aan. Midden in een storm is natuurlijk alles anders. Misschien worden ze zo vaak overspoeld door de golven dat ze toch te veel water binnenkrijgen en verdrinken. Misschien drijven ze dan nog maanden rond of worden ze opgevreten door de haaien of opgezogen door zo'n afgrijselijke kwal. Zijn ogen prikken opnieuw, maar op de een of andere manier komen er geen tranen meer. Opnieuw vraagt hij zich af hoe dit alles heeft kunnen gebeuren. Er is maar één verklaring. Ze hebben gewoon ongelofelijk veel pech gehad door net op het verkeerde moment op de verkeerde plaats te zijn. Die domme pech zal hen fataal worden. Dat weet hij nu eigenlijk wel zeker.

Dag 2

Noodvoorraad

Met half dichtgeknepen ogen staart Pieter over een kalme zee. De golven zijn minder dan half zo hoog als gisteren en de afgelopen nacht. De weerkaatsing van de zonnestralen op het water is oogverblindend. Jochem heeft net overboord geplast. Ze hebben het niet opgevangen. Niet omdat ze allebei walgen van het idee hun eigen plas te moeten drinken, maar domweg omdat ze nog niets hebben om het in op te vangen. Als de eerste fles water leeg is zullen ze beginnen met opvangen. Eén ding staat vast. Ze hebben geen van beiden zin om de plas van de ander op te moeten drinken. Ze hebben geloot en Pieter mag als eerste beginnen met het vullen van een eigen fles. Pas als de tweede fles water leeg is zal Jochem ook beginnen met het volplassen van een eigen noodvoorraad. Hoewel hij er nog lang niet zeker van is dat hij het ook zal gebruiken. De jongens hebben geen van beiden de afgelopen nacht nog een oog dichtgedaan. Dat is hen goed aan te zien ook. De vermoeidheid en de wanhoop zijn van hun gezichten af te lezen.

'Zal ik maar weer?' vraagt Jochem lusteloos aan Pieter.

Pieter schuift zwijgend opzij om de wacht aan Jochem over te geven.

Hij sluit zijn vermoeide ogen die vochtig zijn van het eindeloze staren. Meteen keren de stemmen terug in zijn hoofd. De stemmen die hem de hele nacht uit zijn slaap hebben gehouden. *Neemt u ze mee, baas, om ze open te snijden en leeg te halen of maken we er hier een eind aan om ze daarna in zee te gooien?*

Verward schudt hij met zijn hoofd en vraagt zich voor de zoveelste keer af wat die man bedoelde met *opensnijden* en *leeghalen*. Niet dat het er nu nog iets toe doet, maar toch moet hij er steeds aan denken. Lusteloos opent hij zijn ogen en staart, nietsziend, voor zich uit. Misschien zit hij net een of twee minuten, als Jochem voorzichtig zegt: 'Kom eens meekijken, volgens mij zie ik iets.'

Met een trillende vinger wijst Jochem een punt in de verte aan.

'Of is het weer niets?' vraagt hij zich hardop af.

Pieter staart in de richting die zijn vriend aanwijst. Behalve de eindeloze uitgestrektheid van het water ziet hij niets.

'Daar!' Jochem gilt het uit.

Nu ziet Pieter het ook. Een klein stipje aan de horizon.

'Zie je wel,' gilt Jochem. 'Het is een schip, Pieter. Het moet een schip zijn.'

Pieter twijfelt nog. Hij weet dat het een bijna ongelofelijk toeval zou zijn als ze hier een schip tegenkomen. Maar wat kan het anders zijn? Het moet haast wel een schip zijn, zo spreekt hij zichzelf moed in. Of zou het zo zijn dat ze nu alleen maar denken dat ze er een zien terwijl het er in het echt niet is, omdat ze zo dolgraag een schip willen zien? Misschien werkt het wel net als een fata morgana in de woestijn. Als je daar geen water meer hebt en uitgedroogd raakt, kan het voorkomen dat je water ziet dat er in werkelijkheid niet is. Misschien is dit stipje aan de horizon ook een luchtspiegeling. Hij schudt de gedachte van zich af. Je moet erin geloven, Pieter, houdt hij zichzelf voor.

Jochem kruipt gehaast terug in het vlot en komt tevoorschijn met het alarmpistool. Het is nog geladen. Hij richt het pistool omhoog en trekt krachtig aan de trekker. Het enige resultaat is een droge klik.

'Toe dan, kreng!' gilt Jochem. Nijdig haalt hij nog drie keer over, maar tevergeefs.

'Wacht,' schreeuwt Pieter opgewonden, terwijl hij op zijn beurt in het vlot naar binnen duikt. In no time is hij terug met de andere lichtkogels. Doordat zijn handen trillen als een gek heeft Jochem de grootste moeite om een nieuwe lichtkogel te laden. Maar het lukt uiteindelijk toch. Zonder dat er een woord gesproken wordt, richt hij het pistool omhoog en haalt de trekker over. De oorverdovende knal vlak bij zijn oor klinkt Pieter als muziek in de oren.

'Het is net vuurwerk,' juicht Jochem, als de lichtkogel op een flinke hoogte een spoor van rood met blauwe rook door de lucht trekt.

'Dit moeten ze zien, Pieter,' schreeuwt Jochem opgewonden verder.

Pieter knikt slechts. Zijn ogen laten het stipje aan de horizon niet meer los.

Na misschien een minuut is hij er zeker van. Fluisterend zegt hij: 'Ze komen dichterbij.'

'Je hoeft niet te fluisteren, hoor,' lacht Jochem uitbundig. 'Of ben je bang dat ze schrikken?'

'Dat niet,' lacht Pieter terug, 'maar ik hoop dat jij dan stopt met mij doof te schreeuwen.'

'Beter doof dan dood!' schreeuwt Jochem uitgelaten verder terwijl hij Pieter een enthousiaste klap op diens schouder geeft.

'Kom op, we doen er nog eentje.'

'Wacht nog even,' waarschuwt Pieter, 'dat is de laatste lichtkogel.'

'Maakt niet uit. Het is nu of nooit.'

'Nee hè,' roept Jochem teleurgesteld als de laatste lichtkogel niet afgaat. 'Ook te nat geworden,' concludeert hij.

Turend in de verte zegt Pieter: 'Maakt niet uit. Ze hebben ons gezien. Ze komen echt deze kant uit.'

'Het is volgens mij een zeiljacht,' weet hij een paar tellen later te melden.

'We gaan staan,' beslist hij, om meteen maar de daad bij het woord te voegen. De pleisters waarmee de overkapping is gerepareerd krijgt hij zonder moeite los.

Jochem aarzelt niet en gaat naast Pieter staan.

'Hier zijn we!' gilt hij keihard, terwijl hij met zijn armen zwaaiend de aandacht probeert te trekken.

'Hier naar toe!' gilt nu ook Pieter.

'Ze komen recht op ons af, Pieter!' schreeuwt Jochem. 'Het gaat lukken man, we worden gered!'

Pieter knikt tevreden. Er is nu geen enkele twijfel meer mogelijk. Het zeiljacht dat vol onder zeil vaart, nadert hen in een rechte lijn. Ze zijn gezien, dat is zeker.

'Het is maar een kleintje, maar groot genoeg voor ons,' constateert Jochem met een tevreden grijns als het zeiljacht nog dichter is genaderd.

'Klein?' roept Pieter uit. 'Noem je dat klein, man? Dat is zeker een vijftigvoeter en waarschijnlijk nog wel groter.'

'Wat voor toeter?'

Pieter kijkt snel even opzij naar het grijnzende gezicht van Jochem, maar geeft toch uitleg.

'Een vijftigvoeter. Dat is vijftig keer dertig centimeter. Vijftien meter dus.'

'Ik vind het allemaal best,' roept Jochem.

'Joehoe,' schreeuwt Pieter er op vol volume achteraan. 'Staat de cola al koud?'

'Hoe gaan ze dat doen?' vraagt Jochem even later. 'Laten ze de zeilen zakken of zo?'

'Ik denk het niet,' antwoordt Pieter, terwijl hij onafgebroken naar het zeiljacht tuurt. 'Ik denk dat ze ons voorbij varen en dan overstag gaan.'

'Je bedoelt dat ze omdraaien?' vraagt Jochem die zelf geen zeilervaring heeft.

'Precies.'

'Zie jij al iets bewegen?' is de volgende vraag van Jochem.

'Hmm, niet echt,' laat Pieter weten. Eerlijk gezegd heeft hij aan dek ook nog geen teken van leven kunnen bespeuren.

'Misschien varen ze op de stuurautomaat,' denkt hij hardop.

'Dat is een soort automatische piloot.'

'Zolang ze maar stoppen maakt het mij allemaal niet uit,' reageert Jochem.

Het zeiljacht nadert snel maar ze zien nog steeds geen enkel teken van leven aan boord.

'We willen graag een lift!' gilt Jochem nog maar eens.

'Ze mogen het grootzeil wel wat vieren,' mompelt Pieter.

'Wat, hoe bedoel je?' vraagt Jochem ongerust.

'Ze varen nu halve wind,' legt Pieter uit. 'Als ze het grootzeil laten vieren dan gaan ze langzamer.'

'Waarom doen ze dat niet?'

'Weet ik veel.'

'Halo daar!' gilt Jochem, zwaaiend met zijn armen. 'Willen jullie in plaats van binnen feest te vieren dat zeil even vieren? We willen graag opstappen!'

Het is ongetwijfeld grappig bedoeld, maar de stem van Jochem klinkt een stuk minder vrolijk dan even geleden. Dat hij inderdaad niet meer zo zeker is van zijn zaak, wordt wel duidelijk als hij vraagt: 'Wat moeten we doen als ze niet stoppen?'

Pieter aarzelt, maar haalt dan zijn schouders op. Hij heeft er geen idee van, maar wil er eigenlijk ook niet over nadenken.

'Ze stoppen wel,' zegt hij.

'Kom op Pieter,' spoort Jochem hem aan. 'Laten we maar zoveel mogelijk kabaal maken.'

Jochem begint meteen en gilt: 'Hallo daar! We willen wel ruilen hoor. Jullie ons vlot en wij jullie boot.'

Pieter drukt zijn oren dicht en begint ook te schreeuwen. De afstand tussen henzelf en het zeiljacht wordt nu in snel tempo minder. Maar nog steeds is er geen teken van leven te bespeuren.

'Stoppen dan!' gillen ze allebei wanhopig, maar er volgt geen enkele reactie.

Plotseling stopt Pieter met gillen. Hij aarzelt een fractie van een seconde, maar zakt dan op zijn knieën.

Jochem lijkt even van zijn stuk gebracht, maar zet dan toch weer zijn handen als een toeter voor zijn mond en schreeuwt verder.

'Wij willen gered worden. Toe dan, stop dan.'

Met hevig trillende vingers pakt Pieter het touw dat bij de harpoen hoort.

Hij dreunt automatisch de tekst op die op de verpakking staat: 'Honderd meter nylon lijn'. Hij scheurt het plastic open en haakt het oog van de lijn vast aan de drietand van de harpoen. Ondanks de zenuwen doet hij zijn uiterste best om de lijn zo neer te leggen dat die niet in de knoop zal raken. Met de harpoen in de aanslag gaat hij weer staan.

'Ze stoppen niet, Pieter!' deelt Jochem met overslaande stem mee. 'Ze stoppen niet.'

Dan ziet hij de harpoen.

'We mogen ze niet voorbij laten gaan,' luidt de grimmige uitleg van Pieter.

'Wat ga je doen. Ze lek schieten?'

'Ik weet niet of het lukt.'

'Nee natuurlijk niet, man,' schreeuwt Jochem.

'Wacht nou maar!' schreeuwt Pieter opgewonden terug.

Het zeiljacht is nu zo dicht genaderd dat het gieren van de wind langs de zeilen duidelijk hoorbaar is. De messcherpe boeg van het schip snijdt moeiteloos door de golven. Om niet om te vallen zakt Pieter op een knie en blijft met de harpoen in de aanslag zitten.

Jochems stem is afgenomen tot een schor gefluister als hij zegt: 'Ze gaan ons rammen, Pieter.'

Met een ervaren oog probeert Pieter in te schatten of het zeilschip inderdaad op een ramkoers vaart. Hij twijfelt. Jochem hangt al over de opstaande opblaasrand van het vlot en maait als een gek met zijn handen door het water.

'Help maar liever mee,' gilt Jochem met nieuw volume. 'Je krijgt dat schip toch nooit te pakken. Laat mij anders schieten.'

Pieter reageert niet. Hij haalt diep adem en probeert zijn zenuwen onder controle te krijgen.

'Je krijgt maar één kans,' mompelt hij voor zich uit. 'Eén kans om hier weg te komen. Het moet,' vertelt hij zichzelf. 'Ik mag niet missen.'

'Wat zit je nou te fluisteren, man,' gilt Jochem nijdig. 'Het lukt je nooit, kom nou helpen!'

Het volgende moment verdwijnt het vlot in de schaduw van de gigantische zeilen. Jochem deinst achteruit als het zeiljacht op slechts een paar meter afstand passeert.

Met één oog gesloten mikt Pieter zorgvuldig op het punt dat hij in gedachten heeft.

'Nu,' fluistert hij, om op hetzelfde ogenblik de trekker over te halen. De vlijmscherpe drietand, die boven op een spies van zeker een halve meter zit, verdwijnt geluidloos in de richting van het zeilschip. Tegelijkertijd kronkelt de honderd meter nylon lijn als een op hol geslagen slang over de bodem van het vlot.

'Te hoog, Pieter,' gilt Jochem. 'Je hebt veel te hoog geschoten, man.'

Bijna automatisch laat Pieter het harpoengeweer vallen. Het volgende ogenblik verdwijnt het zonder een spoor na te laten onder water. Pieter maakt het weinig uit. Hij heeft maar voor één ding oog en dat is voor de drietand. Hij ziet hoe het ding voorbij de mast schiet en achter de zeilen uit het zicht verdwijnt. Het uiteinde van de honderd meter lange lijn komt steeds dichterbij. Pieter duikt op zijn knieën en realiseert zich op datzelfde ogenblik dat hij een fout heeft gemaakt. Hij had het uiteinde van het touw aan het vlot moeten vastmaken, maar dat heeft hij niet gedaan. Zijn hand graait vooruit in een poging grip op de lijn te krijgen. Dan aarzelt hij heel even. Hij weet dat het er nu op aankomt. Nu zal moeten blijken of zijn plan werkt.

'Nu!' schreeuwt hij hardop, terwijl hij het nylon touw met twee handen tegelijk vastgrijpt. Hij is voorbereid op een schok, maar niet op de schok die hij te verwerken krijgt. Het touw snijdt diep in zijn vlees en trekt hem op volle kracht vooruit. Het volgende ogenblik wordt hij uit het vlot gesleurd. Gevoelens van vreugde en wanhoop vechten in zijn hoofd om voorrang. Vreugde omdat zijn plan is geslaagd. De drietand is ergens achter blijven haken. Maar het gevoel van wanhoop krijgt snel de overhand.

Half onder, half boven water wordt hij met razende vaart meegesleurd. Hij heeft het gevoel dat het touw dwars door zijn handen snijdt.

Ondanks alles tilt hij zijn hoofd zo hoog mogelijk en kijkt achterom.

'Yes,' weet hij uit te gillen voordat het zoute zeewater zijn mond binnenstroomt. Hij slikt noodgedwongen een deel van het water in en worstelt verder. De druk van het touw dat rond zijn pols is geslagen is enorm en lijkt alleen maar groter te worden. Dat is ook niet verwonderlijk. Jochem is erin geslaagd het uiteinde van het touw te pakken te krijgen en wordt met vlot en al achter hem aangesleept. Hij weet dat dit nog slechts het begin is. Ze zullen zichzelf centimeter voor centimeter naar het zeiljacht toe moeten trekken. Net iets te laat sluit hij zijn mond als hij dwars door een golf worden getrokken. Proestend komt hij boven om een paar tellen later opnieuw onder water te verdwijnen. Met de grootste moeite weet hij zijn pols uit het touw te bevrijden. Met een van pijn vertrokken gezicht trekt hij zich iets naar voren om vervolgens met zijn vrije hand opnieuw het touw te grijpen. Op de top van een golf probeert hij het achterdek van het schip helder in beeld te krijgen. De conclusie is snel getrokken. Nog steeds niemand te zien. Het geschreeuw van Jochem dringt maar vaag tot hem door. Hij hoort de woorden, maar de betekenis daarvan ontgaat hem. In het enorme geraas van het water en de wind rondom zijn hoofd lijkt alles te vervagen.

Spookschip

'Dit is eng,' fluistert Jochem nadat ze zeker een vol kwartier uitgeput en zwijgend op het achterdek van het zeiljacht hebben doorgebracht. Al die tijd hebben ze aan boord geen teken van leven gezien of gehoord. Terwijl ze met een kalm gangetje verder varen denkt Pieter terug aan de strijd die ze hebben moeten leveren om aan boord te komen. Ze hebben geluk gehad dat de wind is afgenomen. Dat is waarschijnlijk de enige reden geweest waarom ze het gered hebben. Jochem heeft hem terug weten te krijgen aan boord van het vlot. Daarna hebben ze zich, met vlot en al, naar het zeiljacht toe kunnen trekken en zijn ze aan boord geklauterd. Nu kijken ze vanaf een afstandje stilletjes toe hoe het gigantische stuurrad als door een onzichtbare hand wordt bewogen.

'Doet de automatische piloot dat?' vraagt Jochem, nog steeds op fluistertoon.

'Klopt,' laat Pieter weten.

Het geratel van een lier vanaf het voordek zorgt ervoor dat Jochem zich spontaan verslikt in zijn eigen ademhaling. Pieter moet zijn vriend stevig op zijn rug slaan om het benauwde hoesten te stoppen.

'Het spookt hier echt, Pieter,' sist Jochem vervolgens vol overtuiging.

Pieter haalt zijn schouders op. 'Dat is allemaal het werk van de automatische stuurinrichting. Die kan ook de zeilen bijstellen als dat nodig is.'

Hoe onverschillig zijn stem misschien ook klinkt, Pieter moet toegeven dat hij zich ook niet op zijn gemak voelt. Zijn eerdere gedachte dat het zeiljacht een spookschip is lijkt te kloppen.

'Ik heb ooit een film gezien waarin een spookschip voorkwam,' begint Jochem fluisterend. 'Dat schip was overvallen door piraten en die hadden de hele bemanning uitgemoord. Toen die eenmaal vertrokken waren durfde niemand meer aan boord. Het verhaal deed de ronde dat de geesten van de bemanning nog rondwaarden op het schip.'

'Dat is toch allemaal onzin. Geesten bestaan toch niet,' reageert Pieter.

'Dat hoop ik dan, maar piraten bestaan in ieder geval wel. Nog altijd.'

Pieter knikt. Hij weet dat het waar is wat Jochem zegt. Hij heeft het zelf laatst nog op de televisie gezien. Moderne piraten bestaan en dat niet alleen. Er lijken er steeds meer bij te komen. Met hun snelle boten en moderne wapens overvallen ze schepen en stelen alles eraf wat van waarde is. En dat niet alleen. Om geen getuigen achter te laten, vermoorden ze meestal de mensen aan boord. Soms stelen ze zelfs het hele schip. En hij heeft nog meer gezien in de reportage op de televisie.

'Sommige luxe zeil- en motorjachten worden tegenwoordig van een laag kogelvrij Kevlar voorzien,' vertelt hij fluisterend. 'Dat is als bescherming bedoeld tegen piraten. Die hebben het vaak voorzien op luxe privé-jachten. Maar,' zo gaat hij verder, 'die

75

piraten vallen soms ook grote vrachtschepen en supertankers aan. Dan wordt de kapitein gedwongen om de kluis te openen waarin hij meestal het geld bewaart om de bemanning te betalen en zo. Meestal kan de bemanning zich alleen maar met de brandspuiten tegen een aanval verdedigen. Soms kunnen ze voorkomen dat die zeerovers aan boord komen, maar soms ook niet.'

Pieter is even stil als er weer een lier ratelt, deze maal op het achterdek, en het grootzeil automatisch iets wordt aangehaald.

'Soms gaan die piraten nog verder,' hervat hij zijn verhaal. 'Ze enteren een schip, gaan met een stel aan boord, vermoorden de kapitein en de officieren en dwingen de bemanning voor ze te werken. Dan schilderen ze de naam van het schip over en varen verder met valse papieren. Vaak verkopen ze de lading ergens. Vervolgens verkopen ze ook het schip. De nieuwe eigenaar heeft er vaak geen idee van dat hij met een gestolen schip vaart.'

'Met een paar lekkere geesten aan boord,' maakt Jochem het verhaal af.

Hij zucht eens diep en vraagt dan: 'Zeiden ze in dat programma ook nog of er hier in deze zee piraten zijn?'

'Ik geloof het wel.'

Stilletjes staren de jongens een poos voor zich uit. Ze weten allebei wat er moet gebeuren. Ze zullen de kajuit in moeten, op zoek naar een telefoon om Sharilla te waarschuwen. Iedere minuut dat ze hier langer zitten wordt de kans kleiner dat ze haar nog tijdig kunnen waarschuwen. Maar tegelijkertijd weten ze ook dat die kans eigenlijk al is verkeken. De Rat heeft inmiddels zeeën van tijd gehad om terug te gaan naar Hong Kong en Sharilla te vinden.

Pieter spant zijn spieren om overeind te komen, maar op de een of andere manier wil zijn lichaam niet meewerken. Hij weet wel hoe dat komt. Ondanks de hitte huivert hij bij het vooruitzicht dat ze binnen misschien een of meer lijken zullen aantreffen. Maar het moet en dat weten ze allebei. Met tegenzin komen ze overeind en sluipen naar de twee halve deurtjes die de toegang vormen tot de binnenkajuit. Die blijken gesloten.

'Ook dat nog,' zucht Jochem. 'We moeten ze openbreken. Hopelijk schrikken die lijken binnen niet wakker,' voegt hij er met een sombere grijns aan toe.

76

'Intrappen maar,' beslist Jochem, die in tegenstelling tot Pieter zijn schoenen nog aan heeft. Hij gaat met zijn rug naar het deurtje staan.

'Mijn dodelijke achterwaartse trap,' grijnst hij, om vervolgens keihard uit te halen. Het resultaat mag er zijn. Een van de deurtjes wordt finaal weggeslagen en het andere deurtje blijft versplinterd hangen aan een verbogen scharnier. Zeker een volle minuut verroeren de jongens zich niet. Dan zakt Pieter langzaam door zijn knieën en probeert zicht te krijgen op de binnenkajuit.

'Niets bijzonders,' fluistert hij al snel.

'Het is hier veel ruimer dan ik dacht,' sist Jochem als ze in gebukte houding de drie treden naar binnen afstappen.

Het is voor Pieter bepaald niet de eerste keer dat hij de kans krijgt om in de kajuit van een zeiljacht te kijken. Maar hij ziet meteen dat dit jacht anders is dan de meeste die hij pas nog op een botententoonstelling heeft gezien. Het is binnen vrij kaal en echte luxe ontbreekt. Wel is er een groot controlepaneel in het midden van de kajuit opgesteld. Eigenlijk wist hij het buiten al wel, maar nu weet hij het zeker.

'Dit is een wedstrijdboot,' fluistert hij tegen Jochem. 'Alles is gebouwd op een zo hoog mogelijke snelheid, daarom is het hier zo kaal. Ze willen zo min mogelijk gewicht aan boord hebben.'

'Dat lukt wel aardig zonder passagiers,' fluistert Jochem terug.

Op zijn tenen loopt Pieter verder naar de voorkant. Ondanks dat hun kleren door de warme wind alweer gedroogd zijn, zijn Jochems schoenen nog nat. Hij komt zelf al snel tot het besef dat het met soppende schoenen moeilijk sluipen is en trekt ze uit. Op zijn natte sokken loopt hij Pieter achterna. Die staat stil bij een deur.

'Hier is meestal de hut van de eigenaar,' laat hij Jochem fluisterend weten.

Voorzichtig luistert Jochem aan de deur. 'Niets te horen,' meldt hij al snel.

'Zullen we dan maar?'

Jochem kijkt Pieter aarzelend aan en schudt dan met zijn hoofd.

'Laat maar zitten. Ik hoef niet zo nodig.'

Jochem wacht Pieters reactie niet af. Hij is al op weg naar het controlepaneel. Zonder nog echt veel moeite te doen om stil te zijn laat hij zich in de op de vloer vastgeschroefde draaistoel ploffen. Na een kort onderzoek kijkt hij Pieter grijnzend aan. 'Er is een satellietverbinding. We kunnen bellen. Nou, toe dan,' gaat hij verder als Pieter niet reageert. 'Geef het nummer van Sharilla maar.'

Pieter staart zijn vriend ontzet aan. 'Het eh, die jongens...,' begint hij stotterend, 'ze heeft haar eigen mobieltje niet meegenomen. Ze heeft een nieuwe gekregen, maar daar ken ik het nummer niet van.'

'Krijg nou wat,' laat Jochem zich ontvallen. 'Dus we kunnen haar niet bellen. En John dan?'

Het is even stil tot Pieter zachtjes zegt: 'Sharilla heeft het nummer van zijn mobieltje.'

'Nee hè. Kom op Pieter. Dit kan toch niet? We moeten haar waarschuwen en wel nu meteen. Ik ga het nummer van het hotel wel opzoeken.'

'Op internet,' zegt Pieter meer in zichzelf dan dat het als vraag bedoeld is.

'Ja, wat dacht je?' reageert Jochem gespannen.

Via de satellietverbinding brengt Jochem in no time de verbinding met het internet tot stand.

'Hebbes!' zegt hij al snel en begint meteen het nummer in te toetsen.

Pieter hoort hoe zijn vriend zich bekend maakt bij de receptie van het hotel en naar Sharilla vraagt.

'De verbinding is afgrijselijk,' fluistert Jochem tussendoor. 'Veel ruis en af en toe valt het weg.'

'Ze kennen haar niet,' fluistert hij een ogenblik later.

'Vraag dan naar kamer 331,' stelt Pieter voor.

'Oké,' grijnst Jochem.

'Jochem!' gilt Sharilla zo hard dat Pieter het ook hoort. 'Is alles goed met je en met Pieter?'

'Alles is goed,' schreeuwt Jochem in zijn opwinding. 'Dus ze hebben je niet vermoord?'

'Wat, wat zeg je?' gilt Sharilla op haar beurt. 'Heb je me niet gehoord?'

Pieter tikt Jochem op zijn schouder.

'Ze moet daar zo snel mogelijk weg. Je moet haar waarschuwen voor de Rat!'

'Waar zijn jullie?' hoort Pieter Sharilla vragen. 'We waren zo ongerust. John is de hele tijd op zoek naar jullie.'

78

'Je moet weg daar, Sharilla!' onderbreekt Jochem haar.

Als Sharilla niet meteen reageert, schreeuwt Jochem: 'Je bent in gevaar! Je moet daar weg, nu!'

'Wat is er dan? De storm is nu toch voorbij? Of staat het hotel op instorten?'

'Ze willen je vermoorden, Sharilla,' gilt Jochem. 'Je moet zo snel mogelijk vluchten. De Rat is onderweg!'

'De patat,' herhaalt Sharilla aan de andere kant. 'Wat bedoel je nou, heb je patat besteld?'

'Nee, de Rat. Dat is een moordenaar. Ze wilden ons ook vermoorden, maar we zijn ontsnapt. We varen nu op een spookschip.'

'Sorry!' horen de jongens Sharilla gillen. 'Maar wat is dat, een kookschip?'

'Een spookschip!' gilt Jochem als uitleg. 'Je weet wel, met van die lui in witte lakens.'

Het blijft stil aan de andere kant zodat Jochem zelf verder gaat.

'Maar het maakt allemaal niet uit. Het enige dat belangrijk is, is dat je daar weggaat. Ze willen je pakken omdat je op het vliegveld de dokter hebt gezien.'

Na een korte aarzeling volgt de reactie van Sharilla. 'Ik vind het niet leuk, Jochem.' Ze lijkt diep adem te halen voordat ze met een lichte trilling in haar stem zegt: 'Ik, ik was echt hartstikke ongerust.'

'Maar het is wáár!'

'Geef me Pieter maar.'

'Ja hallo, met Pieter,' zegt die automatisch als hij de telefoon in zijn handen krijgt gedrukt.

'Waar zitten jullie, Pieter? Ik dacht dat jullie dood waren. Er zijn echt mensen de zee in geblazen door de storm. En ik heb geprobeerd om Jochem te bellen. Maar het lukte niet. Door de storm was de telefoon uitgevallen.'

Dus toch, gaat het door Pieter heen. De weersverwachting is uitgekomen. Hong Kong is getroffen door de storm, waar John over vertelde. De tyfoon met het dubbele oog. Hij weet meteen dat dit de reden moet zijn dat Sharilla nog leeft. Al het vliegverkeer is natuurlijk stopgezet. Daarom heeft de Rat Hong Kong nog niet kunnen bereiken.

'Is de storm nu voorbij?' is het eerste wat hij vraagt.

'Gelukkig wel.' Het is even stil voordat ze aarzelend vraagt:

'Maar dat weet je toch zelf ook? Jullie zijn toch zeker ook hier in de stad?'

'Ik ben bang van niet,' begint Pieter. 'Alles wat Jochem zegt, is waar. Je moet ons geloven. We zijn in de problemen gekomen omdat de tas van Jochem op het vliegveld is omgeruild.'

Snel vertelt hij wat ze hebben meegemaakt.

'Je moet zo snel mogelijk naar het ziekenhuisschip toe,' besluit hij zijn verhaal. 'Daar zullen ze je nooit kunnen vinden. Wij proberen naar Manilla te komen en dan zien we elkaar daar.'

'Oké, ik ga meteen John bellen,' reageert Sharilla.

'Nee wacht!' schreeuwt Pieter. 'Als hij het te weten komt moeten we natuurlijk terug naar huis. Wil jij dat? O, en mijn ouders en die van Jochem weten toch ook nog niets?'

'Nee, natuurlijk niet. De telefoon was hier toch uitgevallen. Maar ik denk wel dat ze ongerust zijn. Ze hebben natuurlijk in het nieuws gezien dat het hier stormt.'

'Even met Jochem overleggen,' schreeuwt Pieter in de telefoon.

'Wat moeten we?' begint hij terwijl hij in de richting van zijn vriend kijkt, maar die is hem al voor.

'Hallo John,' begint Jochem grijnzend. 'Sorry, maar we zijn meegenomen door een stelletje drugsdealers die ons willen vermoorden. We varen nu rond op een spookschip en we hebben er geen idee van waar we zijn.'

Hij kijkt Pieter veelbetekenend aan en gaat dan verder: 'Maar er is niets aan de hand hoor. Alles is dik in orde en onze ouders hoeven zich geen zorgen te maken. En oh ja, Sharilla kan zich maar beter even schuilhouden, anders wordt ze vermoord.'

'Het is inderdaad een beetje lastig,' bekent Pieter.

'Een beetje lastig? Een beetje erg lastig zou ik zo denken. En hoe denk je dat we in Manilla komen?'

'Gewoon, met deze boot,' antwoordt Pieter vastberaden.

Met een ongelovig gezicht vraagt Jochem: 'Kun jij dan met dit schip zeilen?'

Pieter haalt zijn schouders op. 'De automatische piloot is aangesloten op een systeem dat de positie vaststelt en ervoor zorgt dat het schip op de ingestelde koers verder vaart.'

'Een GPS met een navigatiesysteem dat eraan gekoppeld is,' knikt Jochem begrijpend. 'Dat klinkt goed. Dus we hoeven alleen maar de coördinaten van Manilla op te zoeken en in te programmeren en de rest gaat vanzelf.'

80

'Niet helemaal, maar het gaat wel lukken. Ik heb trouwens al een keer met een zeiljacht gevaren, hoor.'

'Hallo,' roept Sharilla. 'Er wordt op mijn deur geklopt. Ik denk dat het John is. Ik bedenk zelf wel iets en ik zie jullie in Manilla. Dag! O, wacht, ik zal ook naar huis bellen en ervoor zorgen dat jullie ouders gerustgesteld worden. Nou moet ik echt ophangen. Daag.'

'Wacht,' gilt Pieter, 'het nummer van je nieuwe mobieltje!'

Sharilla ratelt het nummer af. Met enige verbazing staren de jongens elkaar aan als de verbinding meteen hierna wordt verbroken.

'Ik ben benieuwd wat ze denkt,' vraagt Pieter zich af.

'Ik ook,' valt Jochem hem bij. 'Maar zou ze het wel begrepen hebben, van het gevaar, bedoel ik?'

Als Pieter knikt merkt Jochem breed grijnzend op: 'Dan is ze niet bang uitgevallen.'

'Handen omhoog!'

'Schiet op, handen omhoog!' sist de stem voor een tweede maal. Verbijsterd staart Pieter naar de loop van het pistool dat op ze gericht wordt. Eindelijk dringt de betekenis van de woorden tot hem door. Langzaam steekt hij zijn armen de lucht in.

Zeilwedstrijd

In haar feloranje gekleurde zeiljack ziet de kleine vrouw er allesbehalve uit als iemand die net uit bed is gekomen. Maar haar verwarde haren en slaperige ogen wijzen op het tegendeel. Met twee hevig trillende handen omklemt ze het pistool.

Ze is nauwelijks verstaanbaar als ze Pieter en Jochem vraagt: 'Wat doen jullie hier?'

Pieter is nog steeds te verbijsterd om meteen te reageren. Achter de vrouw ziet hij de deur van de eigenaarshut open staan.

Het is dus toch geen spookschip, is zijn eerste gedachte.

'Wat doen jullie hier?' fluistert de vrouw opnieuw.

'Eh,' begint Jochem stotterend. 'We, eh, we hadden een lift nodig en u kwam toevallig langs en toen zijn we opgestapt.'

De vrouw spert haar slaperige ogen wijd open.

'Wat willen jullie van me?' luidt haar volgende vraag.

Pieter ziet hoe haar ogen zenuwachtig heen en weer flitsen tussen henzelf en de versplinterde kajuitdeur. Ze wacht het antwoord op haar vorige vragen niet af, maar stelt meteen een nieuwe vraag.

'Zijn jullie met zijn tweeën?'

Pieter weet niets beters te doen dan te knikken.

'Dus jullie zijn met zijn tweeën.'

Pieter slikt, slikt nog een keer en weet dan met moeite uit te brengen: 'We dachten dat er niemand aan boord was.'

'Nee, we dachten dat dit een spookschip is,' voegt Jochem er aan toe.

Voorzover mogelijk worden de ogen van de vrouw nog groter. In een bijna verontwaardigd gebaar gooit ze haar hoofd naar achteren. Terwijl haar verwarde loshangende lange haren mee zwieren sist ze: 'Een spookschip? Dit is een wedstrijdzeiljacht. Ik doe mee aan een solozeilwedstrijd en...'

Alsof ze bang is dat ze te veel heeft verteld stopt ze midden in haar zin. Ze lijkt het pistool steviger te omklemmen en zegt dan: 'Ik wil dat jullie van boord gaan. Nu meteen.'

'Maar, maar...' stamelt Pieter. 'We kunnen nergens heen. We hebben geen boot.'

'Nee,' zegt Jochem op zijn beurt. 'We zijn in een reddingsvlot gekomen.' Met een grijns voegt hij er aan toe: 'En dat is nog lek ook.'

'We zijn uit een helikopter gesprongen,' begint Pieter zijn uitleg. 'Ze wilden ons vermoorden omdat... Nou ja, gewoon, ze wilden ons vermoorden en toen moesten we vluchten. We drijven al een dag en een nacht op zee en u heeft ons gered.'

'Zijn jullie met zijn tweeën?' vraagt de vrouw opnieuw. Pieter heeft het idee dat ze iets ontspant als hij knikt en zegt dat ze inderdaad met zijn tweeën zijn. 'En ons reddingsvlot hangt achter uw boot,' laat hij meteen weten.

Terwijl hij de vrouw strak aankijkt moet hij als vanzelf denken aan de foto's van vroeger van zijn vader. Hij weet zeker dat deze vrouw lijkt op de Japanse vriendin die zijn vader ooit heeft gehad. Misschien is het wel dezelfde, bedenkt hij. Hij verwerpt de gedachte meteen weer. Hoewel ze er niet op haar best uitziet, lijkt deze vrouw veel jonger dan zijn vader.

Als Jochem zijn voet verplaatst, omklemt ze het pistool meteen weer krachtig.

'Blijf staan,' sist ze zenuwachtig.

Het is duidelijk dat de vrouw nog steeds niet overtuigd lijkt van hun goede bedoelingen. Ze maakt een wilde beweging met haar pistool.

'Naar achteren, naar het dek,' zegt ze met trillende stem. 'En hou die handen omhoog,' sist ze erachteraan als Pieter zijn armen laat zakken.

Met opgeheven handen schuifelen de jongens terug naar de kajuitdeur.

'Een ding weet ik zeker,' fluistert Jochem. 'Ik ga niet terug op dat vlot.'

Als ze het achterdek opstappen knijpt Pieter zijn ogen dicht tegen het felle zonlicht. Ondanks de hitte kan hij een rilling niet onderdrukken. Hij beseft dat als ze worden gedwongen om van boord te gaan, dat een vrijwel zekere dood betekent. Ze zullen er alles aan moeten doen om de vrouw te overtuigen van hun goede bedoelingen. Plotseling schiet hem iets te binnen. Het Japans voor *dank u wel* dat hij van zijn vader heeft geleerd. Ze lopen tot vlak voor het grote stuurrad en keren zich langzaam om.

Zonder zijn armen te laten zakken kijkt Pieter de vrouw aan en zegt, naar hij hoopt op zijn allervriendelijkst: '*Arrigato gozaimassu.*'

Vanuit zijn ooghoek ziet hij de starende blik van Jochem op zich gericht.

Hij weet dat het nergens op slaat, maar hij kan niets beters bedenken dan zijn hoofd te buigen en opnieuw 'arrigato gozaimassu' te zeggen.

Pieter weet het niet zeker, maar hij heeft sterk het gevoel dat de vrouw iets vriendelijker kijkt.

'Arrigato gozaimassu,' laat Jochem plotseling horen. Hij volgt het voorbeeld van Pieter en maakt zonder zijn armen te laten zakken eveneens een lichte buiging.

'Wat betekent het eigenlijk?' sist hij opzij naar Pieter.

'Dank u. Maar stil nou,' sist Pieter terug.

Er schieten hem nog twee woorden te binnen. Hij kan zich de betekenis ervan niet zo snel herinneren, maar besluit ze toch te gebruiken. Onder begeleiding van opnieuw een lichte buiging zegt hij: '*Ita dakimas.*'

'Si, si,' begint Jochem zonder aarzeling om vervolgens net als Pieter '*ita dakimas*,' te zeggen.

Met een nauwelijks waarneembare beweging van zijn lippen fluistert hij: 'Volgens mij vindt ze het leuk. Heb je nog meer woorden?'

Als Pieter nee schudt zegt Jochem: 'Wacht maar.'

Hij buigt deze keer iets dieper. 'Arrigato gozaimassu, ita daki-mas,' laat hij horen.

De glimlach op het gezicht van de vrouw is nu onmiskenbaar. Weliswaar houdt ze het pistool nog steeds strak op ze gericht maar haar stem klinkt vriendelijk als ze zegt: 'Het is aardig van jullie om mij smakelijk eten te wensen, maar ik heb nu geen trek.'

'Het is ook vast bedoeld voor straks, hoor,' laat Jochem meteen weten.

De vrouw reageert met een traag uitgesproken 'ja, ja,' terwijl ze de jongens van top tot teen opneemt.

'Jullie zien er niet uit als piraten,' concludeert ze ten slotte.

'Dus dat is jullie reddingsvlot?' vraagt ze vervolgens, na een korte knik in de richting van het vlot.

'Eh, ja mevrouw,' gaat Pieter beleefd van start. 'Het is allemaal begonnen toen we aankwamen op het vliegveld in Hong Kong.' Zo kalm mogelijk vertelt hij het hele verhaal. Gaandeweg lijkt de vrouw zich meer te ontspannen.

'Als we terug moeten in het vlot, denk ik niet dat we het over-leven,' eindigt Pieter.

Hij trekt zijn zieligste gezicht en kijkt de vrouw smekend aan.

'U bent onze enige redding.'

Na een diepe zucht laat de vrouw aarzelend het pistool zakken. 'Ik denk dat ik jullie maar moet geloven.'

Jochem aarzelt niet. Hij vouwt zijn handen samen, buigt diep en zegt vol overtuiging: 'Arrigato gozaimassu.'

Terwijl hij nog voorovergebogen staat, kijkt hij opzij naar Pie-ter.

'Het betekent toch wel echt dank je wel hè, en niet zoiets als stomme koe?'

'Niet voorzover ik weet,' lacht Pieter opgelucht.

Nadat de vrouw zich heeft voorgesteld als Yuko, vertelt ze dat ze in Japan is geboren, maar tegenwoordig in Amerika woont. 'Ik doe mee aan een zeilwedstrijd,' legt ze uit. 'Alle deelnemers varen solo, dus alleen.'

'We dachten dat u dood was. Nou ja eh, ik bedoel, toen we aan boord kwamen dachten we dat dit misschien een spookschip was. We durfden niet in uw hut te kijken.'

Yuko knikt naar Pieter. 'Ik zal je vertellen dat ik de hele nacht keihard heb moeten vechten tegen het weer. Ik zat in een uitloper van de orkaan die ook Hong Kong heeft getroffen. Het heeft maar weinig gescheeld of mijn mast was gebroken.'

Pieter ziet hoe ze met haar ogen een snelle controle uitvoert van de zeilen om vervolgens verder te praten. 'Zoals jullie zien ben ik met mijn zeiljack nog aan, doodop in bed gedoken. Ik moet echt half bewusteloos zijn geweest, dat ik jullie niet aan boord heb horen komen.'

Haar ogen gaan even naar de kapotte kajuitdeurtjes en richten zich daarna weer op de jongens. 'Erg zachtjes zijn jullie niet binnengekomen.'

Ze lacht even naar de jongens en begint dan haar zeiljack uit te trekken. 'Dat is nu een beetje overdreven hè, met die brandende zon.'

Onder haar zeiljack blijkt ze een badpak aan te hebben. Ze vouwt het zeiljack keurig op en kondigt dan aan dat ze even naar binnen moet om te kijken wat haar positie in de wedstrijd is.

Zodra ze weg is, stompt Jochem Pieter uitgelaten tegen zijn schouder. 'Het is gelukt, man. We hebben Sharilla op tijd kunnen waarschuwen. Ik dacht eh, nou ja.' Pieter ziet hoe zijn vriend even iets weg moet slikken voordat hij verder gaat. 'Ik bedoel, ik dacht echt dat ze dood zou zijn.'

Opnieuw krijgt Pieter een stomp te verwerken. 'Als we in Manilla zijn, gaan we het die rotzakken betaald zetten, hè? Bovendien wil ik mijn laptop en de telefoon en zo terug.'

'Het zijn wel moordenaars, hoor,' zegt Pieter om zijn vriend eraan te herinneren. 'Ik denk dat we daar maar beter uit de buurt kunnen blijven.'

Hij huivert bij de gedachte opnieuw oog in oog te komen met de dokter of de Rat.

'Krijg nou wat, je denkt toch niet echt dat ik mijn spullen zo maar laat pikken?'

'Ik lig nog steeds aan kop,' meldt Yuko terug aan dek. 'Maar dat vlot van jullie moeten we snel losgooien, want dat kost me te veel snelheid.'

Jochem kijkt even naar Pieter en haalt dan zijn schouders op.

'Mij best. Snij maar los,' zegt hij, doelend op het mes dat Yuko in haar handen heeft.

Yuko maakt al een beweging in de richting van het touw als Pieter gilt: 'Nee, wacht, mijn schoenen zijn nog aan boord.'

'Mijn kleren ook, nu je het zegt,' grijnst Jochem.

Het vlot wordt snel naar de boot toegetrokken en de jongens halen de tassen eruit.

Terwijl Yuko het touw doorsnijdt en Jochem het vlot uitgebreid uitzwaait, staart Pieter naar de tas van de dokter. Hij heeft in de afgelopen uren totaal niet meer aan de koker gedacht. Nu herinnert hij zich zijn eerdere gedachte om de koker overboord te gooien. Misschien is dit een mooi moment.

'Echt niet!' roept Jochem als Pieter het voorstelt.

'Ik wil mijn spullen terug. Ik ga ze ruilen voor die koker.'

Pieter staart zijn vriend vol ongeloof aan.

'Echt hoor,' zegt Jochem vastberaden. 'Ik moet mijn laptop terughebben en de rest ook.'

'Mag ik even?' begint Pieter. 'Wil je soms even bij die dokter langsgaan om te ruilen. Man, hij wil ons vermoorden, hoor.'

'Dat weet ik ook wel, maar toch wil ik mijn spullen terug. We bedenken wel iets.'

'Maar misschien is het wel levensgevaarlijk wat er in die koker zit,' protesteert Pieter verder.

'Zolang we hem niet openmaken is er niets aan de hand.'

'Jongens,' begint Yuko met een ernstig gezicht, 'ik ga jullie even onderbreken want ik heb een groot probleem.'

De jongens wisselen een snelle blik. Pieter heeft geen idee wat er komen gaat.

'De zeilrace waaraan ik meedoe is voor mij heel belangrijk. Ik lig nu aan kop en ik moet winnen. Niet alleen voor mezelf, maar voor alle vrouwen. Nog nooit heeft een vrouw deze solowedstrijd gewonnen.'

Na een snelle blik op de zeilen gaat ze verder. 'Zodra de wedstrijdleiding ontdekt dat ik passagiers aan boord heb word ik gediskwalificeerd. Dat is zeker.'

'We verstoppen ons wel, hoor,' bedenkt Pieter meteen. Hij stapt al naar de kajuit, maar Jochem aarzelt. 'Eh, maar komen we dan wel in Manilla? Daar moeten we naar toe.'

'Daar moeten we het straks maar over hebben,' reageert Yuko gehaast. 'Nu moeten jullie je verstoppen, want over vijf minuten moet ik de lucht in. Met een live-televisieverslag via de satelliet,' legt ze uit als ze hun verbaasde gezichten ziet. "Twee keer per dag vertel ik live over mijn leven hier alleen aan boord, over het weer, het verloop van de wedstrijd en dat soort dingen. Het wordt over de hele wereld uitgezonden door het televisiestation dat mij ook sponsort en verder is het op het internet te zien.'

Met een diepe zucht laat Jochem zich even later neerzakken op het brede onopgemaakte tweepersoonsbed dat in het midden van de hut van Yuko staat opgesteld. Hij aarzelt even maar laat zich dan achterovervallen in de kussens.

'Kom op, dat kun je niet maken, man.'

'Wat niet?'

'Om in haar bed te gaan liggen, natuurlijk.'

Dat ziet Jochem blijkbaar zelf ook in. Zuchtend komt hij weer overeind.

'Ik ben anders wel hartstikke schoon hoor. Ik ben net nog in bad geweest.'

'Ja, hoor.'

Nu de grootste spanning over hun eigen lot en dat van Sharilla is weggevallen, voelt Pieter de vermoeidheid toeslaan. Eigenlijk heeft hij ook het meeste zin om lekker te gaan liggen.

'Eigenlijk heb je wel gelijk.'

'Wat, waar heb je het nu weer over?'

'Over dat we schoon zijn.'

Pieter laat zich op zijn beurt heerlijk in de kussens zakken.

'Maar zodra we haar horen, komen we overeind, hoor,' waarschuwt hij Jochem.

'Dat gaat dus nooit lukken,' merkt Jochem op zodra ze allebei liggen.

'Wat niet?'

'Nou, dat ze ons even afzet in Manilla. Ze wil die wedstrijd winnen, dat is wel duidelijk. Dat is lekker dan,' gaat Jochem verder, 'nu loopt Sharilla daar straks alleen.'

Hij kijkt opzij naar Pieter die zijn ogen gesloten heeft.

'Je slaapt toch niet hè?'

'Nee, natuurlijk niet. Ik denk.'

'O.'

'We kunnen onderweg natuurlijk niet van boord,' begint Pieter.

'Dat betekent dat we mee moeten varen naar het eindpunt.'

'Dan zijn we nog wel even bezig. Eerst langs Indonesië, onder

Australië door en dan terug naar het startpunt in San Fransisco. Dan zijn we zeker volgende maand om deze tijd wel klaar. Misschien hadden we toch beter iemand anders om een lift kunnen vragen.'

Het blijft even stil, tot Jochem opnieuw begint.

'We moeten in ieder geval Sharilla waarschuwen dat de plannen zijn veranderd.'

'Huh huh,' laat Pieter met gesloten ogen horen.

Hij heeft er geen idee hoeveel later het is als hij wakker wordt geschud door Yuko.

'Eh, sorry,' stamelt hij. 'We zijn in slaap gevallen.'

'Geeft niets hoor,' lacht Yuko. Ik heb jullie lekker laten liggen. Jullie moeten doodop zijn geweest. Maar nu is het tijd voor actie. Jullie kunnen van boord.'

Met een ruk zit Pieter rechtop in bed. Het zweet loopt in straaltjes onder zijn T-shirt. Als hij zijn hand opzij zet om te steunen voelt hij dat het bed kletsnat is. Maar het dringt niet echt tot hem door.

'Ja, je hoort het goed,' gaat de stem van Yuko verder. 'Jullie kunnen van boord. Maar dat moet wel snel, want we liggen nu stil en ik wil mijn voorsprong niet verspelen.'

'Maar hoe dan?' stamelt Jochem slaperig.

'Er ligt een vissersboot langszij. Ik heb die mensen betaald om jullie naar een van de eilanden hier in de buurt te brengen. Van daar af kunnen jullie naar Manilla. Dat willen jullie toch?'

In een poging de slaap weg te schudden beweegt Pieter wild met zijn hoofd. 'Eh, ja,' laat hij vervolgens horen.

'Nou vooruit dan,' spoort Yuko ze aan.

'Jullie krijgen geld van me mee, om vanaf het eiland naar Manilla te komen,' laat ze weten als ze samen met de jongens door de kajuit heen naar het achterdek loopt.

'Hoeft niet, hoor,' zegt Pieter. 'We hebben dollars bij ons.'

Deze opmerking komt hem op een por van Jochem te staan. Het valt Yuko blijkbaar niet op, want ze praat gewoon verder.

'Die heb ik ook. Neem ze nou maar mee. Ik heb al genoeg wroeging dat ik jullie op deze manier van boord moet zetten.'

Nog geen drie minuten later hebben ze geld en een voorraad malariatabletten in hun handen geduwd gekregen en zijn ze in de vissersboot geklauterd.

88

'Die tabletten wel blijven slikken hoor,' waarschuwt Yuko, 'er zitten hier wel veel malariamuggen.'

De visser verwelkomt hen met een brede, tandeloze grijns in een vreemd soort Engels. Alsof hij nog niet kan geloven wat er allemaal gebeurt, kijkt hij af en toe even naar de dollarbiljetten in zijn hand. Zijn andere hand heeft hij om de schouder van een jongen gelegd.

'Tank you, tank you,' roept de visser uitbundig als Yuko verder zeilt.

'Ik heb gezegd dat ze niet eerst nog moeten gaan vissen, maar meteen naar het eiland moeten varen,' roept ze nog bij haar vertrek. 'O, en nog wat. Er is geen ander Aziatisch land waar je zo goed terecht kunt met Engels als de Filippijnen. Dus daar boffen jullie mee.'

Pieter denkt er op het laatste nippertje nog aan om 'Succes met de wedstrijd!' te roepen.

'En bedankt voor de lift!' schreeuwt Jochem er nog achteraan.

Alle vier staren ze het zeilschip na totdat het vrijwel uit het zicht verdwenen is.

'This my son,' legt de visser uit terwijl hij op de schouder van de jongen klopt.

De jongen is iets kleiner dan zijzelf, maar Pieter schat toch dat hij ongeveer van hun eigen leeftijd is.

'Hello,' zegt Pieter. Hij vertelt hoe ze heten en dat ze op weg zijn naar Manilla.

'No, no. No Manilla,' roept de visser vrolijk. Hij wijst op een punt in de verte.

'Hij zal wel bedoelen dat het eiland daar is,' zegt Jochem, 'maar ik zie voorlopig niets.'

Met de handen boven zijn ogen tegen de felle zon staart Pieter in de richting die de visser heeft aangewezen.

'Het is vast wel in de buurt,' denkt Pieter hardop. Hij schat dat de open houten boot waarin ze zijn overgestapt een meter of zeven lang is. Het lijkt hem geen boot die bestand is tegen een al te ruwe zee, dus hij hoopt dat het eiland inderdaad in de buurt is. Midden in de boot liggen de netten opgestapeld. Zelf vinden ze met moeite een plaats tussen de ongelofelijk naar vis stinkende, lege rieten manden.

Met zijn neus dicht geklemd merkt Jochem grijnzend op: 'Misschien zijn het wel kogelvissers.'

89

'Dat ze vissen op kogelvis,' geeft hij als uitleg als Pieter het niet meteen lijkt te begrijpen.

'We you taxi to Palawan,' roept de man. 'You sit, sit,' gebaart hij om vervolgens het aantrekkoord van de buitenboordmotor te pakken.

'Een vijftig pk Yamaha van zeker dertig jaar oud,' mompelt Pieter.

'Dertig jaar?' roept Jochem verbaasd uit. 'Hoe weet je dat dan?'

'Hallo, we hebben toch zelf ook zo'n oude Yamaha-motor gehad. Die zat vroeger op onze boot.'

'Oh ja, die koffiemolen,' grijnst Jochem.

'Precies, die,' lacht Pieter. 'Je kunt bij Yamaha aan de kleur van de strepen zien hoe oud die dingen zijn.'

Oud of niet, de jongens zien dat de visser slechts één keer hoeft te trekken voor de motor start.

'Het lijkt wel een mitrailleur,' schreeuwt Jochem boven het oorverdovende kabaal uit.

Als de visser het gas opendraait is het effect onverwacht. De kop van de op het oog zo logge boot komt uit het water en als een speedboot gaan ze er vandoor.

'Yes!' gilt Jochem. 'Dit gaat lekker!'

Pieter steekt zijn duim omhoog naar de visser en zijn zoon, wat hem twee lachende gezichten oplevert. Woorden gebruiken heeft geen zin. Het gebrul van de motor maakt ieder gesprek tussen de voor- en achterzijde van de boot onmogelijk. Terwijl de opspattende waterdruppels in zijn nek vrijwel meteen oplossen in de warme tropische wind kijkt hij toe hoe Jochem een van de twee tassen openritst. Pieter schuift onrustig heen en weer als Jochem de zware koker tevoorschijn haalt en met zichtbare moeite ronddraait in zijn handen.

'Wat denk jij dat er in zit?' schreeuwt hij zonder op te kijken.

Pieter schuift onrustig heen en weer.

'Drugs, denk ik,' schreeuwt hij terug naar Jochem. Maar tegelijkertijd vraagt hij zich af waarom de dokter zo bang was toen hij dacht dat de koker open was geweest.

'Zijn die dan zo zwaar?' vraagt Jochem zich hardop af.

'Weet ik veel?' reageert Pieter schouderophalend.

'Kom op man, dat kan echt niet hoor,' schreeuwt Jochem verder. 'Drugs is gewoon poeder of pillen of weet ik wat, maar dit lijkt wel een stuk beton.'

Pieter knikt. 'En voor drugs hoef je ook niet bang te zijn,' schreeuwt hij, terwijl hij Jochem veelbetekenend aankijkt. 'Niet zolang je ze niet gebruikt, tenminste.'

'Je bedoelt die dokter, toen hij dacht dat de koker open was gemaakt?'

'Precies,' schreeuwt Pieter. 'Dat hij zo bang keek, daar snap ik niets van.'

'Hier, voel maar,' schreeuwt Jochem terwijl hij de koker overgeeft aan Pieter. 'Het lijkt wel een staaf beton.'

'Misschien is het wel een dodelijk virus,' bedenkt Jochem.

Als Pieter hem geschrokken aankijkt zegt hij grijnzend: 'Nou ja, dat kan toch? Ja toch?' zegt hij nog maar eens, als Pieter hem aan blijft staren. 'Gewoon een klein flesje virus verpakt in een betonnen koker, zodat het niet kan breken.'

'Het zou kunnen,' mompelt Pieter onverstaanbaar voor zich uit.

'Wat, wat zeg je?' schreeuwt Jochem.

'Dat het zou kunnen,' schreeuwt Pieter op zijn beurt terug.

'Maar ik hoop het niet.'

'Nee, natuurlijk niet,' reageert Jochem. 'Ik ook niet, maar wat is het dan?'

'Hij zei dat er levens van afhingen,' reageert Pieter. 'Misschien heeft het iets met medicijnen te maken.'

'Dat geloof je toch niet echt. Je gelooft die dokter toch niet. Het zijn gewoon een stelletje rotzakken. Een stel moordenaars,' briest Jochem.

Pieter gebaart met zijn hoofd dat hij het met Jochem eens is, maar toch twijfelt hij. Misschien zijn het toch medicijnen, vertelt hij zichzelf. Heel gevoelige medicijnen die door de zware koker beschermd moeten worden. Op een bepaalde manier voelt hij zich een beetje opgelucht omdat ze de koker niet in zee hebben gegooid. Maar als het echt medicijnen zijn, zo vraagt hij zich in stilte af, waarom mocht de douane er dan niets van weten? En waarom wilde de dokter hen vermoorden? Dat is allemaal onbegrijpelijk.

Veel sneller dan ze hadden gedacht komt de kust in zicht.

'Voor mij mag hij nu wel stoppen,' schreeuwt Jochem, als de boot in volle vaart op het strand afgaat. Pas op het allerlaatst zet de visser de loeiende buitenboordmotor stil. Er gaat een schok door de boot als de kiel onder water het zand raakt. De jongens

91

weten overeind te blijven terwijl ze met een schurend geluid doorploegen richting strand. Met de kop een flink eind op het droge komen ze tot stilstand.

'Holiday Island,' laat de visser met een breed armgebaar en een lachend gezicht horen.

'Nou, volgens mij zijn we er,' merkt Jochem droogjes op. 'Alleen weten we niet waar.'

Pieter springt als eerste in het witte zand en pakt de tassen van Jochem aan. Bij de achterzijde van de boot springt de zoon in het blauwe water. Hij waadt naar de jongens toe.

'Ik breng jullie te voet naar het holiday resort,' laat hij in goed verstaanbaar Engels weten. 'Dat is een vakantiepark voor toeristen. Ze hebben daar nog een strand en een eigen haventje. Wij mogen daar met onze boot niet komen, er wordt hier veel gedoken om de koraalriffen rond het eiland te bekijken.'

'Maar we willen zo snel mogelijk naar Manilla,' protesteert Jochem.

'Dat kan ook,' lacht de jongen. 'Daarom hebben we jullie ook juist naar dit eiland gebracht. Het vakantiepark is de enige plaats hier in de wijde omtrek waar ze een eigen vliegtuigverbinding met Manilla hebben.'

Vakantieparadijs

'Dit is het betere werk,' lacht Jochem, terwijl hij een groot glas cola naar zijn mond brengt.

'Absoluut,' reageert Pieter goedkeurend. 'Komen die dollars toch goed van pas.'

'Krijg nou wat, dat moet jij nodig zeggen. Als het aan jou lag hadden we nu helemaal geen cent gehad. Jij wilde alles meteen weer teruggeven.'

'Oké, je hebt gelijk,' lacht Pieter op zijn beurt.

Met de reservezwembroek van Jochem aan ligt hij in een luxe ligstoel aan de rand van het grootste zwembad dat ze ooit hebben gezien. In het diepste deel van het zwembad is een groepje bezig met een duikles; verder is het rustig. Over het zwembad heen hebben ze uitzicht op een wit palmenstrand met daarachter een diepblauwe zee. Pieter verbaast zich erover dat het niet drukker is, maar dat komt waarschijnlijk omdat een deel van de gasten mee is met een duikexcursie om onder water het koraal te bekijken. Dat hebben ze tenminste te horen gekregen van de juffrouw bij de receptie.

'Smaakt prima,' laat hij goedkeurend horen na een hap van een broodje hamburger dat ze net vanuit de bar geserveerd hebben gekregen.

'Ik denk dat we Sharilla maar hiernaartoe laten komen,' grijnst Jochem. 'Hier wil ik wel blijven.'

Pieter kijkt op zijn horloge en slaat aan het rekenen. Zodra ze hier in het vakantiecentrum aankwamen hebben ze Sharilla gebeld. Haar toestel was niet bereikbaar. De meest waarschijnlijke verklaring hiervoor is dat ze al met het ziekenhuisschip op zee zit. Geheel volgens plan dus. Sharilla heeft een gewoon mobieltje en geen satelliettelefoon, dus op zee kan ze niet bellen en niet gebeld worden. Dat klopt dus allemaal. Hij verwacht dat het schip een dikke vierentwintig uur onderweg zal zijn om de afstand tussen Hong Kong en Manilla te overbruggen. Dat betekent dat Sharilla morgen ongeveer halverwege de ochtend in Manilla zal aankomen. Zelf kunnen ze vanavond meevliegen. Het is niet meer dan twee uur vliegen. De komende nacht zullen ze dus in Manilla moeten doorbrengen. Maar dat is geen probleem. Ze hebben bij de receptie van het vakantiepark de vliegreis al betaald en er is nog meer dan genoeg geld over.

'Heb je het gehoord, Pieter,' gaat Jochem verder nadat hij in één teug de helft van zijn cola heeft opgedronken. 'Als we nog wat bijbetalen kunnen we om vier uur vanmiddag aan de duikinstructie meedoen. Lijkt mij wel cool.'

'Mij ook,' knikt Pieter, 'maar over cool gesproken, ik heb nu ook wel even zin in een coole duik.'

Hij propt het laatste restje van zijn broodje hamburger naar binnen.

'Bommetje, Pieter!' roept Jochem die al meteen is opgesprongen.

In hun haast om als eerste in het water te komen, stormen ze blind naar voren. Proestend komen ze een ogenblik later weer boven.

'Eh, o, sorry,' laat Pieter horen als hij ziet wat ze hebben aangericht.

De twee mannen in witte verplegersuniformen staren de jongens nijdig aan. Het meisje dat half zittend in een ziekenhuisbed zit kijkt een stuk vriendelijker. Maar evenals de mannen is ze flink nat geworden.

'Maakt niet uit, hoor,' lacht ze de jongens toe, 'ik had het toch snikheet.'

Pieter staart het blonde meisje aan. In het zonlicht vormen haar lange blonde krullen bijna een stralenkrans rond haar smalle gezicht. Hij moet moeite doen om zich los te maken van haar diepblauwe ogen en stamelt zachtjes: 'Sorry. We hebben je niet aan zien komen.'

'Zijn jullie hier al lang?' vraagt het meisje in perfect Engels.

'Eh, nou nee,' legt Pieter uit, terwijl hij, enigszins uit zijn doen, op de kant klimt.

De mannen storen zich niet aan het gesprek, maar duwen verder. De een duwt het bed, de ander een kar met een ingewikkeld apparaat erop dat met een paar slangen op het meisje zit aangesloten.

Pieter staart het meisje na, tot ze zich half omdraait. Zonder zeurderig over te komen praat ze verder: 'Er zijn zo weinig mensen van mijn leeftijd hier. Waar komen jullie vandaan?'

Automatisch komt Pieter in beweging en loopt mee. Jochem stoot hem aan.

'Weet je niet meer waar je vandaan komt?' grijnst hij.

'O, eh, ja,' reageert Pieter duidelijk in verwarring en hij beantwoordt de vraag van het meisje dat enthousiast verder gaat:

'Daar ben ik vroeger ook een keer geweest,' laat ze weten. 'Toen ik nog niet zo ziek was,' voegt ze er zachtjes aan toe.

De verplegers parkeren het bed met de apparatuur in de schaduw van twee palmbomen. Na een snelle controle van de apparatuur en een tsl van de alarmknop verdwijnen ze.

'Ik heet Bonnie,' stelt het meisje zich voor, nadat Jochem ook bij haar bed is komen staan.

Het is duidelijk dat ze om gezelschap verlegen zit, want ze vraagt meteen of de jongens bij haar willen komen zitten.

'We zullen maar niet zeggen dat we uit de lucht zijn komen vallen,' fluistert Jochem grijnzend als ze teruglopen om hun handdoeken te halen.

'We zeggen gewoon hetzelfde als bij de receptie,' reageert Pieter.

'Dat we hier zijn afgezet door een schip, omdat we dringend terug naar huis moeten,' herhaalt Jochem het verhaal dat ze

94

hebben gebruikt. 'En als ze dan vraagt waarom, dan zeggen we wel dat mijn opa bijna doodgaat,' bedenkt hij. 'Die vindt het vast niet erg want hij is al meer dan tien jaar dood.'

'Dus jullie zijn hier nog niet zo lang?' begint Bonnie nadat de jongens hun handdoeken en hun halfvolle glazen naar haar plekje hebben verplaatst.

'We vliegen vanavond terug naar Manilla,' reageert Jochem snel. 'Mijn opa is heel erg ziek en eh, ze zijn bang dat hij doodgaat.'

Als Pieter het gezicht van Bonnie ziet betrekken, vraagt hij zich af waarom ze eigenlijk niet gewoon de waarheid vertellen. Gewoon wat er is gebeurd en dat ze nu onderweg zijn naar Manilla om daar een paar dagen mee te helpen in een varend kinderziekenhuis.

'Wat erg voor je,' zegt Bonnie zachtjes. 'Ik hoop dat je nog op tijd komt om hem te kunnen zien.'

Jochem weet niets beters te doen dan zijn schouders op te halen.

'Ik hoop het ook,' zegt hij terwijl hij zittend op een leuning van de ligstoel ongemakkelijk heen en weer schuift.

'En jij,' begint Pieter in een poging om over iets anders te praten, 'eh, ben je hier op vakantie of zo?'

Bonnie knikt naar de machine. 'Dat is een nierdialyseapparaat. Zonder dat apparaat kan ik niet meer leven. Ik wacht al heel lang op een nieuwe nier. Maar waar ik woon, in Amerika, was er maar steeds geen beschikbaar. Toen hebben mijn ouders besloten om hier naar toe te komen. Het kost wel heel veel geld, hoor, maar morgen krijg ik eindelijk een nieuwe nier.'

'Hier?' roept Jochem verbaasd uit. 'Hier in het hotel?'

'Nee, natuurlijk niet,' antwoordt Bonnie geamuseerd. 'Hier op het eiland is een privé-ziekenhuis. Daar krijg ik de nieuwe nier. Maar de patiënten logeren hier in het hotel. Daar hebben ze speciale kamers voor. Er komen hier mensen van over de hele wereld naar toe,' gaat ze verder. 'Alles hoort hier bij elkaar, de kliniek en het hotel. Dit hele eiland was een paar jaar geleden nog onbewoond. Er wonen verder geen mensen.'

'Maar, eh,' begint Pieter voorzichtig. 'Als je een nieuwe nier hebt gekregen, ben je dan weer helemaal beter? Ik bedoel eh, hoef je dan niet meer aan dat apparaat?'

'Nee, nooit meer.' Ze kijkt Pieter met haar blauwe ogen stralend aan. Hij kan haar ogen niet loslaten en dat wil hij ook niet. Met een gebaar zoals ze dat al vele malen gebruikt moet hebben schuift ze een blonde lok haar opzij. In een trage beweging laat ze haar hand terugkeren op de rand van het bed. Als vanzelf reikt Pieters hand naar de hare. Zonder aarzeling omsluit haar hand de zijne.

'Goed hè, dat ik beter word?'

'Perfect,' laat Pieter horen terwijl er een brede lach op zijn gezicht verschijnt. 'Hartstikke goed.'

De prettige tinteling die door zijn lijf trekt, maakt zijn lach zo mogelijk nog voller. Verrast door zijn eigen gevoel buigt hij zich voorover en geeft Bonnie een zoen. Alsof het de normaalste zaak van de wereld is, lacht ze hem toe en praat ze verder.

'Als ik de nier eenmaal heb, dan blijven we hier nog een week. De dokter zegt dat ik me iedere dag beter zal voelen. Al heel snel zal ik gewoon alles kunnen doen wat andere gezonde mensen doen. Dat lijkt me echt geweldig.'

'Dat kan ik me voorstellen,' reageert Pieter spontaan.

'Je went er wel een beetje aan, hoor. Iedere keer maar weer opnieuw eindeloos vastgekoppeld te liggen aan het dialyseapparaat. Maar af en toe was ik wel vreselijk boos. Ik sta al heel lang op een wachtlijst voor een nieuwe nier. Maar er waren maar steeds niet genoeg donoren.'

'Zo, je hebt al gezelschap gevonden,' klinkt plotseling een vrouwenstem. Snel laat Pieter zijn hand uit die van Bonnie glijden.

'Hai mam!' roept Bonnie. 'Dit zijn Pieter en Jochem, maar ze moeten vanavond alweer terug naar Manilla.'

De jongens staan op als de moeder van Bonnie op ze toeloopt om hen de hand te schudden.

'De opa van Jochem is heel erg ziek. Ze zijn bang dat hij doodgaat. Zielig hè?' laat Bonnie haar moeder weten.

'Ach, wat spijt me dat voor je,' zegt de moeder terwijl ze Jochem vol medelijden aanstaart.

'Wat heeft je opa?'

'Eh, eh, ik weet het eigenlijk niet precies,' stottert Jochem. 'Ik denk, eh, ik geloof dat het zijn hart is. Maar hij is ook erg oud.'

'Wat fijn dat Bonnie een nieuwe nier krijgt,' begint Pieter maar snel.

'Ja, wat heerlijk, hè?' reageert de moeder met een stralend gezicht. 'Morgen gaat het gebeuren en dat is echt geen dag te vroeg. Haar hart is te zwak om nog veel langer ieder keer maar weer aan het dialyseapparaat te kunnen liggen.'

Ze is even stil. Dan vervolgt ze met een zachte trillende stem. 'Als we nog langer hadden gewacht, was de kans groot geweest dat Bonnie het niet had overleefd. Volgens de dokter zit ze op het randje van wat haar lichaam aankan. De transplantatie is haar enige redding.'

Ze loopt dichter naar Bonnie toe en pakt de hand van haar dochter. 'Die dokter Lopez is een geweldige man. Hij is heel bekend en heel geliefd in de Filippijnen.'

Pieter moet drie keer slikken voordat hij kan uitbrengen: 'Dokter Lopez?'

'Ja, dokter José Lopez,' zegt de moeder vol enthousiasme. 'Hij heeft een paar jaar geleden dit toen nog onbewoonde paradijselijke eiland gekocht. Eerst heeft hij het hotel laten bouwen en twee jaar gelden heeft hij zijn speciale transplantatiekliniek geopend. Sinds die tijd heeft hij al heel wat mensen gelukkig gemaakt.'

Pieter voelt zich warm en koud tegelijk. Hij weet dat zijn benen trillen, maar hij kan er niets aan doen. Hij hoopt dat niemand het merkt. De vraag van zijn vriend klinkt op een vreemde manier na in zijn oren.

'Woont die man in Manilla? Die dokter Lopez, bedoel ik.'

'Ja dat klopt, kennen jullie hem ook dan? Het is zo'n vreselijk aardige man. Het is echt een schat en dat niet alleen, het is ook een wonderdokter. Hij verricht medische wonderen in zijn kliniek en heeft al heel wat patiënten gered van de dood.'

Onwillekeurig speuren Pieters ogen het zwembad af. Het idee dat de dokter en zijn moordenaars misschien vlak in de buurt zijn, is nauwelijks te bevatten. De spanning in de stem van Jochem ontgaat hem niet als zijn vriend als een automaat de vraag van de moeder van Bonnie beantwoordt. 'Nee, we kennen hem niet.'

'Gaat het wel goed met jullie?' vraagt Bonnies moeder bezorgd. Pieter knikt, maar de woorden willen niet komen. Hij heeft bovendien het gevoel dat alles voor zijn ogen begint te draaien. Snel doet hij een stap achteruit en laat zich op de ligstoel ploffen. Hij weet dat de moeder hem aanstaart. Hij moet nu iets zeggen. De woorden galmen na in zijn eigen keel als hij eindelijk kans ziet om te antwoorden: 'Het gaat prima, hoor. Ik denk dat we nog een beetje moe zijn van de reis.'

'Jullie mogen de kamer van mijn ouders vanmiddag wel gebruiken, hoor,' biedt Bonnie meteen aan. 'Ja, toch, mam? Dan zijn ze misschien weer uitgerust als het vliegtuig vanavond vertrekt.'

'Natuurlijk schat, dat is een lief idee van je. Papa is toch duiken bij het koraalrif hier in de buurt en ik houd jou hier gezelschap.' Pieter voelt hoe de moeder van Bonnie hen onderzoekend opneemt. Dan schudt ze uitgebreid haar hoofd. 'Arme jongens,' hoort hij haar zeggen. 'Jullie zijn natuurlijk overstuur van dat verschrikkelijke nieuws over de opa van Jochem.'

'Eh ja, zoiets,' mompelt Jochem nauwelijks verstaanbaar.
Pieter ziet zijn vriend knikken. Net als hijzelf heeft Jochem steun gezocht bij de ligstoel. Diens stem klinkt onvast als hij zittend op de leuning vraagt. 'Is die dokter nu op het eiland?'
'Ach, arme jongen,' roept de moeder van Bonnie. 'Je denkt natuurlijk aan je opa. Ik heb net gezegd dat die man een wonderdokter is. Nu hoop je misschien dat hij je opa kan helpen met zijn hart?'

'Eh, ja, eh nee' stottert Jochem. 'Dat zal moeilijk gaan.'
'Nee natuurlijk niet, daar is je opa vast al veel te ziek voor.'
Tot het uiterste gespannen speurt Pieter opnieuw het zwembad af. Hij heeft het gevoel dat de Rat ieder ogenblik uit het water op zal duiken.
Hij dwingt zichzelf om op te staan. 'Misschien moeten we dat maar doen,' zegt hij zo kalm mogelijk. 'Ik bedoel dat het fijn zou zijn als we de kamer mogen gebruiken.'
Hij heeft nu maar één doel voor ogen: zo snel mogelijk weggaan bij het zwembad en uit het zicht van iedereen blijven. In de kamer zullen ze zich kunnen schuilhouden totdat het vliegtuig vertrekt. Nadat ze Bonnie hebben moeten beloven om afscheid te komen nemen voordat ze vertrekken, brengt de moeder ze naar de hotelkamer.

'Dit is echt vet shit, Pieter,' fluistert Jochem.
Ze liggen allebei languit op het tweepersoonsbed van de ouders van Bonnie. Maar moe zijn ze absoluut niet. Ze hebben de gordijnen dicht en de luiken voor de ramen gesloten. Hoewel de

airconditioning op de hoogste stand staat, is het toch nog altijd warm in de kamer. De kamerdeur hebben ze geblokkeerd door de stoel van het hotelbureautje klem te zetten onder de deurknop.

'Er zijn hier duizenden eilanden,' gaat Jochem verder, 'en wij komen uitgerekend op dit eiland terecht.'

'Misschien is dat niet zo vreemd,' merkt Pieter op.

'Hoezo niet vreemd?' reageert Jochem bijna nijdig. 'Dus jij vindt het niet vreemd dat we die gekken hier weer tegenkomen.'

'Nou ja, ik bedoel niet dat het normaal is, maar je hebt toch gehoord wat die vissersjongen zei. Dit is het enige eiland in de wijde omtrek met een vliegverbinding naar Manilla. Het is dus niet zo vreemd dat dit ziekenhuis hier staat. Anders kunnen de patiënten niet hier komen.'

'Dat snap ik ook wel, Pieter. Maar het is toch een idioot toeval dat onze dokter hier de baas is, dat alles hier van hem is?'

Pieter zwijgt. Hij weet dat zijn vriend gelijk heeft. Ze hebben opnieuw ongelofelijk veel pech.

'Het lijkt wel een complot,' merkt Jochem op.

'Wat voor complot dan?' vraagt Pieter met gesloten ogen.

'Weet ik veel. Een complot om ons gek te maken, denk ik. Eerst gek maken en dan vermoorden. Misschien zit Yuko ook wel in het complot.' Pieter doet één oog open en kijkt even opzij. Als hij het grijnzende gezicht van Jochem ziet, weet hij genoeg.

'Je hebt gelijk,' zegt hij met een diepe zucht.

'Wat, van dat complot bedoel je?'

'Nee, dat het een idioot toeval is dat die dokter hier een ziekenhuis heeft. Nou ja,' gaat Pieter verder, 'we weten nu één ding zeker en dat is dat die man echt een dokter is.'

'Alsof we daar wat aan hebben,' zucht Jochem. 'Dat maakt het allemaal alleen nog maar idioter. Die moeder zegt dat die Lopez zo lief en aardig is en dat hij al zoveel mensen heeft gered van de dood. Nou, dat zal wel zo zijn, maar ondertussen wil diezelfde Lopez ons vermoorden. Dat is toch wel een beetje vreemd, nietwaar?'

'Misschien is het toch niet dezelfde,' denkt Pieter hardop.

'Niet dezelfde?' Jochem spreekt de woorden nadenkend uit.

'Dus jij denkt dat die Lopez van hier een andere is dan onze Lopez?'

'Ik weet het toch ook niet, maar het is allemaal zo vreemd dat het bijna niet waar kan zijn. Een wonderdokter die mensen redt, maar die ook een moordenaar is. Misschien is Lopez wel een van de meest voorkomende achternamen in de Filippijnen en José een van de meest voorkomende voornamen.'

'Nou, laten we dan maar even naar hem toegaan, dan weten we het meteen zeker,' stelt Jochem droogjes voor.

'Of wacht eens,' roept Pieter terwijl hij gaat zitten. 'Weet je wat ook kan?'

'Nou?'

'Dat de naam van onze dokter Lopez vals is. Ik bedoel dat die van ons misschien helemaal geen Lopez heet en ook geen dokter is, maar dat hij de naam gebruikt van de echte dokter Lopez.'

'Krijg nou wat,' laat Jochem horen als hij ook overeind komt. 'Ik denk dat je gelijk hebt, Pieter.'

Lachend gaat hij verder. 'Dan zitten we ons hier mooi voor niets te verstoppen.'

Meteen kijkt hij weer ernstig als hij zegt: 'Maar eh, die moeder zei wel dat haar Lopez in Manilla woont. De echte bedoel ik dus, hè! Die van ons woont ook in Manilla. Dat is dan toch wel weer toevallig, of niet soms?'

Jochem beantwoordt meteen zijn eigen vraag door te zeggen: 'O nee, dat klopt natuurlijk. Als die van ons de naam gebruikt van de echte, dan doet hij natuurlijk ook net alsof hij óók in Manilla woont. Of nou ja, misschien woont hij er inderdaad wel echt, er wonen tenslotte een heleboel mensen in Manilla. Tien miljoen of zo.'

Lachend laat Jochem zich terugvallen op het bed. 'Ik begin wartaal te praten, geloof ik. Ik snap er zelf niets meer van.'

'Dat die van ons echt in Manilla woont, dat is wel zeker,' reageert Pieter. 'Het is volgens mij ook juist omdat we zijn adres ontdekt hebben dat hij ons wil vermoorden. Dat heb ik ze tenminste horen zeggen.'

'Laat maar zitten,' zegt Jochem. 'Dat ze allebei in Manilla wonen zegt dus eigenlijk helemaal niets. In ieder geval niet of de dokter Lopez van hier dezelfde is als onze dokter Lopez, wat dus waarschijnlijk niet zo is.'

Deze keer schieten ze samen in de lach.

'Ik word hier gek van,' weet Jochem met moeite uit te brengen.

Nadat ze zijn uitgelachen praat Pieter met een duidelijk gevoel van opluchting verder.

'De moeder van Bonnie zei dat haar dokter Lopez heel geliefd en bekend is op de Filippijnen. Ik denk dat die van ons daarom zijn naam gebruikt. Dan kan hij natuurlijk makkelijker drugs smokkelen of wat er anders in die koker zit.'

Het is even stil voordat Jochem reageert. 'Dat werkt dan toch alleen als ze erg op elkaar lijken. Als die echte dokter zo bekend is, dan weet natuurlijk iedereen hoe hij eruitziet. Als het waar is wat je zegt, moet die valse Lopez van ons dus sprekend op de echte lijken.'

'Hm,' laat Pieter horen. Dan kijkt hij Jochem veelbetekenend aan. 'Misschien is het wel een tweeling.'

Jochem slaat demonstratief met een hand tegen zijn voorhoofd. 'Briljant, Pieter. Dat is het natuurlijk. Ze heten echt allebei Lopez en ze lijken als twee druppels water op elkaar. Dat moet het zijn.'

'En dat ze allebei José heten,' lacht Pieter, 'wat denken we daarvan?'

'O, gewoon,' grijnst Jochem. 'Die vader en moeder hadden maar op één kind gerekend. Ze konden niet zo snel een tweede naam bedenken.'

'Oké, dat is een goeie,' lacht Pieter.

Hij laat zich, net als Jochem, terugvallen op het bed. De onrust die hij voelde nadat de moeder van Bonnie over dokter Lopez was begonnen, is zo goed als verdwenen. De gedachte dat de dokter Lopez van Bonnie een andere Lopez is dan hun eigen Lopez zorgt voor een ontspannen gevoel. Hij zou willen dat ze dit alles eerder hadden bedacht, dan had hij meer tijd met Bonnie kunnen doorbrengen. Hij verlangt ernaar om bij haar te zijn.

'Misschien kunnen we ons dan toch wel buiten vertonen,' begint hij aarzelend.

Tegelijkertijd beseft hij dat ze het helemaal mis kunnen hebben. Na een klop op de deur herkent Pieter verrast de stem van Bonnie. 'Hoi,' laat ze horen. 'Ik hoefde vandaag minder lang aan het dialyseapparaat,' vertelt ze vrolijk.

Ze kijkt Pieter veelbetekenend aan als ze zegt: 'Ik wilde je nog even zien en eh, nou ja, misschien, of eh, zullen we samen even gaan wandelen?'

'Pieter voelt zich niet zo lekker,' reageert Jochem meteen. 'Hij heeft last van de hitte.'

'Van de warmte?' lacht Bonnie. 'Ik eigenlijk ook, hoor. Maar dan

101

blijven we toch binnen, dan kan ik je je mijn kamer even laten zien. Het is nummer zeven. Dat is ook mijn geluksgetal.'

'Is die hier in de buurt dan?' vraagt Jochem.

Die vraag komt hem op een verbaasde blik van Bonnie te staan.

'Ik ben heel bezorgd voor mijn vriend hoor,' grijnst Jochem een beetje ongelukkig.

'Nou, dat is lief van je. Maar het is in deze gang hoor, dus hij blijft in de buurt.'

Bonnie heeft Pieters hand al vast als ze zegt: 'Door jou ben ik plotseling helemaal niet meer zenuwachtig voor morgen. Het is net een wonder. Maar het is wel ontzettend jammer dat jullie straks al weer weg moeten. Ik snap het wel hoor. Het is echt lief dat jullie voor Jochems opa zo snel mogelijk naar huis willen.'

'Ik wil je kamer graag zien,' laat Pieter weten.

Jochem kijkt van de een naar de ander. 'O, eh, nou ja, dan blijf ik wel hier.'

Een nieuwe nier

'Nee hè!' roept Pieter boven het lawaai van de propellermotoren uit.

'Wat nu weer?' grijnst Jochem terug.

Pieter buigt zich naar Jochem toe. 'Ik bedenk iets. Over die koker.'

Hij wacht niet op een reactie van Jochem, maar gaat meteen verder. 'Stel dat er toch maar één dokter Lopez is. Dat onze Lopez dezelfde is als die van Bonnie, wat zit er dan in die koker?'

Als Jochem zijn schouders ophaalt, gaat Pieter verder. 'Misschien zit er wel een nier in.'

'Een nier!?' roept Jochem zo hard dat de drie medepassagiers verbaasd opkijken.

'Je bedoelt, voor Bonnie?' zegt hij er iets zachter achteraan.

Jochem steekt zijn hand op als Pieter meteen weer verder wil gaan. 'Wacht even, hoor. Ik heb die Lopez van ons toch echt niet horen zeggen dat er een nier in die koker zit.'

'Dat niet. Maar hij had het er wel over dat er levens van afhingen. Dus dat klopt.'

Jochem knikt aarzelend. 'Kun je die dan zo lang goed houden? Een nier, bedoel ik.'

Pieter krijgt niet eens de kans om te antwoorden.

'Maar als er nou echt een nier in zit, Pieter, waarom durfden ze er dan niet mee langs de douane en waarom willen ze ons vermoorden?'

Pieter staart voor zich uit. Hij kan met geen mogelijkheid het antwoord op deze vragen bedenken, of toch wel.

'Misschien mag je geen nier meenemen langs de douane,' denkt hij hardop. 'Misschien is dat wel verboden.'

Jochem zucht eens diep en zegt dan: 'Oké, goed dan. Laten we er van uitgaan dat ze die nier uit Rusland hierheen, naar de Filippijnen toe moesten smokkelen. Ze wilden in Hong Kong geen risico nemen en hebben die tas verwisseld. Dat kan allemaal nog, maar waarom wilden ze ons dan vervolgens vermoorden?'

'Sorry hoor,' verontschuldigt Jochem zich als hij in de lach schiet. 'Ik word hier gek van, laten we er alsjeblieft over ophouden.'

'Echt niet,' reageert Pieter met een ernstig gezicht. 'We mogen het risico niet nemen.'

'Risico,' vraagt Jochem verbaasd,' welk risico?'

'Denk na, man. Bonnie zit daarginds te wachten op een nieuwe nier. Stel nou dat wij die nier bij ons hebben.'

Pieter is even stil voordat hij verder praat: 'Zodra we in Manilla zijn moeten we op zoek naar het adres van dat kaartje. Daar laten we de tas achter.'

'Krijg nou wat, Pieter. Dus nu wil je plotseling wel naar dat adres? Ik vind het prima hoor, want ik wil mijn spullen terug.'

Onrustig schuift Pieter in zijn stoel heen en weer. Hij neemt het zichzelf kwalijk dat hij dit allemaal niet eerder heeft bedacht. Dan hadden ze de koker in de hotelkamer kunnen achterlaten met een briefje erbij. Maar daarvoor is het nu te laat. Nu zijn ze al onderweg naar Manilla en is er geen andere mogelijkheid meer dan op zoek te gaan naar het adres van het kaartje. Hij sluit zijn ogen en probeert kalm te worden. Misschien is het ook allemaal onzin, vertelt hij zichzelf. Maar zeker is hij er niet van.

'Hoe gaan we dat aanpakken in Manilla?' dringt de vraag van Jochem tot hem door.

Pieter gaat iets rechter zitten en kijkt zijn vriend nadenkend aan. Hij bedenkt plotseling iets heel anders.

Aarzelend, maar toch hard genoeg om zich boven het motorgeluid uit verstaanbaar te maken zegt hij: 'Als we die koker terugbezorgen, weten die lui dat we nog leven.'

'Krijg nou wat,' laat Jochem zich ontvallen. 'Dat is natuurlijk zo. Nou ja, wat maakt het ook eigenlijk uit,' laat hij er meteen op volgen. 'We hebben onze paspoorten nog op zak, dus ze weten niet wie we zijn of waar we wonen.'

Opgewekt scheurt hij de zak open waarin het dinerpakket zit dat de moeder van Bonnie in het hotel voor ze heeft geregeld.

'Dat ruikt prima,' laat hij goedkeurend weten voordat hij er aan begint.

De rest van de vlucht met het tweemotorige propellervliegtuig verloopt zonder problemen. Na een kleine twee uur landen ze op Manilla Domestic Airport, het vliegveld van Manilla dat bestemd is voor binnenlandse vluchten. Samen met een drietal zongebruinde vakantiegangers op de thuisreis stappen ze uit.

'Als jullie willen kun je met ons meerijden naar het internationale vliegveld,' biedt een van hen aan. 'Jullie moeten toch ook terug naar huis?'

'O, we nemen zelf wel een taxi hoor,' zegt Pieter zo vriendelijk mogelijk.

'Wat een onzin,' zegt nummer twee. 'Rijd toch met ons mee.'

'Nee, echt niet hoor, dank u wel,' mengt Jochem zich in het gesprek.

'Nou, dat pikken we niet hoor,' lacht de derde. 'We hebben de moeder van dat zieke meisje moeten beloven dat we op jullie zouden passen. Ze was zo bezorgd.'

Pieter maakt een gebaar naar een van de reistassen. 'We moeten nog even iets afgeven bij een kennis in Manilla. Die brengt ons later op de avond naar het vliegveld.'

De drie volwassenen lijken te aarzelen.

'Nou, vooruit dan maar,' luidt uiteindelijk de boodschap. 'Dan helpen we jullie wel even om een taxi te vinden.'

'Ze denken zeker dat we achterlijk zijn,' fluistert Jochem als ze samen met de drie anderen naar de centrale hal op het vliegveld lopen.

Van de douane hebben ze hier geen last. Een minuut of tien later staan ze bij de taxi's.

'Zo eentje heeft de vader van Sharilla denk ik ook,' zegt Jochem, wijzend op een gemotoriseerde fietstaxi.

'Laat je niet afzetten door de taxichauffeur, hoor,' waarschuwt de enige vrouw uit het gezelschap nog.

'Bedoelt u dat we niet uit moeten stappen?' vraagt Jochem met een ernstig gezicht.

De vrouw kijkt hem even bezorgd aan. Dan zegt ze: 'Nee, ik bedoel dat je ervoor moet zorgen dat je niet te veel betaalt. Als ze in de gaten hebben dat je een toerist bent, vragen de meeste taxichauffeurs veel te veel geld.'

'Maar u zei dat we ons niet moeten laten afzetten,' gaat Jochem onverstoorbaar verder.

'Kom op, man,' stoot Pieter zijn vriend aan. Het kost hem moeite niet te lachen.

'Ik weet echt niet of het nou verantwoord is om jullie alleen te laten gaan,' zegt de vrouw bezorgd tegen haar medereizigers.

'Het gaat echt wel lukken hoor, mevrouw,' roept Pieter terwijl hij Jochem meetrekt.

'Kom op nou, man,' sist hij zijn vriend toe. 'Straks komen we echt niet meer van ze af.'

Ze lopen in een rechte lijn naar een aan alle kanten gedeukte taxi toe. De taxichauffeur is een nog jonge man. Hij staat al buiten en ontvangt ze enthousiast.

'Welcome, welcome my friends, I will bring you anywhere. Safe and fast and cheap of course,' voegt hij er met een brede glimlach aan toe.

De jongens dreunen gelijktijdig het adres van het kaartje op.

'Ah, that is in *Forbes Park*,' roept de taxichauffeur in goed verstaanbaar Engels uit. '*Big houses and many pools*.'

'Lukt het, jongens?' vraagt de vrouw ietwat hijgend, nadat ze hen achterna is gekomen. 'Eerst onderhandelen over de prijs hoor.'

'O, maar ik ben de goedkoopste en de beste in heel Manilla, mevrouw. Alles komt goed, geen zorgen.'

Blijkbaar is de vrouw niet onder de indruk, want ze vraagt: 'Waar moeten jullie naartoe, jongens?'

'O, naar een adres in Forbes park,' zegt Pieter luchtigjes.

Ze kijkt de taxichauffeur indringend aan. 'Hoeveel rekent u daarvoor?'

Als de man een bedrag noemt schudt ze beslist haar hoofd. 'Veel te duur,' roept ze en ze trekt Pieter al mee aan zijn arm.

Als de man een nieuw bedrag roept, draait ze zich om en zegt: 'De helft daarvan.'

'Oké, oké,' roept de taxichauffeur. Hij beweegt uit wanhoop zijn handen omhoog.

'Voorzichtig, hè, jongens,' zijn haar laatste woorden als ze het portier aan Pieters kant dichtslaat.

'Onderhandelen kan ze in ieder geval wel,' grijnst Jochem als de taxi op gang komt.

'Was dat jullie moeder?' vraagt de taxichauffeur, terwijl hij half omgedraaid achter zijn stuur zit.

'Gelukkig niet,' laat Jochem zich spontaan ontvallen, wat hem een gulle lach oplevert van de taxichauffeur.

'Weten ze dat jullie komen?' luidt zijn volgende vraag.

'Eh,' begint Pieter aarzelend. 'U bedoelt op dat adres, waar we naar toe moeten?'

'Ja, in Forbes Park. Het is een van de rijkste, maar ook een van de best beveiligde woonwijken van Manilla. We moeten ons aan de buitenkant van de wijk melden bij de bewaking.'

Bijna als vanzelf kijken de jongens elkaar even aan.

Pieter probeert kalm te klinken als hij vraagt: 'O, en dan?'

'Jullie zijn er duidelijk nooit eerder geweest,' constateert de chauffeur terwijl hij bijna nonchalant een ongelofelijke ruk aan zijn stuur geeft. Op het nippertje ontwijkt hij een motor met een verlengd zadel. De bestuurder zit dicht op zijn stuur geperst en achter hem zitten maar liefst vier passagiers die elkaar angstvallig omklemmen. Pieter kijkt ernaar, maar het dringt nauwelijks tot hem door.

'Bij de bewaking moet je uitstappen en zeggen voor wie je komt. Ze bellen dan naar de bewoner en pas als die toestemming geeft, word je doorgelaten,' legt de taxichauffeur uit.

'We geven gewoon een valse naam,' fluistert Jochem.

'O, en ik vergeet nog iets,' gaat de taxichauffeur verder. 'Ze werken tegenwoordig met camera's. Daar moet je voor gaan staan zodat de bewoner op zijn beeldscherm thuis kan zien of je inderdaad de persoon bent die hij verwacht.'

Opnieuw kijken de jongens elkaar aan.

'Dit kunnen we dus wel vergeten, Pieter,' fluistert Jochem.

Pieter verstijft als de taxichauffeur plotseling vraagt: 'Dus jullie gaan op bezoek bij dokter José?'

Zo mogelijk draait hij zich nog verder om en kijkt in de verbijsterde gezichten van de jongens. 'Daar hoef je niet van te schrikken, hoor. Die dokter woont toch echt op dat adres dat jullie me hebben gegeven, hoor,' zegt hij lachend. 'Dat weet iedere taxichauffeur in Manilla. Of moeten jullie iemand anders hebben?'

'Kent u hem dan?' weet Pieter met enige moeite te vragen.

'Niet persoonlijk hoor,' lacht de chauffeur. 'Daar heb ik geen geld voor. Maar die man staat bijna dagelijks in de kranten en in tijdschriften. Hij krijgt allemaal rijke en soms beroemde patiënten in zijn kliniek, op één van de eilanden.'

'Eh,' vraagt Jochem nog, 'heeft hij ook een broer of een dubbelganger?'

Ditmaal is het de taxichauffeur die Jochem aanstaart. Net op tijd bedenkt de man dat hij ook nog moet rijden. Na een snelle blik op de weg draait hij zich alweer om.

'Een broer of een dubbelganger?' herhaalt hij. 'Hoezo dat?'

'O eh, nou gewoon,' stamelt Jochem. 'Dat vroegen we ons af.'

'Kennen jullie dan iemand die op de dokter lijkt?' vraagt de taxichauffeur op zijn beurt.

Hij is even afgeleid als de auto door een flinke kuil heen dendert. De rozenkrans die om de achteruitkijkspiegel hangt en een Mariabeeldje aan een touwtje slaan wild heen en weer. Pieter staart er naar zonder iets te zien. Eigenlijk weet hij het antwoord al op de vraag van Jochem. Dokter Lopez heeft geen broer die op hem lijkt en ook geen dubbelganger. De man naar wiens adres ze nu onderweg zijn is dezelfde man als de dokter Lopez van Bonnie. Daar is hij nu wel zo goed als zeker van.

'Niet dat ik weet,' antwoordt de taxichauffeur als hij de auto weer onder controle heeft.

'Dus hij is alleen. Ik bedoel, er is niemand die op hem lijkt.'

'Nou, alleen is hij niet hoor,' lacht de chauffeur. 'Hij is gescheiden van zijn vrouw en hij heeft steeds weer nieuwe vriendinnen. De ene nog mooier dan de andere. De roddelbladen staan er vol van. Maar dat is niet het enige waarom de dokter in het nieuws is,' vertelt hij verder. 'Gisteren stond in de krant dat er een officieel onderzoek komt naar zijn kliniek. Dat heeft de regering besloten. Niemand snapt waar de dokter de donoren vandaan haalt voor zijn eigen patiënten. Er gaan geruchten dat de dokter iets te maken heeft met de illegale organenhandel. Dat is de verboden handel in organen van dode, maar soms ook van levende mensen.'

'Van levende mensen?' hoort Pieter zijn vriend vragen.

'Ja,' laat de taxichauffeur weten, terwijl hij zijn ogen deze maal op de weg gericht heeft. 'Het komt bijvoorbeeld voor dat mensen één van hun nieren voor geld verkopen. Ieder mens heeft

107

er namelijk twee van en het schijnt dat je er maar één nodig hebt. Maar als bewezen wordt dat er iets niet klopt in de kliniek van dokter José, dan gaat hij voor vele jaren de gevangenis in.'

Donoren, dreunt er door Pieters hoofd. Ze hebben er pas op school nog een discussie over gehad. Dat ging over een krantenbericht. Daarin stond dat het voor ziekenhuizen een groot probleem is om donororganen te krijgen. De discussie ging over de vraag of iemand alleen vrijwillig donor kan zijn, of dat de regering mensen mag verplichten om na hun dood donor te zijn. In dat laatste geval heeft het ziekenhuis geen toestemming nodig om de organen van een dode te gebruiken om anderen beter te maken. Donoren zijn dus de mensen die hun organen afstaan voor transplantatie, weet hij.

De taxichauffeur kijkt ze onderzoekend aan voordat hij vraagt: 'Hebben jullie nou een afspraak of niet? Zo niet, dan heeft het geen zin om door te rijden, want je komt die wijk nooit van zijn leven in.'

Met een diepe zucht laat Jochem zich naast Pieter in de kussens zakken. Ze hoeven elkaar niet aan te kijken om te weten dat het geen zin heeft om nu door te rijden.

'Breng ons maar naar een hotel in de buurt van de haven,' laat Pieter de taxichauffeur weten. De chauffeur is even stil, maar haalt dan zijn schouders op.

'Ik vind het allemaal best, hoor,' zegt hij lachend, 'maar dan geldt de afgesproken prijs natuurlijk niet meer.'

Pieter knikt slechts.

'Dus toch,' sist Jochem vlak bij zijn oor. 'Er is dus toch maar één Lopez. Die zogenaamde beroemde lieve wonderdokter is gewoon een vuile moordenaar.'

Pieter weet even niets te zeggen. Hij weet dat het waar is wat Jochem zegt, maar eigenlijk kan hij het niet begrijpen. Het is zo'n idioot idee dat hun eigen dokter Lopez dezelfde man is als de dokter Lopez die Bonnie morgen een nieuwe nier moet geven. Onwillekeurig kijkt hij naar de twee tassen die tussen hen in op de bank staan. Hij is er nu alleen maar méér van overtuigd dat de koker een nier bevat. Het moet de nieuwe nier voor Bonnie zijn, vertelt hij zichzelf. Hij denkt nu ook te weten waar de dokter de organen die hij nodig heeft, vandaan haalt. Uit Rusland naturlijk. Hij sluit zijn ogen. Plotseling lijkt het allemaal duidelijk. Niemand mag natuurlijk weten dat de dokter de organen die hij voor zijn eigen patiënten nodig heeft vanuit Rusland naar de Filippijnen smokkelt. Als dat uitkomt gaat de dokter de gevangenis in. Dat heeft de taxichauffeur net zelf gezegd. Plotseling weet hij hoe ze de nier bij het huis van dokter Lopez kunnen krijgen.

Hij buigt zich opzij, over de tassen heen, en fluistert: 'Zodra we in het hotel zijn laten we een koeriersdienst komen. Je weet wel, die pakjes snel van het ene adres naar het andere brengen.'

'Ik weet wel wat een koerier is, hoor,' sist Jochem terug.

'Oké, nou die betalen we genoeg om ervoor te zorgen dat de tas met de koker erin meteen naar het adres van Lopez wordt gebracht.'

Pieter vertrouwt Jochem toe wat hij allemaal heeft bedacht. 'Ik weet zeker dat in die koker de nieuwe nier voor Bonnie zit,' zegt hij tot besluit.

'En mijn spullen dan? We zouden die koker ruilen voor mijn spullen.'

'Die zijn nu niet belangrijk.'

'Krijg nou wat, hoezo zijn die niet belangrijk? Die zijn hartstikke belangrijk. Mijn laptop zit erin. Denk je dat mijn vader blij is als ik die telefoon en de camera kwijt ben? Dat kunnen we echt niet maken, hoor. We moeten alles terug hebben.'

'Het is nu belangrijker dat die nier op tijd bij Bonnie komt,' onderbreekt Pieter zijn vriend.

'Oké dan, je hebt gelijk,' geeft Jochem na een korte aarzeling nijdig toe.

'Nee hè.' Pieter slaat kletsend tegen zijn voorhoofd.

'Wat nu weer?' zucht Jochem.

'We zijn stom geweest, ongelofelijk stom.'

'Krijg nou wat. Je bedoelt zeker dat jij stom stom bent geweest,' reageert Jochem zonder aarzeling. 'Om in Hong Kong die tassen te verwisselen. Dat bedoel je toch?'

'Nee, man. We hadden gewoon de tas met de koker aan de piloot moeten geven. Die had de nier zo mee terug kunnen nemen naar het eiland, naar Bonnie. Dan was het probleem opgelost geweest.'

'Die Lopez zou raar opgekeken hebben,' lacht Jochem. 'Dan zou hij hebben geweten dat we op het eiland zijn geweest waar zijn kliniek staat. Dat was echt lachen geweest.'

109

'Nou ja,' zucht Pieter. 'Daar is het nu te laat voor. Dat vliegtuig ging meteen weer terug.'

'We doen er straks wel een aardig briefje bij,' grijnst Jochem.

Filippijnse patatas

'Jullie zullen het laatste stuk door de winkelstraat moeten lopen.' De taxichauffeur staat breed gebarend buiten zijn auto. Dat hij boos is, is overduidelijk. 'Sinds de laatste terreuraanslag van die idioten van Abu Sayaf is het een zooitje in de stad,' raast hij. 'Iedere keer afzettingen en controles. Je kunt nergens meer komen. Ik word er gek van.'

Nadat ze hebben afgerekend vertelt hij de jongens dat het niet ver meer is naar het hotel dat hij voor ze heeft uitgekozen. 'Zeg maar dat Bobo jullie heeft gestuurd,' roept hij ze nog na als ze al langs de politieafzetting zijn gelopen. Hoewel het laat op de avond is, is het druk in de stad en warm is het ook. Benauwend warm zelfs. Er hangt een smerige stank van uitlaatgassen en andere onduidelijke geurtjes in de lucht. Dat is waarschijnlijk de reden dat sommige mensen een zakdoek voor hun neus en mond hebben geknoopt. Een enkeling loopt met een mondkapje op. Pieter probeert er zich niets van aan te trekken. Zonder veel interesse bekijkt hij de vele stalletjes. Er wordt druk gekookt en gebakken op straat en er is van alles te eten en te drinken te koop. De vele kleine winkeltjes aan weerskanten zijn zonder uitzondering nog open.

'Krijg nou wat.' Jochem wijst op een digitale thermometer die hij op de voorgevel van een flinke juweliierswinkel heeft ontdekt.

'Vijfendertig graden,' leest Pieter hardop. 'Nu snap ik waarom ik het warm heb.' Zuchtend pakt hij de tas met de zware koker over in zijn andere hand. 'Ik hoop niet dat we nog ver moeten.'

'Comote que, comote que.' Een klein meisje komt naast ze lopen en wijst nadrukkelijk op een grote barbecue.

'You eat comote que. Very nice,' laat ze de jongens met een brede lach weten.

Pieter schat dat het meisje niet ouder is dan zijn zusje Emma. Naast de barbecue zit een oude man op een laag stoeltje en is druk met het schillen van een flinke berg rode aardappelen.

Ditmaal wijst het meisje op de vrouw achter de barbecue. 'My mama makes very nice comote que. The best in Manilla.'

Pieter haalt zijn schouders op. 'Zullen we het maar doen? Ik vind het ook zielig om nee te zeggen.'

Vanachter haar barbecue spiest de moeder van het meisje een paar aardappelen aan houten stokjes.

'Gebarbecuede aardappelen op een stokje,' mompelt Jochem. 'Lijkt me niks.'

'Patatas,' lacht het meisje, en ze maakt een gebaar naar de berg rode aardappelen. 'You please eat patatas with sugar.'

'Nog erger,' roept Jochem. 'Zoete aardappelen.'

Het meisje pakt Pieters hand en zegt nogmaals: 'Please.'

Pieter haalt zijn schouders op. 'Laten we het maar doen. Als het niet te eten is gooien we het straks wel weer weg. Ja toch! Dan helpen we ze een beetje.'

'Ja, om van die troep af te komen,' grijnst Jochem.

'Nou, ja of nee?'

'Ja, natuurlijk.'

'Oké, two please,' laat Pieter weten terwijl het meisje zijn hand niet meer loslaat.

'Good, good,' lacht ze en ze trekt hem mee naar de barbecue.

Ook de moeder schenkt hun een brede lach en het volgende moment staan ze allebei met een aardappel op een stokje in hun handen.

'Nou afrekenen en wegwezen,' stelt Jochem voor.

'You taste, you taste,' roept de moeder vanachter haar barbecue. Het meisje heeft Pieter nog steeds niet losgelaten. Ze kijkt hem verwachtingsvol aan en wijst van de aardappel naar zijn mond. Pieter heeft weinig andere keus dan maar te proeven. Tot zijn eigen verbazing is het heel lekker.

'Probeer maar,' moedigt hij Jochem aan.

Die is net klaar met betalen en kijkt Pieter wat zuur aan.

'Moet dat echt?'

'Ja natuurlijk, man. Je ziet het toch. Ze willen per se weten hoe we het vinden.'

'Juist,' laat Jochem na de eerste hap weten. 'Dat valt dus helemaal niet tegen.'

'Very nice,' lacht Pieter naar het meisje en dan naar de moeder, 'very nice. Maar, eh,' gaat hij verder in het Engels, 'nu moeten we echt verder gaan.'

Eindelijk laat het meisje zijn hand los en kunnen ze verder. Twintig meter verder wijst Jochem op weer een barbecue, met een zelfde berg rode aardappelen er naast.

'Zullen we nog maar zo'n Filippijnse patatas doen? Geintje,' laat hij weten als Pieter hem verbaasd aankijkt. 'Maar lekker is het wel.'

Uit het gewoel op straat duikt plotseling een wat oudere man op. Hij pakt Jochem bij diens arm en lacht zijn vrijwel tandeloze mond open. De enige twee tanden die nog resten, steken vreemd naar voren.

'You want hotel, sir? You come with me,' laat de man horen. Jochem rukt zich los. 'We hoeven geen hotel,' reageert hij niet al te vriendelijk in het Engels. 'We hebben er al één.'

'No, no,' blijft de man aandringen. 'I bring you to good hotel.' Deze maal pakt hij Pieter beet. 'The best hotel in Manilla, sir.'

Zodra de sirenes klinken, laat de man Pieter los. Zijn groot geworden ogen flitsen van links naar rechts.

'Veiligheidscontrole door het leger,' fluistert hij. 'Ze zetten de straat af en controleren alles en iedereen. Het heeft met die terroristen te maken. Er wordt een nieuwe aanslag verwacht.'

Even plotseling als de man is opgedoken is hij weer verdwenen. Jochem laat zijn tas op de grond vallen en springt een paar keer omhoog in een poging over de mensen heen te kijken.

'Hij heeft gelijk,' weet hij vrijwel meteen te melden. 'Ze hebben de straat afgezet. Aan allebei de kanten.'

Vrijwel direct na deze mededeling lopen ze vast in de nu tot stilstand gekomen mensenmassa.

'Nou, dat is lekker dan,' merkt Jochem grijnzend op. 'Straks denken ze nog dat we terroristen zijn.' Hij kijkt Pieter lachend aan. 'Jij helemaal, bleekscheet. Je valt hier op als een gek.' Pieter kan er niet om lachen. De woorden van daarnet dreunen door zijn hoofd. Ze controleren alles en iedereen, zei de man. Dat betekent ongetwijfeld dat ze ook hun tassen open zullen moeten maken.

'Wat doen we als ze de koker vinden?' vraagt hij zich hardop af.

'Ze zullen gek opkijken als er straks een nier over de straat glibbert,' merkt Jochem lacherig op. Meteen is hij weer serieus als hij opmerkt: 'Die koker ziet er uit als een echte bom en niet eens een kleintje ook. Ik hoop niet dat ze meteen gaan schieten.'

112

'Die koker mag in ieder geval niet worden opengemaakt,' zegt Pieter beslist. 'Weet je nog hoe die dokter schrok toen hij dacht dat we dat al hadden gedaan. Ik denk dat die nier dan niet meer bruikbaar is.'

Jochem haalt enigszins moedeloos zijn schouders op. 'We zitten hier vet in de val, Pieter. Er zijn geen zijstraatjes in het stuk dat ze hebben afgezet. Ik heb ze net in ieder geval niet gezien.'

Hij springt opnieuw omhoog om zich er van te overtuigen dat hij het goed heeft gezien.

'Als we teruglopen is het rustiger,' meldt hij na zijn tweede verkenning. 'Ze staan nu met zijn allen op elkaar gepropt aan de twee kanten waar de straat is afgezet.'

Zonder nog een ogenblik te aarzelen begint Pieter zich door de menigte heen naar achteren te worstelen.

'We moeten die koker verstoppen,' sist Pieter in de richting van Jochem.

Er moet toch ergens een plek te vinden zijn waar we de tas met de koker kunnen opbergen totdat de controle voorbij is, vertelt hij zichzelf. Als ze de tas kwijt zijn zullen ze net als de anderen langs de controle gaan. Ze hebben hun paspoorten bij zich. De controle zal dus geen probleem geven, verwacht hij. Als ze eenmaal voorbij de militairen zijn, zullen ze wachten tot alles achter de rug is. Daarna halen ze de tas weer op, zo stelt hij zich voor.

'Hé, kijk uit,' wordt hem nijdig toegesnauwd als hij boven op iemands tenen gaat staan.

'Sorry,' mompelt hij zonder zich er veel van aan te trekken.

Als Pieter wil doorlopen grijpt de kleine dikke man hem vast.

'Sorry, meneer,' zegt Pieter nog maar een keer. Hij rukt zich los en gaat verder.

'Waar ga je naar toe?' wordt hem achterna geroepen.

'Ik vraag wat,' laat de man nijdig horen.

'Gaat je niets aan,' hoort Pieter Jochem achter zijn rug antwoorden.

'En wat zit er in die tassen?' is de volgende vraag van de man.

'Gaat je ook niets aan,' roept Jochem nog, terwijl hij Pieter op de voet volgt.

Een paar meter verder zijn ze uit de grootste drukte. Zo snel als hij maar kan lopen zonder op te vallen begint Pieter aan de terugtocht. Hij weet precies waar hij naar toe wil. Een serie open vuilcontainers die ze op de heenweg bij de ingang van een overdekte markt hebben zien staan.

113

Daar aangekomen blijkt dat de bezoekers van de markt zich weinig aantrekken van het tumult bij de afzettingen aan het begin en einde van de straat. Meest waarschijnlijk is dat de meeste mensen het niet eens weten. In het overdekte marktgebouw, dat wordt verlicht door felle tl-buizen, is het nog steeds een drukte van belang. Jochem knijpt zijn neus dicht tegen de sterke visgeur die op deze plek alles overheerst.

'Ik gooi de tas in een van de afvalcontainers,' legt Pieter uit. 'We halen hem later op, als die controle hier voorbij is.'

'Dat is goed,' zegt Jochem. 'Maar ze zijn hier toch al knap zenuwachtig allemaal, dus niemand mag het zien, anders denken ze nog dat het een bom is. Zoiets heb ik laatst nog in een film gezien. Dat was vette paniek.'

Pieter knikt. 'Jij moet ze afleiden, bedenk maar wat.'

'Nee hè,' roept Jochem hardop.

Hij hoeft niet uit te leggen wat hij bedoelt. De kleine man in zijn keurige pak is ze achterna gekomen. Terwijl hij met zijn dikke lijf voortbeweegt op een manier die op hollen moet lijken slaat de attachékoffer in zijn hand wild heen en weer.

'Wat moet die kerel van ons?' vraagt Jochem zich hardop af.

'Hé daar,' wordt er vanaf een afstand gegild. 'Blijf staan. Wat zit er in die tassen?'

'Nou, dat is wel duidelijk,' zegt Pieter gehaast. 'Hij vertrouwt het niet. Misschien denkt hij dat wij de terroristen zijn met een bom in de tas.'

'Je hebt gelijk Pieter, dat moet het zijn. Dat is echt niet lekker. Die raken we hier niet meer kwijt. We kunnen geen kant op.'

'De markt!' Pieter gilt de woorden bijna uit. 'Kom op, naar binnen.'

Vlak bij de ingang duikt hij weg tussen de rommelig neergezette vuilcontainers.

'Zorg dat hij je ziet,' sist hij naar Jochem. 'Als hij jou achterna gaat, kan ik de tas weggooien. Daarna kom ik ook naar binnen.'

'Lekker. Ik mag me dus laten pakken door die bemoeial. Bedankt.'

Maar ondanks de protesten stelt Jochem zich duidelijk zichtbaar op bij de ingang.

'Jij daar, sta stil,' hoort Pieter vanuit zijn schuilplaats de man schreeuwen. Hij weet dat de woorden voor zijn vriend bedoeld moeten zijn. Zelf kan hij onmogelijk zichtbaar zijn voor de man. Tenminste, dat hoopt hij.

Hij aarzelt niet langer en kijkt snel om zich heen. Het volgende moment verdwijnt de tas over de rand van de container. Met een zeker gevoel van opluchting loopt hij de markthal binnen. Hij heeft even nodig om te ontdekken dat zijn vriend het middelpunt is van een groepje iets verderop. Dat het flink mis is, is meteen duidelijk. De dikzak heeft de tas van Jochem in zijn handen en de omstanders houden Jochem vast. Pieters eerste impuls is om naar zijn vriend toe te rennen. Maar als hij zijn spieren spant weet hij dat hij ongelofelijk stom is geweest. Die dikzak weet maar al te goed dat ze allebei een tas bij zich hebben. Hij zal willen weten waar mijn tas is, zo bedenkt Pieter.

Zo kalm mogelijk draait hij zich om en doet zijn uiterste best om kalm terug te lopen naar de container. Minder dan dertig seconden later is Pieter in de container geklauterd. Hij is op het ergste voorbereid maar de stank valt mee. Het is in ieder geval geen visafval. Te midden van platgetrapte kartonnen dozen, houten fruitkistjes en ander marktafval ritst hij de tas open. Hij vouwt een ruw platgeslagen doos terug in haar oorspronkelijke vorm en legt de cilinder er in. Met behulp van een paar aan elkaar geknoopte stukjes rafelig touw bindt hij de doos stevig om de cilinder heen. Zijn hevig trillende handen zorgen ervoor dat het allemaal wat langer duurt dan hij zou willen, maar hij kan er niets aan doen.

'Oké,' mompelt hij in zichzelf nadat hij de in karton verpakte cilinder heeft toegedekt met wat andere zaken. Hij klautert uit de container, slaat zijn kleren schoon, haalt diep adem en gaat op weg. Alsof het de gewoonste zaak van de wereld is, stapt hij een ogenblik later vanuit de schaduw van de containers op de helverlichte markthal af. Moeite om bij Jochem te komen hoeft hij niet te doen. De dikzak heeft hem meteen in de gaten.

'Dat is hem. Dat is die ander,' roept hij opgewonden tegen de omstanders.

Twee van hen zijn al naar Pieter op weg als iemand anders roept: 'Voorzichtig, misschien heeft hij de bom.'

In een totaal andere hoek van de hal heeft iemand het woord blijkbaar opgevangen, want het wordt gillend herhaald. 'Een bom, een bom!' Als de schreeuwer er nog aan toevoegt: 'Er is een bom in de hal!' is de ramp compleet.

Woedende marktkooplui

Pieter weet zichzelf net op tijd in veiligheid te brengen. Hij wringt zich tegen de stroom in naar Jochem toe.

'Hier, ik heb helemaal geen bom.' Pieter schreeuwt de woorden uit terwijl hij de tas tegen de buik van het mannetje aanduwt. 'Kijk dan zelf, man,' schreeuwt hij er nog achteraan.

Als door een wesp gestoken deinst de man achteruit. Vanaf zijn buik kantelt de tas op de grond.

'Er zit geen bom in,' gilt Pieter nog maar een keer.

Hij bukt, grijpt nijdig naar de rits en rukt de tas open. Dan strooit hij de tas leeg op de grond.

'Kijk dan, ik heb helemaal geen bom en mijn vriend ook niet. We zijn hier op weg naar ons hotel. We zijn gewoon toeristen.'

'Je bent gewoon hartstikke gek,' schreeuwt Jochem op zijn beurt. Met grote ogen staart de man naar de gekreukelde overhemden op de grond. Een van de vier of vijf mannen om hen heen grijpt de man bij zijn jasje.

'En je zei dat ze een bom hadden!'

'Eh, nou ja,' stamelt de man ontzet. 'Ik dacht, eh, omdat ze er vandoor gingen. Ik vond het verdacht. Ik dacht, eh nou ja, met al die terroristische aanslagen van Abu Sayaf.'

'Je zei dat je het zeker wist,' begint één van de andere mannen. 'Ja,' mengt een ander zich erin. 'Maar je ziet toch ook wel dat deze jochies geen islamitische rebellen zijn.'

De eerste man geeft een wilde ruk aan het jasje. 'Dacht je soms dat dit goed is voor onze handel, stomme idioot. Alle klanten weg en de eerste dagen durven ze vast niet meer te komen.'

Een van de andere mannen grijpt Dikbuik ook vast. 'Jij komt hier niet meer weg totdat je ons schadeloos hebt gesteld. Dat kun je wel betalen met dat mooie pak van je.'

De man in het nette pak krimpt in elkaar onder de dreigende blikken van de marktkooplui. Pieter heeft bijna medelijden met hem.

Een van de mannen zet zijn handen als een toeter voor zijn mond en begint te schreeuwen: 'Er is hier helemaal geen bom. Het is hier veilig.' Maar zijn woorden gaan volstrekt verloren in het tumult.

Moedeloos haalt een van de anderen zijn schouders op. 'Laat maar. Het is al te laat.'

Hij kijkt de jongens aan. Alsof het allemaal hun schuld is zegt hij nijdig: 'Wegwezen jullie.'

'Dikbuik zal zich voortaan nergens meer mee bemoeien, denk ik,' grijnst Jochem als ze met de stroom meelopen richting uitgang. 'Is het gelukt met de koker?' vraagt hij er meteen achteraan.

'Keurig verpakt in karton en opgeborgen in de middelste container in de rij die het meest bij de ingang vandaan staat.' 'Mooi zo.'

Er wordt nauwelijks naar ze gekeken als ze even later de door militairen bemande controlepost passeren. De reden daarvan lijkt duidelijk. Ongeveer midden op een kruispunt liggen drie mensen plat op hun buik, met hun gezicht op de grond, hun benen wijd gespreid en hun armen naar voren gestrekt. Ze worden onder schot gehouden door een klein legertje zenuwachtig ogende soldaten met mitrailleurs.

'Twee mannen en een vrouw,' fluistert Pieter. 'Misschien zijn dat de terroristen die ze zoeken?'

'Kan best,' reageert Jochem. Evenals Pieter kan hij zijn ogen niet van het groepje op de grond afhouden.

'Ik ben blij dat ik daar niet lig,' zegt hij ten slotte.

'Zijn dat terroristen?,' waagt hij te vragen aan een voorbijganger.

'Kan best,' reageert de man zonder veel interesse. 'Het is deze keer in elk geval geen staatsgreep, lijkt me.'

De jongens blijven op een afstand toekijken hoe de terroristen in een pantserwagen van het leger worden geduwd en worden meegenomen. Maar de verwachting dat de controle nu wordt opgeheven komt niet uit. De soldaten blijven op hun post. Er rest de jongens niets anders dan een plekje te zoeken en te wachten. Vrij snel na het vertrek van de pantserwagen komt het verkeer over het kruispunt weer op gang. Misschien een half uur hierna lijkt ook de controle ten einde.

'Nou, eindelijk dan,' zucht Jochem. 'Snel die koker ophalen en dan naar het hotel.'

Ze zijn nog maar net opgestaan als Pieter uitroept: 'Nee hè?'

'Krijg nou wat,' is de reactie van Jochem als hij net als Pieter de vuilnisauto de straat ziet uitkomen.

'Kom op,' schreeuwt Pieter. 'Misschien heeft hij niets meegenomen.' Ondanks dat hij het ergste vreest begint hij te rennen.

'Kalm nou, man,' roept Jochem nog, om vervolgens mee te rennen. Pieter ziet het al vanaf een afstand. De containers staan anders dan hij ze heeft achtergelaten.

Aangekomen bij de voorste laat hij zijn tas vallen en trekt zich omhoog om over de rand te kijken. Moedeloos laat hij zich terugzakken.

'Leeg.' Het komt als een hees gefluister uit zijn mond. Hij staart Jochem met grote ogen aan en zegt nog maar eens: 'Leeg.' Snel worden de andere containers onderzocht. Maar wat ze al verwachtten wordt bewaarheid. Ze zijn allemaal leeg.

'De vuilniswagen,' roept Pieter plotseling. 'Misschien kunnen we die nog inhalen.'

'Krijg nou wat, Pieter. Wou je daar dan induiken of wil je vragen of ze hem even leeg kieperen op straat?' Jochem imiteert een vuilnisman: 'Ja natuurlijk, jongen. Zeg maar waar je het wilt hebben, hoor.'

Pieter hoort het al niet meer. Opnieuw kan Jochem weinig anders doen dan achter hem aan rennen.

Hijgend komen ze aan op het kruispunt.

'Verdwenen, precies wat ik dacht,' constateert Jochem buiten adem.

'Kijk uit, man,' schreeuwt hij erachteraan als Pieter de weg opspringt.

De taxi weet net op tijd te remmen. Pieter rukt een van de portieren open en gilt naar binnen: 'Wij zoeken een vuilniswagen.'

De mond van de taxichauffeur gaat open, maar er komen geen woorden uit.

'Een vuilniswagen,' schreeuwt Pieter. 'Hij moet hier net zijn langs gekomen. We moeten hem hebben.'

Verbijsterd schudt de chauffeur zijn hoofd. Dan vraagt hij: 'Ben je soms dronken?'

Pieter doet alle moeite om kalm en beleefd te blijven. 'Nee, meneer,' antwoordt hij op normaal volume, 'maar het is echt belangrijk voor ons, we moeten die vuilniswagen inhalen.'

'Ga maar een ander lastigvallen met die onzin,' roept de chauffeur. Pieter struikelt opzij als de man een dot gas geeft. Door de snelheid klapt de deur vanzelf weer dicht.

'Nou, dat ging lekker,' grijnst Jochem.

'We gaan naar Smokey Mountain,' zegt Pieter vastberaden. 'Het kan niet anders of die vuilniswagen gaat daar ook naar toe.'

'Dat is de grootste vuilnisbelt ter wereld,' legt Pieter snel uit.

'Daar woont Boy, de jongen van de kinderbank.'

Jochem steekt zijn hand op. 'Hou maar op, ik weet het. Sharilla heeft het me in het vliegtuig verteld toen jij lag te slapen.'

'Nou, daar moeten we dus naar toe,' zegt Pieter, terwijl hij alweer een halsbrekende toer uithaalt om een tweede taxi te laten stoppen. Deze keer neemt hij geen risico. Hij trekt het achterportier open en glipt meteen naar binnen. Hij schuift ver genoeg door, zodat Jochem naast hem kan komen zitten.

'Smokey Mountain graag,' zegt Pieter terwijl de taxichauffeur achterstevoren in zijn stoel zit.

'Jullie zijn vast in de war,' lacht de chauffeur. 'Er is hier in Manilla geen enkel hotel dat zo heet.'

Pieter knikt beslist. 'We moeten naar Smokey Mountain. Dat is toch de vuilnisbelt van de stad? Daar brengen toch alle vuilniswagens het afval naar toe?'

'Dat wel,' antwoordt de taxichauffeur, 'maar het is echt geen plaats om 's nachts voor je plezier te gaan rondlopen.'

Hij neemt ze kalm op en zegt dan: 'Zeker niet voor knapen van jullie leeftijd.'

'We zijn iets kwijt en dat moeten we terughebben,' zegt Pieter.

Het blijft even stil terwijl de taxichauffeur ze ongelovig aanstaart.

'Iets kwijt, zeg je? Weet je wel waar je over hebt? Smokey Mountain is ongelofelijk groot. Daar vind je echt nooit van zijn leven iets terug. En als het iets van waarde is, dan is het verdwenen zodra het daar aankomt. Er proberen daar meer dan twintigduizend mensen in leven te blijven met afval rapen.'

'En toch willen we er naar toe,' laat Pieter met enige stemverheffing weten.

'We zijn op zoek naar een nier,' grijnst Jochem.

De chauffeur kijkt zo mogelijk nog ongeloviger als hij langzaam herhaalt: 'Een nier?'

'Ja, zo'n ding in je lijf,' legt Jochem grijnzend uit.

'Hou nou op, man,' sist Pieter.

Nog even blijft de chauffeur ze aanstaren. Dan haalt hij zijn schouders op en noemt een flink bedrag.

'We betalen de helft van de helft,' zegt Jochem doodleuk, terwijl hij snel even naar Pieter kijkt met een blik alsof hij wil zeggen 'dat heb ik snel geleerd, hè'.

'Dan mogen jullie nu heel snel weer uitstappen,' is de nijdige reactie van de chauffeur. 'Jullie zoeken maar een andere gek die daar op dit uur rond durft te rijden.'

'We betalen gewoon wat u heeft gevraagd,' zegt Pieter snel. 'En eh,' gaat hij verder, 'we zoeken een jongen die Boy heet. Hij is van de kinderbank, de bank voor straatkinderen. Weet u misschien waar we hem kunnen vinden? We hopen dat hij wil helpen met zoeken.'

'Ja, ja natuurlijk.' Deze keer is het de chauffeur die grijnst. 'De bank voor straatkinderen. Nou, die kent iedereen hier hoor.'

Zijn gezicht staat plotseling een stuk minder vriendelijk. 'Nu moet het afgelopen zijn met die grappenmakerij. Laat eerst maar eens zien of jullie eigenlijk wel genoeg geld hebben.'

'Die bank bestaat echt, hoor,' probeert Pieter nog, terwijl hij het geld tevoorschijn haalt.

'Nou dat zal dan wel, maar ik heb er nog nooit van gehoord.' De chauffeur houdt zijn hand al op. 'Betaal nu maar, dan hebben we dat vast achter de rug.'

'Niet doen, man,' sist Jochem nog, maar Pieter telt het geld al uit.

'Bedankt, dan mogen jullie nu uitstappen,' zegt de chauffeur met een blik op Jochem.

'Krijg nou wat,' roept Jochem, 'dat doen we echt niet, hoor.'

'Grapje,' grijnst de chauffeur terwijl hij zich omdraait en de motor start.

Pieter heeft zijn ogen dicht terwijl ze door het drukke verkeer manoeuvreren. Voor de zoveelste keer sinds het vertrek van het eiland krijgt hij het lachende gezicht van Bonnie voor ogen. Onrustig schuift hij op de achterbank van de taxi heen en weer en neemt zich voor dat ze alles op alles moeten zetten om Bonnies nieuwe nier terug te krijgen.

'Dit is Payates,' legt de chauffeur uit, wanneer hij uiteindelijk stopt bij een klein kerkje. 'Hier moeten jullie uitstappen.'

'Maar we moeten naar de vuilnisbelt,' protesteert Pieter.

Zwijgend rijdt de chauffeur een meter of tien verder en wijst dan opzij.

'Is dat genoeg afval?' vraagt hij, terwijl hij vanaf zijn plek achter het stuur opzij wijst. 'Stap maar uit,' stelt hij voor, 'dan kun je het beter zien.'

'Lekkere krottenwijk hier,' fluistert Jochem met dichtgeknepen neus, nadat ze zijn uitgestapt.

Ook Pieter knijpt zijn neus dicht terwijl hij in de verte staart.

'Het zijn echt bergen,' fluistert hij onder de indruk van het schouwspel.

De grote donkere heuvels in de verte worden op sommige plaatsen verlicht door schijnwerpers. In dat licht krioelen tientallen figuurtjes.

'Het afvalrapen gaat hier dag en nacht door,' vertelt de chauffeur. 'Het is hier net een groot afvalverwerkingsbedrijf waar voortdurend wordt gewerkt. Er zijn zelfs kabelbanen gebouwd om het afval vanaf de stortplaatsen naar de verwerkingsplaats te transporteren. Maar als je denkt dat je zo de vuilnisbelt op kunt lopen, dan heb je het mis. Er staat hier bij Payates een hek omheen en je moet een pasje hebben om erop te mogen.'

'Krijg nou wat,' roept Jochem. 'Heb je nou ook al een pas nodig om op de vuilnisbelt te mogen komen?'

'Klopt,' laat de chauffeur weten. 'Op deze plek wel in ieder geval. Er is hier in het verleden een vreselijk ongeluk gebeurd. Een van de afvalbergen is gaan schuiven. Daarbij zijn tientallen hutjes onder het puin verdwenen. Zeker honderd mensen zijn levend begraven. Dat zijn de officiële cijfers, maar ik heb gehoord dat er in werkelijkheid veel meer doden zijn gevallen. Toen is de gemeente strenger geworden. Er mogen geen hutjes meer op de hellingen gebouwd worden. Je mag alleen afval rapen als je een vergunning hebt.'

Hij maakt een breed armgebaar en praat verder. 'Deze wijk bestaat al weer wat langer. De meeste gezinnen die hier wonen, leven van het afvalrapen. Ze sorteren karton, onderdelen van apparaten, metalen zoals koper en aluminium, bepaalde soorten plastic en wat je maar kunt bedenken.'

'En Boy, van de kinderbank?' probeert Pieter nog maar een keer. 'Woont die hier ook?'

In het schemerdonker lijkt de chauffeur Pieter onderzoekend

aan te kijken. Blijkbaar begrijpt hij deze keer dat de vraag niet als grap bedoeld is.

'Ik heb echt nog nooit van een kinderbank gehoord,' reageert hij ernstig. 'Het enige dat ik weet is dat er veel kinderen illegaal afval rapen op de vuilnisbelt. Misschien is hij een van hen. Maar ik denk niet dat die jongen dan hier in deze wijk woont. Ze hebben hier in Payates een bloedhekel aan illegale afvalrapers.'

De chauffeur kijkt de jongens nog eens aan en vraagt dan: 'Weten jullie zeker dat je hier wilt blijven?'

'Eh ja,' begint Pieter aarzelend. 'Maar eh, weet u ook waar we dan die illegale afvalrapers kunnen vinden?'

'Overal en nergens,' antwoordt de chauffeur. 'Ze werken steeds weer op andere plekken op de vuilnisbelt, om geen problemen te krijgen met de vergunninghouders.'

'En kunt u ons daar dan naartoe brengen?' vraagt Pieter toch maar.

'Naar overal en nergens?' roept de chauffeur. 'Dat is een beetje moeilijk hè?'

Pieter kijkt snel even om zich heen. Behalve een paar nieuwsgierige kleine kinderen die ondanks het late tijdstip nog rondlopen is er hier weinig te doen op straat. Ze kennen niemand in Manilla. Behalve Boy dan. Alleen hebben ze die nog nooit ontmoet. Toch denkt hij zeker te weten dat Boy hen zal willen helpen. Hij probeert het nog een keer.

'We willen er goed voor betalen hoor,' laat hij de chauffeur weten. De man staat al met het portier in zijn hand, maar lijkt nu toch te aarzelen.

'Oké dan,' zegt hij na een korte pauze. 'Ik zal jullie afzetten op een plek waar geen hekken staan. Het is langs een van de twee belangrijkste aanvoerroutes voor de vuilniswagens uit de stad. Als je geluk heb tref je daar misschien wel illegalen aan. Maar ik zeg je vast één ding. Als jullie daar willen uitstappen, vind ik het best. Maar ik blijf daar niet wachten. Dat is mij te riskant.'

Stinkend afval

'Ik weet niet of dit slim is, Pieter,' fluistert Jochem, als ze de achterlichten van de taxi in de nacht zien verdwijnen. Pieter knikt. Hij vraagt het zich ook af, maar zegt niets.

In een poging om de omgeving te verkennen tuurt hij in het donker. Het enige licht dat ze hier hebben is afkomstig van de heldere sterrenhemel en de maan. Maar ook zonder licht is het duidelijk dat ze naast de vuilnisbelt zijn afgezet. Volgens de taxichauffeur is de weg waarover ze hier naartoe zijn gereden een van de twee belangrijkste aanvoerroutes voor de vuilniswagens vanuit de stad. De stank van rottend afval is allesoverheersend. Om minder te ruiken ademt Pieter zoveel mogelijk door zijn mond. Zijn ogen hebben even nodig om aan het donker te wennen. Dan wordt duidelijk hoe een paar meter naast de weg het eerste afval ligt. Vanaf daar vormt het een niet al te steile helling die vele meters hoger eindigt. Na een korte aarzeling beginnen de jongens te klauteren. Zeker drie keer moet Pieter stoppen om het kokhalzen onder controle te krijgen. Jochem doet ook zijn best, maar het lukt hem niet. Pieter kijkt bewust de andere kant uit als zijn vriend zijn maag leegkotst. Hij slaagt er maar net in om niet mee te gaan doen.

'Heerlijk,' laat Jochem weten als hij klaar is. 'We kunnen weer, hoor.'

Angstig grijpt Pieter naar voren als hij na een paar stappen tot aan zijn knieën wegzakt. Even heeft hij het gevoel dat hij naar beneden zal glijden en onder het afval bedolven zal raken. Maar dat valt gelukkig mee. Eindelijk zijn ze boven. Vrijwel gelijk met Pieter ziet Jochem het ook.

Als vanzelf gaat hij fluisteren. 'Daar moet het kamp zijn. Zie je die lichtjes?'

Pieter knikt. Ze zijn ongeveer halverwege als ze uit de richting van de weg auto's horen naderen. Omdat ze zelf hoger staan, zien ze de twee vuilniswagens pas als die iets verderop een bocht van hen af maken. Boven op het afval in de open laadbakken zijn mensen aan het werk. Het is niet echt goed te zien, maar Pieter denkt dat het kinderen zijn.

'Die zijn vast begonnen met sorteren,' merkt Jochem somber op. Zigzaggend om de grootste kuilen in de weg te vermijden rijden de wagens verder. Met een onzeker gevoel kijkt Pieter de wagens na. Het is best mogelijk dat in een van die wagens de nier van Bonnie zit. Jochem lijkt Pieters gedachten te raden, want hij zegt: 'Die halen we toch niet meer in, Pieter. We kunnen nu beter eerst proberen om die jongen te vinden. Die kent hier natuurlijk de weg.'

Terwijl het geluid van de motoren van de vuilniswagens langzaam wegsterft komt er een ander geluid voor in de plaats.

'Krijg nou wat,' sist Jochem. 'Dat lijkt wel een baby.'

'Zeker weten,' knikt Pieter.

'Lekkere plek dan voor een baby,' luidt het commentaar van Jochem.

De jongens lopen verder in de richting van het geluid en de lichtjes. Maar niet voor lang. Als vanuit het niets staan er plotseling twee jongens met ijzeren staven voor hun neus. Onmiddellijk moeten ze denken aan de woorden van de taxichauffeur. 'Als jullie daar willen uitstappen vind ik het best. Maar ik blijf daar niet wachten.'

Het ziet er naar uit dat de chauffeur gelijk krijgt. Het kamp wordt blijkbaar bewaakt. Er wordt iets onverstaanbaars geroepen waarop Pieter onmiddellijk reageert. 'We zijn op zoek naar Boy van de kinderbank.'

Blijkbaar hebben ze het verstaan, want een van de jongens vraagt in het Engels: 'Wie zijn jullie, wat moeten jullie van Boy?'

In zijn enthousiasme geeft Pieter een stomp opzij. 'Yes, we hebben hem gevonden,' roept hij opgewonden naar Jochem.

'Wie zijn jullie?' vraagt de jongen opnieuw, maar deze keer op een toon die duidelijk maakt dat hij het niet voor een derde keer zal vragen.

'We komen Boy geld brengen,' zegt Pieter snel. 'Wij komen uit het buitenland, uit Europa. Daar hebben we actie gevoerd voor zijn bank, om jullie te helpen.'

'Actie gevoerd,' herhaalt de jongen de woorden van Pieter langzaam.

'Ze snappen niet waar je het over hebt, man,' sist Jochem.

'Een vriendin van ons had over jullie bank gehoord,' gaat Pieter snel verder. 'Zij heeft bedacht om een tweedehandsboekenmarkt te organiseren en ...'

Op datzelfde ogenblik bedenkt Pieter dat dit ook geen begrijpelijke uitleg is. Het is best mogelijk dat de jongens helemaal niet

124

weten wat tweedehands boeken zijn. 'Eh,' begint hij opnieuw, 'eh nou ja, onze vriendin heeft aan rijke mensen geld gevraagd om jullie te helpen. Eh, zodat jullie en je vrienden geld kunnen lenen bij de bank om een eigen bedrijf of zo te beginnen.'

De jongen die Engels spreekt maakt een wild gebaar. 'Kom hier.' 'Ho,' gilt hij als Pieter en Jochem tegelijk in beweging komen. 'Eerst jij,' roept de jongen.

In verwarring kijkt Pieter even naar Jochem en dan weer naar de jongens.

'Ik?' vraagt hij maar.

'Nee, hij.'

'Zou het kunnen dat hij mij bedoelt?' grijnst Jochem.

'Kom op nou,' schreeuwt de jongen ongeduldig.

Jochem ziet zwijgend toe hoe zijn tas wordt doorzocht, maar als hij vervolgens zelf aan de beurt is protesteert hij.

'Waar is het geld dan?' schreeuwt de jongen hem toe.

'Gestolen,' roept Jochem nijdig terug. 'Het geld is gestolen door die geweldige wonderdokter. Dokter José Lopez.'

'Ik heb wel wat hoor,' roept Pieter vanaf een afstandje. Hij trekt snel een paar bankbiljetten uit zijn zak en wappert ermee in het donker. De jongen staat al naast hem en rukt het geld uit zijn handen. Hij bestudeert het grondig en vraagt dan: 'Is dit alles?'

'Eh, nou, ik heb nog meer hoor,' besluit Pieter maar te zeggen.

'Nou, geef op dan. Jullie komen toch geld brengen? Dan moet je het wel geven.'

'Maar we komen voor Boy,' protesteert Pieter zwakjes.

'Eerst het geld,' laat de jongen weten.

Pieter besluit om nog wat geld te geven. Het wordt snel geteld en verdwijnt vervolgens in de zak van de jongen.

'Is dit het gestolen geld?' wil hij weten.

'Nee, natuurlijk niet,' roept Jochem vanaf een afstandje. 'Ik bedoelde niet dat wij het gestolen hebben. Ik bedoel dat het van ons gestolen is.'

'Door dokter José Lopez?' vraagt de jongen. 'Dus jullie kennen hem?'

'Krijg nou wat,' roept Jochem door de nacht. 'Ga me niet vertellen dat jullie hem ook al kennen. Iedereen hier kent die man.'

Aarzelend kijkt de jongen van Jochem naar Pieter en weer terug. 'Ik snap het niet. Wat hebben jullie dan met die Lopez te maken? Kennen jullie hem nou of niet?'

Pieter twijfelt even, maar hij besluit om deze jongens maar gewoon de waarheid te vertellen. 'Dokter Lopez wilde ons vermoorden,' zegt hij zachtjes.

'Dus jullie ook al!' roept de jongen. 'Die vuilak heeft...'

Even plotseling valt hij stil. 'Hoe weet ik of we jullie kunnen vertrouwen,' vraagt hij op onheilspellende toon. 'Misschien zijn jullie wel spionnen van Lopez.'

Gehaast zegt Pieter. 'We kenden hem helemaal niet. We zijn hem bij toeval op het vliegveld tegengekomen en...'

De jongen steekt dreigend de stalen staaf omhoog.

'Houd je kop en kom mee.'

Nu de twee jongens met hun opgeheven ijzeren staven achter hen aan lopen, hebben Pieter en Jochem weinig keus. Ze lopen in de richting van het kamp.

'Nou wordt het helemaal mooi,' moppert Jochem. 'Nu worden we er ook nog van verdacht dat we spioneren voor die rotzak.'

Het kamp blijkt te bestaan uit van stukken plastic gebouwde tenten. De tenten zijn min of meer in een kring opgezet. Hierdoor is er in het midden een beschutte open plek. Twee aan palen opgehangen lampjes die zijn aangesloten op een oude autoaccu zorgen voor wat licht.

Het eerste dat Pieter opvalt is een meisje dat niet ouder lijkt dan de meisjes uit zijn klas. Zij heeft de huilende baby in haar armen. Verder zijn er nog een stuk of vijftien andere jongens en meisjes. Hij ziet zo snel niemand die ouder lijkt dan zijn eigen zus Marieke. Om het afval te bedekken zijn er op de grond grote stukken plastic neergelegd. Het uiteindelijke effect is een veelkleurig grondzeil.

'Zitten,' snauwt de jongen.

'We zijn geen spionnen van Lopez,' probeert Pieter nog. Maar de enige reactie is dat de stalen staaf nog verder wordt opgeheven. In een onverstaanbare stortvloed van woorden brengt de jongen de anderen op de hoogte van wat hij heeft gehoord. Dat is tenminste wat Pieter denkt, want hij kan er niets van verstaan. Dat geldt ook voor de discussie die losbarst. Dat het over hen gaat lijkt Pieter waarschijnlijk.

'Heb je gehoord wat die jongen zei?' fluistert Pieter.

'Dat hij denkt dat we spionnen zijn voor ons lieve doktertje.'

'Nee joh! Of eh, dat zei hij ook, maar ik bedoel, toen ik vertelde dat Lopez ons wilde vermoorden. Toen riep hij, dus jullie ook al. Dat kan maar één ding betekenen.'

'Ja,' knikt Jochem, 'dat ze Lopez kennen. Dat zei ik toch al.'

'Ook dat, maar ook dat ze misschien iemand kennen die door Lopez vermoord is of bijna vermoord. Alleen vraag ik me af waarom Lopez iemand van hier wil vermoorden?'

'Geen idee, maar het is in ieder geval wel erg gezellig dat ze denken dat wij met die moordenaarsbende samenwerken. Daar word ik echt vrolijk van.'

Ondanks het schaarse licht ziet Pieter dat het gezicht van zijn vriend ernstig staat als hij verder fluistert: 'Ik hoop maar dat die Boy hier is. Weet die jongen eigenlijk dat we komen? Dan kan hij ze vertellen dat we niets met die Lopez te maken hebben.'

'Sharilla heeft het allemaal uit een tijdschrift,' reageert Pieter fluisterend. 'Daar stond een kort artikeltje in over Boy en zijn bank. Zo is ze op het idee gekomen om actie te voeren.'

'Dus die Boy weet er niets van? Hij heeft er geen idee van dat wij komen?'

'Precies. Het moest een verrassing zijn.'

'Krijg nou wat. Dat had ik nog niet begrepen. Ik dacht dat Sharilla die jongen kende.'

Jochem is even stil voordat hij vraagt: 'Stond er een foto bij dat artikel? Ik bedoel, eh, weet je hoe die jongen eruitziet? Is hij hier?'

'Geen idee,' moet Pieter bekennen. 'Er stond geen foto bij, dus ik weet het niet. Maar je hoorde toch hoe die jongen net reageerde? Hij vroeg wat we van Boy wilden. Dat betekent toch dat hij bestaat en die jongen was ook niet verbaasd toen ik over de bank begon.'

'Nou, ik hoop dat je gelijk hebt,' zucht Jochem. 'Maar ondertussen zie ik hier niets dat ook maar in de verste verte op een bank lijkt. Helemaal niets.'

'Je moet je er geen gebouw bij voorstellen hoor,' fluistert Pieter terug. 'Die jongen heeft gewoon een schriftje waarin hij alles opschrijft.'

'Krijg nou wat. Ik snap ook heus wel dat hij geen bankgebouw van twintig verdiepingen heeft. Maar hij zal toch wel iets hebben? Een vaste plek waar zijn klanten naar toe kunnen komen?'

'Dat zou best kunnen,' reageert Pieter. 'Maar in dat artikel stond er niets over geschreven.'

'Nou, dan is hij zeker een wandelende bank,' concludeert Jochem.

Voor zijn ogen ziet Pieter hoe het meisje de baby eindelijk stil krijgt door het kind de borst te geven. Hij kan zich nauwelijks voorstellen dat dit meisje de moeder is, maar hij weet ook dat het waarschijnlijk wel zo is. Hij kent maar al te goed het verhaal van de moeder van Sharilla. Die kreeg Sharilla toen ze dertien was. Hij probeert zich voor te stellen dat Karlijn of Sharilla al een kind zou hebben. Of dat zijn oudere zus Marieke al moeder zou zijn. Alleen bij het idee al schiet hij bijna in de lach. En dat hij zelf vader zou kunnen zijn, kan hij zich al helemaal niet voorstellen.

Spoorloos verdwenen

Blijkbaar is de vergadering voorbij, want een van de oudere jongens staat op en komt naar ze toelopen. Pieter kijkt snel even achterom. De twee jongens met de ijzeren staven staan er nog steeds. Hij heeft geen idee wat er verder gaat gebeuren, maar hij heeft weinig zin om straks een stalen staaf in zijn nek te krijgen. Maar hier vandaan wegkomen lijkt een onmogelijke zaak. De overmacht is groot, het terrein onbekend en de jongens met de staven staan klaar voor de aanval. Hij kan alleen maar hopen dat dit goed afloopt.

'Dus jullie kennen Boy,' zijn de eerste woorden van de lange, magere, bruine jongen die op ze neerkijkt. De jongen loopt op afgetrapte gymschoenen en het enige dat hij aanheeft is een onderbroek. Misschien heeft hij niet meer kleren, gaat er nog door Pieter heen. Maar het lijkt er meer op dat de jongen het warm heeft. Door de stank van het afval heen ruikt Pieter het zweet als de jongen een stap dichterbij komt. De jongen haalt een hand door zijn verwarde haren en stelt de vraag opnieuw. 'Eh nou, eigenlijk niet of eigenlijk kennen we hem toch wel, maar niet persoonlijk,' begint Pieter enigszins verward. De jongen steekt niet-begrijpend zijn handen omhoog. 'We kennen Boy uit een verhaal dat we over hem en de kinderbank gelezen hebben,' roept Pieter enigszins wanhopig. 'Toen we dat verhaal gelezen hadden, besloten we te helpen. We hebben geld ingezameld en we zijn hier naar toe gekomen om het te brengen. Maar alles is anders gelopen dan de bedoeling was en...'

Hij stopt even en haalt diep adem. Ondertussen bedenkt hij koortsachtig wat hij verder moet vertellen. Het ligt het meest voor de hand om gewoon de waarheid te vertellen. Het hele verhaal van de verwisseling van de tassen, over de koker, de helikopter, de ontmoeting met Bonnie tot hier aan toe. Maar tegelijkertijd weet hij dat het verhaal zo onwaarschijnlijk is dat er een grote kans is dat ze hem niet zullen geloven. Hij realiseert zich ook dat de klok doortikt. Iedere seconde die ze verliezen wordt de kans groter dat iemand de koker vindt en openmaakt. Dan is de nier verloren, en dan? Hij slikt en merkt tot zijn eigen verbazing dat zijn ogen vochtig worden. De woorden van Bonnies moeder liggen hem nog vers in het geheugen. Bonnies hart is te zwak om nog lang aan het dialyseapparaat te kunnen liggen. Dat betekent dus dat ze misschien dood zal gaan als ze morgen geen nieuwe nier krijgt. Pieter weet één ding zeker: dat mag niet gebeuren.

'Jullie moeten ons helpen,' zegt Pieter met een onverwacht krachtige stem. 'Het geld voor jullie bank is gestolen door dokter Lopez. Maar dat is nu even niet belangrijk. We zijn hier nu voor iets anders.'

'Voor iets anders? En je zegt net dat je geld komt brengen.'

'Ik word gek,' sist Jochem ertussendoor.

'Dat komen we ook,' gaat Pieter onvermoeibaar verder. 'Maar nu niet. Het geld is gestolen, maar we gaan ervoor zorgen dat jullie het toch krijgen. Mijn vader is directeur van een kinderhulporganisa...'

Pieter stopt midden in het woord. 'Nou ja, dat doet er nu even niet toe,' gaat hij verder. 'Dat geld komt er wel, maar we zijn nu hier omdat we iets zoeken. We zoeken een koker die heel belangrijk is. Als die koker niet wordt gevonden zal een vriendin van ons doodgaan.'

De jongen in de onderbroek staart hem aan. Pieter wacht de onvermijdelijke vragen niet af. Hij besluit om toch precies te vertellen wat ze hebben meegemaakt. Hij is naar zijn eigen idee al een hele tijd aan het woord als hij eindelijk toekomt aan de ontmoeting met Bonnie. Ten slotte vertelt hij hoe ze in Manilla de koker met de nier zijn kwijtgeraakt.

Met zijn armen over elkaar staat de jongen in de onderbroek

voor Pieter. Als Pieter klaar is, neemt de jongen de tijd om alles voor de anderen te vertalen. Nadat hij daarmee klaar is kijkt hij Pieter strak aan.

'We denken dat jullie te vertrouwen zijn,' zegt hij langzaam. 'We zijn heel voorzichtig omdat we bang zijn. De laatste twee jaar zijn er veel van onze vrienden en vriendinnen hier op de vuilnisbelt spoorloos verdwenen. Sinds vorige week weten we wie er achter hun verdwijning zit.'

'Dokter Lopez?' raadt Jochem.

Hij kan zijn grijns niet verbergen als de jongen knikt.

'We hadden tot een week geleden nog nooit over dokter Lopez gehoord,' vertelt de jongen verder. 'Nu weten we dat hij heel gevaarlijk is voor ons. Levensgevaarlijk zelfs. Zijn mensen ontvoeren onze vrienden en vriendinnen. Pas vorige week is er voor de eerste keer iemand in geslaagd om te ontsnappen. Sindsdien weten we eindelijk dat het dokter Lopez is die met de verdwijning van onze vrienden en vriendinnen te maken moet hebben. Ze worden door zijn mensen meegenomen naar zijn villa, hier in Manilla. Het is hetzelfde adres als waar jullie naar toe wilden gaan om de koker achter te laten.'

Hij haalt moedeloos zijn schouders op. 'We weten niet wat er daar met hen gebeurt. Het enige dat we weten is dat we geen van hen ooit nog teruggezien hebben. Tot vorige week Isabella is ontsnapt. Zij is een van ons. We hebben al geprobeerd om het aan de politie te vertellen, maar niemand wil ons geloven. Ze geloven niet eens dat er kinderen ontvoerd en verdwenen zijn. Het maakt niemand hier wat uit wat er met ons gebeurt.'

'Behalve pater Joel dan, Bibi,' hoort Pieter achter zijn rug roepen. Hij kijkt om en ziet dat de jongens de ijzeren staven hebben laten zakken.

'De pater helpt Boy met de bank,' legt de jongen ongevraagd uit. 'Hij is de enige volwassene in Manilla die ik vertrouw.'

De jongen die met Bibi is aangesproken neemt opnieuw het woord. 'We weten zeker dat Lopez op zoek is naar Isabella. Hij weet dat zij ontsnapt is en hij weet vast ook dat ze bij onze groep hoort. Zij is een gevaar voor hem, omdat ze ontdekt heeft dat hij degene moet zijn die in de afgelopen twee jaar al onze vrienden en vriendinnen heeft laten verdwijnen. Om te voorkomen dat hij haar opnieuw pakt hebben we ons hier verstopt. We hopen dat hij hier, midden op de vuilnisbelt, niet komt zoeken.'

Pieter snapt nu waarom ze zo onvriendelijk en vol achterdocht zijn ontvangen. Daar hebben Bibi en de anderen een meer dan goede reden voor.

'Is dat meisje nu hier dan, Isabella bedoel ik?' vraagt hij bijna als vanzelf.

Na een korte aarzeling knikt Bibi. 'Zij is mijn vriendin. Zij heeft alles op alles gezet om bij ons kind terug te komen en het is haar gelukt.'

Pieter heeft het idee dat de schouders van Bibi zichtbaar zakken als hij zegt: 'De vriendin van Isabella die tegelijk met haar is ontvoerd, heeft niet kunnen ontsnappen. Zij is, net als de anderen, spoorloos verdwenen.'

'Maar wat doet die Lopez dan met ze?' is de logische vraag van Jochem.

Bibi haalt zijn schouders op. Dat geeft de indruk dat het hem allemaal niet veel uitmaakt. Maar zijn trillende fluisterstem maakt duidelijk dat het tegendeel waar is.

'We denken dat hij een kinderhandelaar is. Dat hij ze verkoopt als slaaf voor in de huishouding, of...'

De woede klinkt onmiskenbaar door in zijn woorden als hij op een schorre hese toon verder praat: 'Of hij verkoopt ze aan sekshuizen. Daar komen van die vieze, gestoorde toeristen die veel geld betalen voor seks met kinderen.'

Meteen moet Pieter weer denken aan het verhaal van de moeder van Sharilla. Die is ook gedwongen geweest om te werken in een sekshuis. Ze is zwanger geraakt van één van de klanten. Sharilla heeft het er nooit over dat ze haar echte vader graag zou willen ontmoeten. En dat kan hij zich maar al te goed voorstellen.

'Dus behalve een smokkelaar, een dief en een vuile moordenaar is die Lopez ook nog kinderhandelaar,' dringen de woorden van Jochem tot hem door.

Bibi maakt met een simpel gebaar duidelijk dat ze mee kunnen lopen naar de anderen.

'Ik ben Pieter en...'

'En ik ben Jochem,' vult Jochem grijnzend aan.

'Ik heet Robelito,' laat de jongen die het geld heeft aangenomen weten. De anderen beperken zich tot een korte knik ter begroeting. Pieter vermoedt dat geen van hen Engels spreekt.

'Gezellige boel hier,' fluistert Jochem opzij.

'Logisch toch,' sist Pieter terug. Hij heeft niet veel fantasie nodig om te begrijpen dat de stemming hier allesbehalve vrolijk is. Zodra de baby van de borst van Isabella wordt gehaald, begint het kind weer te huilen. Ze verlegt de baby snel naar haar andere borst en het is weer stil.

Pieter snapt waarom de stemming bedrukt is. De kinderen hier hebben volop hun eigen zorgen. Toch dwingt hij zichzelf om opnieuw over Bonnie te beginnen.

'We eh,' gaat hij aarzelend van start. 'Als eh... onze vriendin op het eiland morgen niet de nieuwe nier krijgt, kan ze doodgaan.' Behalve Bibi en de andere Engels sprekende jongen, kijkt de rest hem niet-begrijpend en uitdrukkingsloos aan.

'Als jullie helpen zoeken,' gaat Pieter verder, 'dan kunnen we haar misschien nog redden.'

'Denk je dan echt dat dokter Lopez haar kan helpen?' vraagt Robelito vol ongeloof.

'Absoluut,' laat Pieter vol overtuiging horen. Maar eerlijk gezegd kan hij het ongeloof van Robelito goed begrijpen. Hij kan het zichzelf ook nauwelijks voorstellen dat de Lopez die zij hebben leren kennen tegelijkertijd een wonderdokter is. Hij hoort de woorden van de moeder van Bonnie weerklinken in zijn hoofd: *Het is zó'n vreselijk aardige man. Het is echt een schat en dat niet alleen, het is ook een wonderdokter. Hij verricht medische wonderen in zijn kliniek en heeft al heel wat patiënten gered van de dood.*

Opnieuw twijfelt hij of de dokter Lopez van Bonnie echt wel dezelfde is als de dokter Lopez die ze zelf hebben leren kennen. Het lijkt zo onwaarschijnlijk. Maar hij weet dat het toch een en dezelfde moet zijn.

'Het is echt een heel knappe dokter,' hoort hij zichzelf zeggen in een poging de anderen te overtuigen.

Dag 3

Schokkend nieuws

Rusteloos wacht Pieter af hoe de massale zoektocht die door Bibi en de anderen is georganiseerd zal aflopen. Ook andere groepen helpen mee met zoeken. Samen met Isabella en haar baby zijn de jongens in het tijdelijke kamp achtergebleven.

'Het heeft totaal geen zin als jullie meehelpen,' heeft Bibi gezegd. 'Passen jullie maar op Isabella en onze baby. Er mag hen absoluut niets overkomen.'

Voor de zekerheid zijn de lampjes uitgedaan en liggen de ijzeren staven onder handbereik. De baby lijkt samen met haar moeder in slaap gevallen, zodat het doodstil is in het kamp.

Steeds opnieuw kijkt Pieter op het verlichte display van zijn horloge. Naarmate de tijd verstrijkt heeft hij er steeds minder hoop op dat de nier nog op tijd op het eiland zal zijn.

Het eerste daglicht laat zich al zien als Bibi eindelijk terugkeert en het verlossende woord spreekt.

'De koker is terecht,' deelt hij zonder veel drukte aan de jongens mee.

'Hij is gevonden door de groep van Boy.'

Pieter springt op. 'Oké, waar is hij?'

'Boy is bij de pater,' luidt het antwoord van Robelito.

'Oké, maar ik bedoel de koker.' Pieter probeert het kalm te zeggen. Maar dat lukt maar nauwelijks. 'Dat ding moet zo snel mogelijk naar het huis van Lopez. Misschien is het nog niet te laat.'

'Die is ook bij de pater,' antwoordt Robelito. 'Hij heeft hem niet geopend. Hij denkt erover om dat ding aan de politie te geven.'

'We hebben met de pater gesproken,' neemt Bibi opnieuw het woord. 'Ik heb hem verteld over de ontvoering van Isabella en haar ontsnapping. Ik heb hem ook verteld dat we denken dat Lopez degene is die in de afgelopen twee jaar veel meer kinderen vanaf hier heeft ontvoerd. Daar schrok hij heel erg van.'

Pieter knikt ongeduldig en kijkt op zijn horloge. Hij weet dat met iedere minuut die ze hier staan te verkletsen, de overlevingskansen voor Bonnie kleiner worden.

'Wil je weten wat hij denkt?' vraagt Bibi.

Pieter knikt automatisch. Maar hij is er met zijn gedachten niet bij. Opnieuw kan hij de gedachte aan de lange blonde krullen en de blauwe ogen van Bonnie niet loslaten.

'Ik moet die koker hebben!' schreeuwt hij plotseling. 'De pater mag hem niet aan de politie geven. Bonnie mag niet doodgaan. Hoe langer we wachten, hoe kleiner haar kansen. We moeten die koker nu ophalen en weg laten brengen naar het huis van Lopez.'

Bibi steekt nijdig zijn hand omhoog. 'De pater denkt,' gaat hij op een onheilspellende toon verder, 'dat dokter Lopez onze vrienden en vriendinnen gebruikt als donoren. De pater denkt dat hij onze organen gebruikt om de rijke mensen in zijn kliniek beter te maken.'

In het sterker wordende daglicht kan Pieter het trillen van zijn handen niet verbergen.

'Die koker komt uit Rusland,' roept hij zwakjes. 'De nier voor Bonnie komt uit Rusland. Dat is absoluut zeker.'

'Volgens de pater kun je een levende nier niet langer dan een dag goed houden,' schreeuwt Bibi. 'Dus als er echt een nier in die koker zit, dan is dat ding allang dood.'

Pieter kijkt geschrokken. Ondanks zijn magere lijf ziet Bibi er in zijn korte blauwe broek, een T-shirt en een Amerikaanse honkbalpet angstaanjagend uit. Hij heeft zijn vuisten gebald en zijn ogen zijn wijd opengesperd.

Volkomen automatisch slaat Pieter aan het rekenen. Maar hij is snel klaar. Er is veel meer dan vierentwintig uur verstreken sinds de dokter in Rusland in het vliegtuig is gestapt.

Bibi spuugt de woorden bijna uit als hij schreeuwt: 'Die rijkeluisvriendin van jullie krijgt vast en zeker de nier van een van ons. Een van ons is vermoord om jullie vriendin te laten leven.'

Pieter schudt verbijsterd met zijn hoofd.

'Dat kan niet,' stamelt hij. 'Dat zou Bonnie nooit doen.'

'Die Bonnie van jullie weet heel goed dat er iets niet klopt!' schreeuwt Bibi. 'Volgens de pater is er overal gebrek aan gezonde donororganen, behalve in de kliniek van dokter Lopez. De pater zegt dat de regering de dokter ook niet vertrouwt. Dat heeft in de krant gestaan. Die gaan het allemaal onderzoeken. Hopelijk zullen ze ons nou eens een keer geloven.'

'M-maar,' stottert Pieter. 'Die koker komt echt uit Rusland.'

Hij moet even naar adem happen om verder te kunnen. 'Dat kan nooit een nier van jullie zijn.'

'Snap het dan!' schreeuwt Bibi. 'Dacht je soms dat de pater gek is? Pater Joël heeft gestudeerd. Die weet heel veel. Als hij zegt dat je een nier niet lang kunt bewaren, geloof ik hem.'

Bibi maakt een wilde stomp met zijn vuist in de lucht. 'Volgens de pater zit er helemaal geen nier in die koker. Begrijp je dat?' Pieter reageert nauwelijks. In een razend tempo draaien de gedachten door zijn hoofd.

'Twee jaar,' mompelt hij voor zich uit. De moeder van Bonnie heeft gezegd dat de kliniek van dokter Lopez twee jaar bestaat. En sinds twee jaar verdwijnen er kinderen vanaf de vuilnisbelt. Dan, schijnbaar als vanzelf weerklinken de woorden in zijn hoofd die hij aan boord van de helikopter heeft gehoord. *Neemt u ze mee baas, om ze open te snijden en leeg te halen of maken we er hier een eind aan om ze daarna in zee te gooien?*

Hij heeft zich al eerder afgevraagd wat er met *opensnijden* en *leeghalen* werd bedoeld. Het kost hem zeker vier keer slikken om het gevoel dat zijn keel wordt dichtgeknepen te laten verdwijnen. Het is niet alleen de gedachte aan dat vreselijke moment. Het is vooral ook het verstikkende gevoel dat Bibi gelijk heeft. De betekenis van de woorden die hij in de helikopter heeft gehoord, dringen pas nu in volle omvang tot hem door. Met leeghalen moet bedoeld zijn: het eruit halen van hun organen.

'Het klopt allemaal,' fluistert hij zachtjes.

'Wat klopt?' sist Jochem onrustig. 'Bedoel je dat het klopt wat Bibi zegt? Bedoel je dat de kinderen van hier vermoord worden voor hun nieren en zo?'

Pieter opent zijn mond, maar de woorden willen niet komen.

Hij knikt zwakjes.

Ditmaal is het Jochem die opgewonden schreeuwt: 'Dus je denkt dat het klopt?'

'Ja, dat denk ik,' weet Pieter hees uit te brengen.

Zonder er bij na te denken laat hij zich uitgeput op de grond zakken. In een poging de storm in zijn hoofd te kalmeren sluit hij zijn ogen en laat zijn hoofd tussen zijn knieën zakken. Zijn verstand zegt hem dat hij de gedachte dat de koker toch een levende nier bevat moet loslaten. Maar hij is emotioneel en hij blijft twijfelen. Stel dat de dokter toch een gezonde nier uit Rusland heeft meegenomen en stel dat die langer dan vierentwintig uur goed blijft. Het liefste zou hij nu de koker in handen willen hebben en ermee wegrennen. Hij balt zijn vuisten en drukt ze stevig tegen zijn hoofd. Je moet helder blijven, vertelt hij zichzelf. Maar het lukt hem slecht. Er spoken allerlei beelden door zijn hoofd. Hij drukt zijn vuisten nog harder tegen zijn slapen. Stel dat er echt geen nier in de koker zit, zo dwingt hij zichzelf te denken. Wat kan er dan in zitten?

'We moeten opbellen, Pieter.' Jochem schudt hem wild aan zijn schouder.

'Zodra het dag is moet je opbellen naar het eiland, naar Bonnie. Dan horen we of de operatie doorgaat. Als dat zo is dan weten we dat het niet haar nieuwe nier is die in de koker zit.'

Pieter opent zijn ogen en staart zijn vriend aan.

'Oké,' laat hij zachtjes horen. 'Dat is een goed idee.'

De teruggekeerde leden van de groep van Bibi en Isabella praten opgewonden door elkaar in een voor de jongens onverstaanbare taal.

'Dat kan maar over één ding gaan,' fluistert Jochem.

Pieter draait zijn ogen weg als een van de groepsleden hem boos aankijkt. De vermoedens van de pater zijn het onderwerp van het gesprek. Dat lijkt hem logisch.

'Die Lopez is echt een onwaarschijnlijke rotzak,' mompelt Jochem.

Pieter knikt. Hij kan het nauwelijks bevatten dat de dokter de kinderen van hier ontvoert en vermoordt om hun organen te stelen. De gedachte is zo gruwelijk dat het onvoorstelbaar is. En toch lijkt het waar. Alles klopt tenslotte. Dat betekent dat het misschien echt zo is dat een van de kinderen van Smokey Mountain is vermoord om Bonnie een gezonde nier te kunnen geven. Hij probeert de gedachte weg te schudden, maar het lukt hem niet. Ergens in zijn achterhoofd sluimert de hoop dat hij straks te horen zal krijgen dat de operatie niet doorgaat. Dat is verschrikkelijk voor Bonnie, maar dat betekent dat er geen ander kind voor haar is vermoord. Maar dat tegelijkertijd weet hij dat hij niet wil dat Bonnie doodgaat. Hij heeft het gevoel dat hij haar al heel lang kent. Hij zou nu niets liever doen dan bij haar zijn. Het idee dat hij haar nooit zal terugzien is onverdraaglijk. Eigenlijk wil hij maar aan één ding denken en dat is dat Bonnie vandaag weer beter wordt, zodat ze niet doodgaat. Als er een ander kind voor haar is vermoord, is dat verschrikkelijk. Maar het is voor dat andere kind toch al te laat. Als dat andere kind al dood is, is het maar het beste als Bonnie de gezonde nier van die ander kind krijgt. Het is gruwelijk, maar dan blijft ze wel leven. Met-een schaamt hij zich voor zijn eigen gedachten. Maar ook weer niet. De gedachte dat Bonnie moet blijven leven is sterker dan al het andere.

'Ik geloof niet dat ze ons hier nog zo aardig vinden,' fluistert Jochem in zijn oor.

Het kost Pieter weinig moeite te ontdekken dat zijn vriend ge-lijk heeft. Terwijl de heftige discussie voortgaat, wordt er steeds vijandiger naar ze gekeken.

Dan kijkt Bibi hem recht aan.

'Hoe zouden jullie het vinden,' schreeuwt hij, 'als we jullie ver-moorden en opeten om zelf in leven te blijven. Zou je dat fijn vinden?'

Pieter verstijft. Hij weet niets beters te doen dan nee te schudden.

'Nee dus, hè? Nee? Maar het is wel goed als ze ons vermoorden om een van jullie in leven te houden hè? Die vriendin van jullie mag wel blijven leven, hè?' raast Bibi verder.

'Wij hebben er echt niets mee te maken,' doet Jochem een voor-zichtige poging om de zaak te sussen.

'Dus jullie hebben er niets mee te maken?' tiert Bibi. 'Waarom kom je hier dan zoeken naar een nier? Dan heb je er toch alles mee te maken?'

'Ja maar, ik bedoel, wij konden toch ook niet weten dat die idio-te rotzak van een Lopez jullie vermoordt.'

Bibi lijkt het niet te horen. 'Als je geld hebt mag je alles hè? Wij zijn niets waard. Wij zijn gewoon waardeloos voor jullie! Jullie zijn allemaal hetzelfde!'

Pieter wil protesteren, maar tegelijkertijd weet hij dat het nu geen zin heeft.

Toch roept hij zo hard mogelijk: 'Het spijt ons!'

Hij herhaalt zijn woorden nog eens zachtjes en weet dat de ge-dachte voor Bibi en de anderen dat een van hen is vermoord om een meisje van rijke ouders in leven te houden, onverdraag-zaam moet zijn.

'Volgens mij kunnen we hier maar beter wegwezen, Pieter. Straks nemen ze ons te grazen.'

Jochem wacht het antwoord niet af.

Hij steekt zijn hand op en zegt met een scheve, wat ongelukkige grijns op zijn gezicht: 'We gaan maar weer eens.'

'En we gaan er voor zorgen dat het geld voor de bank nog komt,' belooft Pieter.

'Jullie houden je stinkende rotgeld maar!' schreeuwt Robelito ze toe. 'We willen jullie hier nooit meer zien! Hoor je dat, nooit meer, stelletje vuile moordenaars!'

Hij zwaait dreigend met de stalen staaf die hij weer in zijn handen heeft. Zonder nog om te kijken lopen de jongens terug naar de weg waar ze gisteren uit de taxi zijn gestapt.

Pieter voelt als het ware de ogen van de jongens en meisjes uit het kamp in zijn rug branden. Hij verwacht ieder ogenblik dat er iemand achter ze aan zal komen om ze aan te vallen. Maar tot zijn eigen verbazing bereiken ze veilig de weg. Verdoofd en verward staart hij naar de naderende lichten van een open vuilniswagen.

'Kom op, Pieter,' spoort Jochem hem aan. 'Die wagen is leeg. Die gaat vast terug naar de stad.'

Automatisch loopt Pieter achter Jochem aan als die begint te hollen. Een meter of vijftig verderop bereiken ze een plek waar de vuilnisberg bijna recht omhoog rijst naast de weg. Een perfecte plaats om te springen. Jochem grijpt Pieter opnieuw bij zijn schouder.

'Ben je er klaar voor?' sist hij opzij.

'Oké, nu!' geeft Jochem even later het sein.

De klap als ze op de vloer van de lege laadbak belanden dreunt zwaar door in Pieters knieën. Het maakt hem nu allemaal weinig uit. Hun landing in de laadbak moet ook voor de chauffeur hoorbaar zijn geweest. Maar er komt geen enkele reactie. Het is duidelijk dat degene die achter het stuur zit gewend is aan meelifters. Niet alleen als de wagen vol met afval richting de vuillifters rijdt, maar ook in de omgekeerde richting.

'Hij heeft dat stinkgeld anders wel mooi in zijn zak gestoken,' is het eerste dat Jochem zegt.

Het duurt even voor het tot Pieter doordringt wat zijn vriend bedoelt.

'Je bedoelt Robelito?'

Hij haalt zijn schouders op. 'Wat maakt het uit. Ze kunnen het daar prima gebruiken.'

'Dat snap ik ook wel. Maar dan moet hij niet gaan lopen schelden en ons voor moordenaars uitmaken.'

Pieter doet er het zwijgen toe. Zijn hoofd bonkt lichtjes en hij voelt zich allesbehalve fit. Eigenlijk kan hij nu maar aan één ding denken: Bonnie. Hij hoopt dat ze zo snel mogelijk terug zijn in een deel van de stad waar ze kunnen opbellen.

'Dus jij denkt dat ze gelijk hebben?' vraagt Jochem nog maar eens. 'Dat Lopez de kinderen hier ontvoert en ze vermoordt om hun organen voor zijn eigen patiënten te gebruiken?'

Als Pieter zich beperkt tot een korte knik schakelt Jochem over naar een volgend onderwerp.

'Als er dan geen nier in die koker zit, wat kan er dan in zitten?'

Deze keer kijkt Pieter zijn vriend peinzend aan. Het is niet de eerste keer dat deze vraag aan bod komt. En net als de vorige keer denkt hij terug aan de hotelkamer in Hong Kong. Hij kan zich de doodsangst in de ogen van dokter Lopez, toen deze dacht dat de koker geopend was, nog meer dan goed herinneren.

'We stoppen,' meldt Jochem.

Dat blijkt een overbodige mededeling, want vrijwel meteen staat de vuilniswagen stil. Een onderdeel van een seconde later dan zijn vriend veert ook Pieter omhoog om over de rand van de laadbak te kunnen kijken. De uitgestapte chauffeur en zijn bijrijder hebben de jongens meteen in de gaten. Een van de mannen roept iets onverstaanbaars en maakt een nonchalant gebaar, waarmee hij lijkt te willen zeggen: eruit. Meer aandacht krijgen de jongens niet. Het maakt de mannen blijkbaar weinig uit dat ze zijn meegelift. Ze verdwijnen achter het kralengordijn van een café. Met enige moeite klauteren de jongens uit de laadbak en een paar tellen later staan ze in de vroege ochtendzon in Manilla op straat.

Zonder aarzeling stapt Pieter op het kralengordijn af.

'Wat ga je doen, man?' roept Jochem hem na. 'Volgens mij was de rit gratis, hoor.'

'Opbellen natuurlijk,' roept Pieter terwijl hij het gordijn al opzij duwt. 'Wat anders?'

'Hallo man,' roept Jochem nog. 'Je denkt toch niet dat ze nu al geopereerd is?' Maar Pieter is al verdwenen. Met een diepe zucht haalt Jochem zijn schouders op en gaat erachteraan. Binnen is het druk en niemand besteedt bijzondere aandacht aan ze. Pieter heeft de twee vuilnismannen meteen in de gaten.

139

Maar ze zien hem gelukkig niet. Hij hoopt niet dat ze hem herkennen, maar als het wel zo is maakt het hem ook niets uit. Het enige dat hij nu wil is zo snel mogelijk bellen.

'Good morning, sir,' spreekt hij een willekeurige man aan. 'Weet u of ik hier kan opbellen?'

Een minuut later draait Pieter het telefoonnummer dat hij van Bonnie heeft meegekregen.

'Haar mobieltje staat uitgeschakeld,' laat hij vrijwel meteen weten.

De volgende poging naar de receptie van het hotel heeft meer succes.

'Goedemorgen,' meldt hij zich met een van de zenuwen trillende stem. 'Ik wil graag spreken met Bonnie Johnson op kamer 112.'

'Mevrouw Johnson is niet op haar kamer, meneer,' meldt de stem onmiddellijk.

'Oh eh, maar waar is zij dan?' stottert Pieter. 'Of eh, wordt zij misschien al geopereerd, eh, ik ben een vriend namelijk en ik wil graag weten hoe het met haar is.'

'Het spijt me meneer, maar wij mogen geen verdere mededelingen doen over onze gasten.'

'Maar ik ben een vriend,' probeert Pieter nog maar eens. 'Ik heb haar mobieltje al gebeld maar dat staat uitgeschakeld.' Plotseling krijgt hij een idee. 'Dan wil ik graag spreken met mevrouw of meneer Johnson op kamer 117.'

'Dat hoef ik niet te proberen, meneer. Die zijn ook niet op hun kamer,' laat de receptionist van het hotel weten. 'Het spijt me voor u, meneer,' voegt hij er beleefd aan toe.

'Wilt u het voor de zekerheid toch even proberen?'

'Zoals u wilt, meneer.'

Pieter hoort hoe hij wordt doorgeschakeld. Het toestel in de kamer van de ouders van Bonnie gaat zeker twintig keer over, voordat de receptionist het gesprek terughaalt.

'Er neemt niemand op, meneer. Misschien moet u het later nog eens proberen.'

Zonder nog iets terug te zeggen verbreekt Pieter de verbinding.

'Je weet nog niets, hè?' raadt Jochem al.

Pieter begint aan het derde nummer van zijn lijstje. 'De kliniek,' zegt hij kortaf.

De cafébaas is hem echter voor en verbreekt de verbinding. 'Jullie hebben toch wel genoeg geld hè,' vraagt hij terwijl hij de jongens onderzoekend aankijkt.

Pieter trekt meteen de resterende bankbiljetten uit zijn zak, wat de baas zichtbaar geruststelt. De punten van zijn snorretje wippen omhoog als zijn gezicht openbarst in een volle lach. Hij steekt zijn hand al uit. 'Dat is wel genoeg.'

Voor Pieter weet wat er gebeurt heeft de man het geld uit zijn handen gegrist.

'Eén telefoontje nog,' zegt hij waarschuwend als hij grijnzend wegloopt.

'Vuile afzetter,' bromt Jochem verontwaardigd.

Pieter reageert niet. Met bevende vingers draait hij voor de tweede keer het nummer van de kliniek. Zijn keel is droog geworden bij de gedachte dat hij misschien dokter Lopez zelf aan de telefoon zal krijgen. Nadat de telefoon drie keer is overgegaan heeft hij bijna de neiging om weer op te hangen. Als er na vijf keer toch wordt opgenomen heeft hij zeker twee volle seconden nodig om zichzelf weer onder controle te krijgen en te reageren op de vrouwenstem aan de andere kant van de lijn.

'Goedemorgen,' komt er aarzelend uit zijn mond. 'Ik ben een vriend van de familie Johnson. Hun dochter Bonnie wordt vandaag geopereerd en ik wil graag weten hoe het gaat.'

'Ik mag geen mededelingen doen over onze patiënten, meneer,' krijgt Pieter te horen.

'Dus Bonnie wordt vandaag geopereerd?' vraagt Pieter er bovenop.

'Eh, ja, eh, wie bent u, meneer?' vraagt de vrouw aarzelend.

'Ik ben haar vriend!' Pieter schreeuwt de woorden door de telefoon. 'Ik moet weten hoe het met haar is.' Hij aarzelt even en schreeuwt dan: 'Het is ongelofelijk belangrijk!'

'Stil nou man,' sist Jochem hem toe. 'Je gilt hier de hele boel bij elkaar.'

Iets zachter zegt Pieter nog maar eens: 'Het is echt heel erg belangrijk, mevrouw.'

Hij merkt de aarzeling aan de andere kant.

'Eh, ja, in dat geval...' begint de vrouw om midden in haar zin te stoppen.

'Ach kijk,' roept ze door de telefoon. 'U heeft geluk. Daar komt dokter Lopez net aanlopen. Hij is de behandelend arts van uw vriendin. U kunt het hem persoonlijk vragen.'

Pieter voelt hoe zijn keel wordt dichtgeknepen.

'Met Lopez,' hoort hij in zijn oor. 'Hallo, met Lopez, met wie spreek ik?'

Pieter houdt de hoorn iets voor zich uit. Als versteend staat hij erbij en staart ernaar.

'Wat is er?' sist Jochem.

Met moeite kan Pieter uitbrengen: 'Het is Lopez zelf.'

Jochem buigt zich naar Pieter toe en fluistert: 'Vraag dan wat je wilt vragen. Je geeft gewoon een andere naam. Of moet ik het doen?'

Als Pieter niet reageert pakt Jochem de hoorn van hem over.

'Bonjour monsieur Lopez,' begint hij met een zware deftige stem in het Frans. 'Ik ben Pierre du Bruf de Bretignon. Ik ben een vriend van de familie en ik ben heel benieuwd hoe het met Bonnie Johnson gaat. Heeft zij haar nieuwe nier al gekregen, of bel ik te vroeg?'

Pieter brengt zijn hoofd zo dicht mogelijk bij dat van Jochem en luistert mee. Hij hoort dokter Lopez vragen of Jochem Engels kan spreken.

'Maar natuurlijk,' reageert Jochem in vloeiend Engels en hij legt nog een keer uit dat hij graag wil weten hoe het met Bonnie gaat.

'Het gaat prima met Bonnie,' reageert de dokter zonder een spoor van aarzeling. Met een stem waarin onmiskenbaar trots doorklinkt praat hij verder. 'Zij was vanochtend mijn eerste patiënt en de operatie is uitstekend geslaagd. Zij is nu in het gezelschap van haar ouders aan het bijkomen. Als u wilt kunnen wij u met haar kamer doorverbinden.'

In zijn haast om te antwoorden begint Jochem met zijn gewone stem.

'Gr...,' zegt hij om de rest van het woord in te slikken.

'Graag,' zegt hij vervolgens met een zware stem.

Als hij hoort hoe het gesprek wordt doorgeschakeld geeft hij de hoorn snel aan Pieter.

'Nou mag jij,' grijnst hij hem toe.

'Hallo mevrouw,' meldt Pieter zich als hij de moeder van Bonnie aan de telefoon krijgt.

'O, wat enig dat jij het bent, knul,' roept de moeder van Bonnie door de telefoon. 'De dokter had het erover dat er een Fransman voor ons aan de telefoon was, maar jij bent toch geen Fransman?'

'Eh nee hoor. Hij eh, nou ja, hij vergist zich, denk ik.'
'Bonnie heeft het alleen nog maar over jou, Pieter,' gaat de moeder verder, 'en heb je het al gehoord? De operatie is geweldig goed geslaagd. De dokter opereert het liefst heel vroeg in de ochtend. Om vier uur was Bonnie zijn eerste patiënt. Ze is alweer helemaal bij en voelt zich nu al beter met haar nieuwe nier. Het is echt een wonder.'
Pieter hoort wat gerommel en dan weer de stem van de moeder.
'Nu mag ik niet meer verder,' roept ze op een gemaakt zielige toon vanaf een afstand. 'Bonnie wil je...'
Verder komt ze niet. Pieter hoort wat gerommel en het volgende moment is daar de stem van Bonnie.
'Hallo Pieter,' zegt ze zachtjes.
Pieter drukt de hoorn onwillekeurig steviger tegen zijn oor.
'Hoi,' zegt hij zachtjes terug. 'Gefeliciteerd. Het is allemaal gelukt, hè. Ik was verschrikkelijk bang dat... eh, nou ja, ik was bang dat het allemaal niet zou lukken met die nieuwe nier. Dat er toch geen nier zou zijn of dat hij niet op tijd zou komen.'
'Hoe kun je daar nu bang voor zijn? Wat lief dat je zo bezorgd bent.'
Pieter draait zijn rug naar Jochem toe. Voordat hij het weet zijn de woorden eruit.
'Ik mis je zo, Bonnie,' fluistert hij door de telefoon.
'Mam en pap,' hoort hij Bonnie aan de andere kant praten.
'Moeten jullie niet even naar het toilet of zo.'
'Oké, we begrijpen het al,' hoort Pieter een mannenstem zeggen.
'We zijn met zijn tweetjes, Pieter,' fluistert Bonnie een paar tellen later.
'Ik wil je zo snel mogelijk weer zien.' Het is even stil en dan voegt ze eraan toe: 'Ik mis jou ook, Pieter.'
'Ik zou willen dat ik nu bij je was,' fluistert Pieter.
Hij drukt de hoorn nog steviger tegen zijn oor als of als Bonnie zachtjes fluistert: 'Ik doe mijn ogen dicht en stel me voor dat je me vasthoudt.'
Pieter moet slikken bij de gedachte en sluit zijn ogen en probeert zich voor te stellen hoe het zal zijn om Bonnie weer te zien. Plotseling heeft hij helemaal geen zin meer in de kinderbank, het kinderziekenhuisschip of wat dan ook. Eigenlijk wil hij maar één ding en dat is terug naar het eiland. Terug naar Bonnie.

'Hoe voel je je?' vraagt hij met nog steeds gesloten ogen.

'Nu ik jou stem hoor, beter dan ooit tevoren,' reageert Bonnie zonder aarzeling.

Het is even stil terwijl ze naar elkaars ademhaling luisteren.

Bonnie is de eerste die weer praat. Met een stem waarin de teleurstelling onmiskenbaar doorklinkt zegt ze: 'Je bent natuurlijk alweer thuis. Hoe is het met de opa van Jochem?'

Pieter aarzelt. Hij weet heel zeker dat hij niet meer wil liegen tegen Bonnie. Maar hij wil haar ook niet vertellen dat voor haar nieuwe nier een kind van de vuilnisbelt is vermoord. Hij weet zeker dat ze die gedachte niet zal kunnen verdragen.

'Hoe is het met de opa van Jochem?' vraagt Bonnie nog eens zachtjes, terwijl Pieter als een razende zijn gedachten probeert te vormen.

Ik kan haar niet de hele waarheid vertellen, weet Pieter. Maar wat moet hij haar dan zeggen als hij niet wil liegen.

'Ik snap het al,' praat Bonnie zachtjes verder als Pieter niet reageert. 'Jochems opa is natuurlijk dood. Je bent natuurlijk ook verdrietig. Je kunt er misschien niet goed over praten, hè.'

Ze stopt heel even en fluistert dan: 'Je bent lief, Pieter.'

Opnieuw valt er een pauze. Terwijl de gedachten door zijn hoofd draaien, luistert hij naar haar ademhaling.

'Wat is er?' vraagt ze zachtjes als Pieter nog steeds niet reageert. 'Waarom zeg je niets meer?'

'Eh,' begint Pieter, 'dat van die opa van Jochem, dat hebben we maar verzonnen. Het is allemaal heel anders gegaan, Bonnie. We zijn nu in Manilla om te wachten op het kinderziekenhuisschip waar ik je over verteld heb. Alles is misgegaan toen we gisteren of, eh nee, eergisteren geloof ik, aankwamen op het vliegveld van Hong Kong. Het heeft allemaal met dokter Lopez te maken. We hebben op het vliegveld van Hong Kong eh, nou ja, hij heeft ervoor gezorgd dat we zijn tas door de douane hebben gesmokkeld zonder dat we het zelf wisten. Er zit iets in die tas dat heel belangrijk voor hem is. Later is hij naar ons hotel gekomen om zijn tas op te halen. Toen zijn we tegen onze zin door hem meegenomen in een helikopter. Hij wilde ons vermoorden omdat we ontdekt hadden wie hij was en waar hij woonde. Maar we zijn onderweg ontsnapt door in zee te springen. En zijn tas, die hebben we meegenomen. Onderweg zijn we opgepikt door een zeiljacht. Zo zijn we bij jou op het eiland aangekomen.' Pieter haalt even adem en gaat verder. 'Daarom durfden we ook niet meer buiten te blijven toen we van je moeder hoorden dat Lopez in de buurt was. We zijn doodsbang voor die man.'

'Dat kán niet, Pieter,' roept Bonnie bijna verontwaardigd. 'Dokter Lopez is een schat van een man. Je moet je vergissen.'

Misschien dat Pieter een paar uur geleden opnieuw in twijfel zou zijn gebracht. Maar nu niet meer. Hij heeft de stem van dokter Lopez aan de telefoon duidelijk herkend. Er is voor hem geen twijfel meer mogelijk: de Lopez uit de helikopter is dezelfde Lopez als de dokter uit de kliniek. De dokter die Bonnie een nieuwe nier heeft gegeven.

'Ik kon het eerst zelf ook niet geloven,' praat hij verder. 'Maar ik weet nu heel zeker dat jouw dokter Lopez dezelfde man is die ons tegen onze wil heeft meegenomen in zijn helikopter.'

Hij probeert zo overtuigend mogelijk te klinken. 'Ik heb zijn stem net aan de telefoon herkend. Hij is dezelfde als de man die ons wilde vermoorden.'

Zachtjes voegt hij er aan toe: 'Je moet me geloven, Bonnie. Het is echt waar.'

Voor zijn gevoel is de ademhaling van Bonnie merkbaar versneld. Hij moet zichzelf toegeven dat hij er nu al spijt van heeft dat hij heeft geprobeerd om de waarheid te vertellen. Het zal voor Bonnie moeilijk te begrijpen zijn dat haar lieve dokter Lopez in werkelijkheid een ongelofelijke rotzak is. Iemand die de kinderen van Smokey Mountain ontvoert en vermoordt om er zelf rijk van te worden. Gespannen wacht hij op haar reactie. Maar het enige dat hij hoort is haar snelle ademhaling. Stom, stom, stom, herhaalt hij in zichzelf. Bonnie heeft net een operatie achter de rug. Ze is natuurlijk nog veel te zwak voor wat hij nu allemaal vertelt. Hij sluit zijn ogen en zucht diep.

Zijn ogen zijn meteen weer open als Bonnie zachtjes zijn naam uitspreekt.

'Pieter?'

'Eh, ja,' reageert hij aarzelend. Bang voor wat er komen gaat.

'Wat zit er in die tas?'

Hij had van alles verwacht. Maar niet déze vraag.

'Eh, een koker. Een heel grote. Eentje waar wel drie bowlingballen in passen. En het ding is ongelofelijk zwaar. Maar we weten niet wat er in de koker zit. Eerst dacht ik nog...'

145

Hij stopt midden in zijn zin. Niet over die nier vertellen, denkt er door zijn hoofd.

'Ja, wat dacht je?'

'O, we hebben al van alles bedacht wat er in zou kunnen zitten. Eerst dachten we drugs. Maar we weten het niet zeker en we durven dat ding ook niet open te maken.'

Hij vertelt snel van de angst in de ogen van dokter Lopez toen die dacht dat de koker geopend was.

De volgende vraag van Bonnie overrompelt hem volkomen.

'Er zitten toch zeker geen nieren in die koker?'

'Eh... eh,' begint hij stotterend. 'Hoe bedoel je dat, nieren?'

'Nieren,' zegt Bonnie met krachtige stem. 'Een nier. Zo'n ding dat ik vanochtend nieuw heb gekregen.'

'Nieren,' herhaalt Pieter het woord met trillende stem.

'Ja, nieren,' zegt Bonnie nog maar eens. 'Dat heeft in de krant gestaan. De naam van dokter Lopez wordt genoemd in verband met het smokkelen van donororganen, zoals nieren.'

Plotseling breekt haar stem en zachtjes huilend praat ze verder. 'Het is vreselijk, Pieter. Ik... We wisten er niets van toen we hier kwamen. De dokter lijkt echt een schat, maar er zijn geruchten dat de dokter verkeerde dingen doet om donororganen te krijgen.'

Als in een poging om zichzelf te verontschuldigen gaat Bonnie verder: 'Mijn ouders wilden dat de operatie doorging en... Ik had de nieuwe nier echt nodig, Pieter.'

'Natuurlijk zitten er geen nieren in die koker,' reageert Pieter zo overtuigend mogelijk. 'Je moet je helemaal geen zorgen maken. Het is hartstikke goed dat je een nieuwe nier hebt. Lopez is vast een heel goede dokter en wat hij verder doet, daar moet jij je niets van aantrekken.'

'Je bent lief, Pieter,' antwoordt Bonnie zachtjes. 'Maar ik vind het een vreselijk idee dat er iets niet klopt.'

'Je moet nu zorgen dat je snel weer helemaal beter wordt.'

'Ik ben zo dom geweest. Ik heb er nooit over nagedacht hoe het kon dat ik hier zomaar aan de beurt was voor een nieuwe nier. Thuis sta ik al jaren op een wachtlijst. Er is altijd gebrek aan donororganen.'

En je ouders dan? wil Pieter vragen. Die hadden toch wel kunnen bedenken dat er iets niet klopt? Maar hij stelt de vraag niet en hij weet zeker dat hij hem ook nooit aan Bonnie zal stellen.

'Wat ga je nu doen, Pieter?'

'Eh, o, we blijven hier in Manilla. We vertrekken zo naar de haven. Daar komen vanochtend Sharilla en het kinderziekenhuisschip aan.'

Druk gebarend en met een niet al te vriendelijke blik in zijn ogen verschijnt de cafébaas voor Pieters ogen.

'Afgelopen,' roept hij veel te hard. 'Je praat veel te lang. Daar heb je niet voor betaald.'

Pieter draait zijn rug naar de man toe en zegt gehaast: 'Ik bel je zo snel mogelijk terug. En snel beter worden hè.'

Het antwoord van Bonnie krijgt hij niet meer te horen, want de baas van het café heeft de verbinding verbroken. Hij wacht de reactie van de jongens niet af, maar verdwijnt tussen de andere gasten.

Met slappe knieën leunt Pieter tegen de muur waaraan het telefoontoestel is opgehangen. Hoewel de hitte nog erg meevalt voelt hij hoe hij onder zijn T-shirt kletsnat is. Op zijn gezicht vechten allerlei emoties om voorrang. De gedachte dat één van de kinderen van de vuilnisbelt is vermoord om Bonnie haar nieuwe nier te kunnen geven wil geen moment uit zijn hoofd.

Maar uiteindelijk is er toch de brede lach die overheerst. Langzaam ontspant hij en hij probeert het trillen van zijn knieën onder controle te krijgen.

'Bedankt,' fluistert hij hees.

'Bedankt voor wat?' vraagt Jochem, oprecht verbaasd.

'Nou, dat ik Bonnie heb gesproken natuurlijk. Als jij die rotzak...' Pieter maakt zijn zin niet af. Met een snelle veeg van zijn hand wrijft hij langs zijn ogen. Jochem haalt zijn schouders op.

Dan kijkt hij Pieter onderzoekend aan.

'Ze is eh, wel belangrijk voor je, hè?'

'Heel belangrijk,' fluistert Pieter terug.

'Nou, eh, ja, eh, leuk voor je. Gefeliciteerd. Eh, ik bedoel, gefeliciteerd dat de operatie goed is gegaan.'

Pieter knikt en vraagt dan op zijn beurt: 'En Sharilla?'

'Wat, Sharilla?' grijnst Jochem.

'Nou ja, ik bedoel...' begint Pieter zachtjes.

Dan, met een stem waarin de energie weer doorklinkt, zegt hij: 'Kom op, man.'

Lachend kijkt hij Jochem aan. 'Je weet best wat ik bedoel.'

147

'Ik weet niets,' grijnst die terug.

Pieter stompt zijn vriend vriendschappelijk tegen diens schouder. 'Oké dan, ik bedoel of je haar aardig vindt.'

'Eh, ja, natuurlijk, maar jij toch ook?'

'Dat bedoel ik niet.'

'O, waarom vraag je het dan?'

'Even serieus, Jochem.'

'Oké dan,' reageert Jochem gemaakt nijdig. 'Als je het dan zonodig moet weten. Ik vind haar heel aardig. Nou, goed dan?'

'Zijn jullie hier klaar?' wil de cafébaas weten, terwijl hij zijn weinig indrukwekkende lichaam tussen de jongens en de telefoon in plaatst. Hij is kleiner dan de jongens.

'Nou eh, graag nog twee cola en twee hamburgers,' bestelt Jochem met een serieus gezicht.

De cafébaas staart hem even aan en houdt dan zijn hand op. 'Hamburgers heb ik niet maar wel iets anders. Maar eerst betalen graag.'

De man houdt zijn hand op. Jochem aarzelt niet, grijpt de uitgestoken hand en begint hem stevig te schudden.

'Aangenaam meneer,' begint hij in het Frans. 'Ik ben Pierre du Bruf de Brétignon. Mijn familie stamt af van Louis de veertiende, de zonnekoning van Frankrijk. Ik nodig u graag uit om een keer op bezoek te komen in ons spiegelpaleisje in Versailles. Maar we willen nu eerst graag iets eten en drinken.'

De man staart Jochem verbijsterd aan.

'Ik, eh, bedoel,' stamelt hij in het Engels, 'dat jullie eerst moeten betalen.'

Zonder de hand van de man los te laten gaat Jochem verder in het Engels: 'We hebben net al betaald.'

'Dat was voor het telefoneren,' protesteert de man.

'Heeft u wel eens van afzetten gehoord?' informeert Jochem belangstellend.

De man schudt niet-begrijpend zijn hoofd en doet een verwoede poging om zijn hand uit die van Jochem los te trekken.

'Stop nou, man,' sist Pieter. 'Hier krijgen we problemen mee.'

'We zijn gewaarschuwd voor afzetters,' gaat Jochem zonder aarzeling verder. 'Toen de opa van mijn opa en zo verder koning van Frankrijk was, liet hij alle afzetters oppakken.'

Plotseling staat Pieter met een paar dollarbiljetten in zijn handen. Met zijn vrije hand grist de cafébaas ze weg.

Verbaasd en misschien met iets van angst in zijn ogen kijkt de man Jochem aan en schudt zijn hoofd.

'Twee cola en iets te eten,' mompelt hij nadat hij zijn hand heeft losgerukt en wegloopt.

'Zaten nog in mijn achterzak. Vergeten te wisselen,' verklaart Pieter de dollars. 'Ik heb er nog meer,' voegt hij er lachend aan toe. 'Daar kunnen we straks een taxi naar de haven mee betalen.'

'Naar de haven?' roept Jochem uit.

'Naar Sharilla bedoel ik,' lacht Pieter zijn vriend toe. 'Weet je het nog? Die komt straks aan met het kinderziekenhuisschip.'

'Wat is dat nou, met die zonnekoning?' vraagt Pieter als ze even later aan hun ontbijt beginnen.

'O, die Pierre. Dat is een jongen bij mij op de internationale school. Hij heet echt zo en hij zegt dat hij van adel is en afstamt van de zonnekoning.'

'En is dat ook zo?'

'Weet ik veel. Volgens mij is het gewoon een opschepper. Hij heeft laatst een spreekbeurt gehouden over zijn zogenaamde familie. Lodewijk de veertiende had als bijnaam de Zonnekoning. Hij was een van de laatste koningen van Frankrijk.'

'En liet hij echt afzetters oppakken?'

'Geen idee,' reageert Jochem. 'Het enige dat ik weet is dat een van zijn opvolgers tijdens de Franse revolutie zijn eigen hoofd heeft laten afzetten.'

'Pardon?'

Jochem gaat rechtop in zijn stoel zitten aan het piepkleine tafeltje waarop hun colaontbijt is geserveerd. 'Tijdens de Franse revolutie schreeuwde het gewone volk om vrijheid, gelijkheid en broederschap,' dreunt hij op. 'Ze hadden een bloedhekel gekregen aan iedereen die hen uitbuitte en zich boven hen verheven voelde. Daarom hebben ze een groot deel van de Franse adel – dus ook de koning – met de guillotine een koppie kleiner gemaakt.'

'Ah, op zo'n manier,' lacht Pieter vrolijk terwijl hij een slok van zijn cola neemt.

Hij verslikt zich bijna als zijn oog op de televisie valt die aan het plafond achter de bar hangt.

'Kijk nou,' roept hij al hoestend uit. 'Dat gaat over de zeilrace waar Yuko aan meedoet.'

149

Ongewenst weerzien

Via een wirwar van overvolle wegen, straatjes en steegjes en na een heleboel keer vragen komen ze ten slotte met hun taxi aan waar ze zijn moeten. Dit is het gedeelte van de haven waar het kinderziekenhuisschip zal aanmeren. Evenals de cafébaas neemt de taxichauffeur de Amerikaanse dollars zonder probleem aan.

'Goede reis en prettige vakantie,' roept de chauffeur nog voordat hij wegscheurt.

'Hij denkt vast dat we met dat schip op reis gaan,' reageert Pieter op de woorden van de man.

Jochem schudt afkeurend zijn hoofd. 'Voorlopig heb ik wel even genoeg zee gezien.'

De jongens gaan zitten op een betonnen constructie en staren naar het water.

'Hier moet dus ons huis voor de komende week komen te liggen,' merkt Pieter met een wat sombere stem op.

'Als we maar niet de hele dag hoeven te schilderen,' reageert Jochem. 'Daar heb ik dus echt geen trek in.'

Pieter haalt zijn schouders op en zwijgt. Eerlijk gezegd heeft hij helemaal geen zin meer in het ziekenhuisschip. Maar ze hebben het nu eenmaal afgesproken, dus ze zullen het ook moeten doen. Maar veel liever zou hij Bonnie opnieuw willen zien. Als Lopez niet op dat eiland zou zijn, zou hij zo willen terugvliegen. 'Wanneer komen de doktoren en verpleegsters nou aan boord?' vraagt Jochem.

'Eh, morgen of overmorgen, geloof ik,' antwoordt Pieter zonder er met zijn gedachten echt bij te zijn.

'Dus dan kunnen de eerste kinderen die een dokter nodig hebben, maar er geen kunnen betalen, ook komen?'

Als Pieter niet reageert roept Jochem: 'Hallo, ja toch?'

'Ja, natuurlijk,' roept Pieter verstoord. 'Alle hulpverleners en vrijwilligers die de arme kinderen hier in Manilla helpen, moeten er voor zorgen dat kinderen die hulp nodig hebben naar het schip komen. Niet alleen voor ernstige dingen, maar ook bijvoorbeeld als ze een bril nodig hebben of naar de tandarts moeten.'

'Nou, ik kan me niet voorstellen dat de tandarts veel klanten krijgt. Daar ga je toch zeker niet vrijwillig heen?'

Verder komt hij niet, want op datzelfde moment komt een open jeep de verlaten kade opscheuren.

'Dat kan niet,' mompelt Pieter voor zich uit.

Hij sluit zijn ogen en opent ze opnieuw. Met piepende banden komt de jeep op minder dan twee meter bij hem vandaan tot stilstand. Zonder enige uitdrukking op zijn gezicht staart de chauffeur hem aan.

Pieter laat zich net als Jochem van de betonnen zitbank afglijden.

'De Rat,' fluistert hij opzij naar Jochem die naast hem komt staan. 'Het is de Rat.'

'Hoe kan dat?' stamelt Jochem. 'Hoe weet die gek dat wij hier zijn?'

Tergend langzaam komt de Rat omhoog achter het stuur. De nietszeggende uitdrukking op zijn gezicht maakt plaats voor een glimlach. Het is een glimlach die Pieter een misselijkmakend gevoel bezorgt.

'Dus de baas had gelijk,' spreekt de Rat zijn eerste woorden zonder hen uit het oog te verliezen.

De jongens lijken zo overdonderd door de ontmoeting, dat ze als aan de grond genageld blijven staan.

Met een snelle lenige sprong springt de Rat uit de jeep. De man is kleiner dan Pieter in gedachten had. Maar de moordlust die Pieter in zijn ogen denkt te zien is er niet minder om.

Zonder dat de jongens bewegen nadert de Rat ze tot op een meter.

'Waar is de koker?' vraagt hij dreigend. Hij wijst op de tas van Jochem. 'Geef hier.'

Het duurt even voordat Pieter kan antwoorden. 'De koker,' stamelt hij vervolgens, 'die hebben we niet meer.'

'Niet meer, niet meer?' herhaalt de Rat.

Stom, weet Pieter meteen. Nu heeft hij al toegegeven dat ze de koker gehad hebben.

De Rat grist de tas uit Jochems hand en ritst hem open. Na een wilde graaipartij tussen de kleren van Jochem smijt de man de tas nijdig op de grond.

151

'Die alleraardigste vriendin van jullie,' begint hij met een gemene grijns op zijn gezicht, 'die logeert voorlopig bij ons totdat de
dokter de koker terugheeft. En als die koker niet terugkomt...'
De Rat maakt een snijdend gebaar langs zijn keel. Pieter slikt en
denkt onwillekeurig terug aan John, de bulderende Amerikaan.
Die maakte net zo'n gebaar toen hij over de giftige kogelvis vertelde. Hij sluit zijn ogen en vraagt zich wanhopig af hoe ze ontdekt kunnen hebben dat Bonnie zijn vriendin is. Vrijwel meteen
heeft hij zelf het antwoord al bedacht. De dokter moet de foto's
hebben gezien die Bonnie met haar digitale camera op haar
slaapkamer gemaakt heeft. Op zijn beurt heeft hij er nog meer
heeft ze van hem genomen. Op zijn beurt heeft hij er nog meer
van haar gemaakt. Ze heeft beloofd dat ze de foto's zal mailen.
Maar waarom heeft ze de foto's aan Lopez laten zien? Of heeft
de man ze bij toeval gezien? Hij kan het antwoord niet bedenken. Wacht eens, flitst er door zijn hoofd, heeft hij zichzelf misschien verraden met het telefoongesprek? In zijn hoofd gaat hij
na of hij zijn naam heeft genoemd toen de mevrouw in de kliniek de telefoon opnam. Hij weet bijna zeker van niet. En Jochem heeft een valse naam gebruikt.
'Wij hebben haar een lift gegeven vanaf het schip,' dringt de
stem van de Rat tot hem door. Pieter opent zijn ogen en staart
de man ongelovig aan.
Nijdig rukt Jochem zich los. 'Dus jullie hebben Sharilla,' schreeuwt
hij met overslaande stem.
'Sharilla,' herhaalt de man grijnzend haar naam. 'Het is echt een
schatje.'
Zijn hand verdwijnt naar zijn achterzak om tevoorschijn te
komen met een geprinte afbeelding van Sharilla. Hoewel de
foto met een slechte digitale camera genomen moet zijn, is toch
te zien dat ze aan boord van een schip is. Ze staat klaar om in
een helikopter naar binnen te stappen. Het is het kinderziekenhuisschip, dat weet Pieter wel bijna zeker.
'Ze laat jullie hartelijk groeten,' gaat de man gemeen verder.
Met een trillende hand pakt Pieter de foto over.
'Je liegt,' roept Jochem hem toe.
'Blijf hier dan maar wachten,' is de reactie van de man. 'Dan zul
je zien dat ik gelijk heb.'
Hij grijnst. 'Het was handig dat we jullie reisplan in de computer konden lezen. Zo wisten we precies waar jullie schattige

152

vriendinnetje was gebleven. Een simpele smoes was voldoende om haar van boord te halen.'

'Dus jullie hebben aan mijn computer gezeten,' briest Jochem.

'Mocht dat dan niet?' vraagt de man, gemaakt verbaasd. 'We weten alles van jullie,' laat hij er met een boosaardige klank in zijn stem op volgen. De waarschuwing is Pieter duidelijk. De man blijft afwachtend staan. 'Kom op met die koker.'

'Die hebben we niet, man!' Jochem schreeuwt de woorden uit.

'We zijn dat ding kwijtgeraakt.'

In reactie hierop knijpt de Rat zijn ogen tot kleine spleetjes. 'Vertel me geen onzin. De dokter heeft net nog gehoord dat jullie de koker hebben.'

'Nou, dan is die dokter mooi gek,' raast Jochem. 'We hebben hem helemaal niet gesproken. Ga maar ergens anders zoeken, maar niet bij ons.'

'Stop maar,' sist Pieter opzij naar zijn vriend.

'Ik stop niet,' gaat Jochem nijdig verder. 'Die lui zijn gek. Ze houden Sharilla gevangen om een koker terug te krijgen die wij niet hebben.'

Hij kijkt de Rat nadrukkelijk aan en schreeuwt hem toe: 'We hebben die koker niet. Snap dat dan met je stomme kop!'

Naarmate Jochem meer opgewonden raakt, lijkt de Rat juist kalmer te worden. Zijn fluisterstem is maar net te verstaan als hij zegt: 'Jullie hebben net gebeld met de kliniek. De dokter heeft alles gehoord. Ook dat jullie zijn tas met de koker hebben.'

Met dichtgeknepen keel staart Pieter naar de Rat. Het kost hem geen enkele moeite om de betekenis van de woorden tot zich door te laten dringen. Dokter Lopez heeft zijn gesprek met Bonnie afgeluisterd. Een andere conclusie is niet mogelijk. Die gedachte maakt hem razend en misselijk tegelijk. Alles moet die rotzak gehoord hebben. Alles. *Ik mis jou ook, Pieter.* De woorden van Bonnie weerklinken in zijn hoofd. De idee dat Lopez ze ook gehoord heeft, is walgelijk en onverdraaglijk. Zijn ogen schieten vol bij de gedachte aan Bonnie. Hij schudt verbijsterd met zijn hoofd in een verwijt aan zichzelf. Geen seconde heeft hij er aan gedacht dat zijn gesprek met Bonnie afgeluisterd zou kunnen worden. Omdat hij zo nodig de waarheid wilde vertellen heeft hij haar onnodig in gevaar gebracht.

Hij weet zijn tranen te bedwingen en staart nietsziend naar het water. Nog steeds heeft hij geen idee wat er in de koker zit.

Maar het is wel duidelijk dat het voor de dokter van groot belang moet zijn.

'Nou, kom op,' dringt de Rat aan. 'We weten dat jullie die koker hebben.'

'We hebben dat ding niet meer!' schreeuwt Jochem er bovenop. 'We hebben hem niet meer!'

Zonder nog iets te zeggen loopt de Rat terug naar zijn jeep en pakt iets van de stoel naast de bestuurder.

'Mijn telefoon,' roept Jochem uit. Op het nippertje weet hij het mobieltje dat hem wordt toegeworpen op te vangen.

De Rat doet weer een paar stappen in hun richting en wijst op de foto in Pieters hand. 'Op de achterkant staat mijn 06-nummer. Zodra jullie de koker hebben, melden jullie je op dat nummer. Dan kom ik de koker halen.'

De Rat kijkt snel even op zijn horloge en zegt dan: 'Jullie hebben uiterlijk drie uur om ervoor te zorgen dat de koker bij ons terug komt. Als wij de koker om twaalf uur vanmiddag nog niet in handen hebben, dan zien jullie je vriendin nooit meer terug.'

Jochem schiet naar voren, maar de Rat is hem te snel af. Hij stapt opzij en steekt zijn voet net genoeg naar voren om Jochem te laten struikelen. Pieters eerste gedachte is om de Rat te lijf te gaan. Maar hij weet meteen dat dat niet in het belang van Sharilla is. Hij loopt de twee stappen naar Jochem toe en knielt bij zijn vriend neer.

'Kalm nou,' sist hij hem toe.

'De klok loopt,' roept de Rat die alweer achter het stuur van zijn jeep is gekropen.

'We hebben die koker niet!' schreeuwt Jochem, terwijl Pieter hem overeind trekt. 'Jullie moeten Sharilla laten gaan!'

'Als die koker niet terugkomt, zeg dan maar dag tegen jullie lieve vriendinnetjes!' roept de Rat nog. 'O, en nog wat. Zodra jullie de politie of iemand anders erbij halen is het afgelopen met ze. En met jullie ook,' voegt hij er fijntjes aan toe. Hij geeft gas en scheurt weg. Het laatste wat ze van hem zien zijn drie omhooggestoken vingers.

'Drie uur,' sist Jochem. 'We hebben drie uur om de koker terug te halen op de vuilnisbelt. Ze zullen ons daar vast met open armen ontvangen,' laat hij er spottend op volgen.

De laatste woorden van de Rat klinken na in Pieters hoofd. *Zeg dan maar dag tegen jullie lieve vriendinnetjes.* Hij concludeert, met een brok in zijn keel, dat het dreigement niet alleen voor Sharilla geldt. De Rat heeft nadrukkelijk het meervoud van het woord vriendin gebruikt. Dat betekent dat vanaf nu ook Bonnie in groot gevaar is.

Geschrokken rukt Jochem de telefoon uit zijn zak als het belsignaaltje klinkt. 'Niet opnemen,' roept Pieter naar Jochem, 'misschien is het thuis.' Pieter bedenkt dat dat wel het laatste is waar hij nu in zin in heeft. Uitleg geven aan thuis over wat er aan de hand is. Dat wordt allemaal veel te ingewikkeld. Bovendien zullen ze alles op alles moeten zetten om in de komende drie uur de koker terug te krijgen. Ze mogen geen kostbare tijd verspillen.

Maar Jochem heeft het gesprek al aangenomen.

'Sharilla! Waar ben je?' hoort Pieter hem uitroepen.

Hij staat in twee stappen naast zijn vriend om mee te luisteren. Maar Sharilla praat zo zachtjes dat hij niets kan horen. Vijftien, misschien twintig seconden later is het gesprek voorbij.

'En?' vraagt hij aan Jochem.

Die heeft even de tijd nodig om de woorden te vinden. 'Het is echt waar,' mompelt hij ten slotte voor zich uit. 'Ze hebben haar met een smoes meegelokt. De kapitein van dat schip denkt dat ze terug is naar huis. Die heeft dus geen idee dat ze is ontvoerd. Dat was alles wat ze mocht zeggen.'

Het verrast Pieter niets. Eerlijk gezegd heeft hij er niet aan getwijfeld dat het waar was wat de Rat zei.

'Die gek is door het dolle heen,' merkt Jochem op.

Pieter knikt zwijgend. Hij hoeft niet te vragen wie Jochem bedoelt. Het is duidelijk dat ze opnieuw op zoek moeten naar een taxi en zo snel mogelijk terug moeten keren naar de vuilnisbelt. Maar hij weet dat het waar is wat Jochem opmerkte. Daar zullen ze niet met open armen worden ontvangen.

'Kom op,' zegt hij tegen Jochem. 'We moeten gaan.'

Terwijl ze weglopen van de kade praat Pieter verder.

'Wat moeten we zeggen tegen Bibi en de anderen?' vraagt hij zich hardop af.

'Weet ik veel,' reageert Jochem nijdig. 'Het maakt weinig uit wat we zeggen, denk ik. Ik kan me niet voorstellen dat ze ons zullen helpen.'

'Misschien moeten we alsnog die Boy zien te vinden,' stelt Pieter voor. 'We zijn tenslotte naar Manilla gekomen om hem te helpen. Hij heeft de koker gevonden. Wat moet hij verder met dat ding?'

'Leuk bedacht, Pieter,' merkt Jochem somber op. 'Denk je zelf dat het werkt?'

'Nee, niet echt. Maar we zullen toch iets moeten bedenken.'

'En dan nog wat,' gaat Jochem verder. 'Wie zegt dat ze die koker nog hebben? Gisteren zeiden ze dat die pater waar ze het over hadden ermee naar de politie wilde gaan.'

Pieter kijkt zijn vriend ontsteld aan. 'Als dat zo is,' fluistert hij, 'dan...'

Moedeloos haalt hij zijn schouders op.

Jochem slaat met zijn vuist nijdig in de lucht. 'Dit is echt vet shit, Pieter.'

'Dat weet ik ook wel,' mompelt Pieter. Hij realiseert zich maar al te goed dat ze meer dan hopeloos in de problemen zitten. Gewoon niet aan denken, neemt hij zichzelf voor. Het is nu tijd voor actie. Ze moeten alles op alles zetten om de koker terug te krijgen en ervoor te zorgen dat die op tijd bij Lopez komt. Maar hij weet tegelijkertijd dat hij zichzelf voor de gek houdt door te denken dat alles dan voorbij is. Lopez wilde ze eerder al vermoorden omdat ze op zijn spoor waren gekomen. Er is geen enkele reden om aan te nemen dat de man dat straks niet meer wil. Nu niet aan denken, Pieter, vertelt hij zichzelf. Maar dat lukt hem slecht. Hoe meer hij erover nadenkt, hoe meer hij ervan overtuigd raakt dat Lopez hen allemaal zal vermoorden. Zodra die man zijn koker terug heeft, is er niets meer dat hem daarvan zal weerhouden.

Payatas of patatas?

Zachtjes drukt Pieter het portier van de taxi dicht. Die rijdt met een weg. De jongens blijven achter en kijken enigszins angstig om zich heen. Ze zijn de ijzeren staven niet vergeten.

'Zo te zien staat het ontvangstcomité nog niet klaar,' fluistert Jochem. 'Of is dit soms niet de goede plek?'

'Zeker weten van wel,' reageert Pieter. Maar ondertussen is hij daar lang niet zeker van. Nu het dag is ziet de vuilnisbelt er heel anders uit dan de afgelopen nacht.

Hij wijst naar een punt iets verderop. 'Daar kunnen we omhoog klimmen.'

Terwijl hij met een hand zijn neus dichtknijpt, slaat Jochem nijdig om zich heen om de vele vliegen te verjagen.

'Echt lekker hier,' laat hij met een vreemde stem horen.

Ook Pieter moet zijn neus dichtknijpen. Hij heeft het idee dat de stank veel erger is dan vannacht. Dat kan komen door de opkomende hitte, maar misschien ook wel omdat ze het afval nu kunnen zien. Aangekomen bij de helling kijkt hij met afgrijzen naar de rotzooi waar ze doorheen zullen moeten om boven te komen.

'Voor mij mag het weer nacht zijn,' laat Jochem weten. 'Dan zie je die gore troep tenminste niet.' Maar ondanks het vooruitzicht door het afval te moeten baggeren, weten de jongens allebei dat er geen keus is. Ze moeten het kamp van Bibi en de anderen terugvinden en snel ook. Terwijl ze beide handen nodig hebben om boven te komen probeert Pieter de opkomende misselijkheid te onderdrukken. Dat lukt hem slecht. Niet aan denken, gewoon doorgaan, houdt hij zichzelf voor. Maar boven aangekomen moet hij de strijd opgeven en komt de inhoud van zijn maag in golven naar buiten. Jochem heeft zijn gezicht afgewend en houdt zijn oren dicht. Voorzichtig kijkt hij om of Pieter al klaar is.

'We kunnen weer,' laat die enigszins opgelucht weten.

'Eén ding scheelt,' merkt Jochem droogjes op. 'We hoeven het hier niet op te ruimen.'

Eenmaal boven hebben ze een redelijk overzicht over het door afval gevormde heuvellandschap. Op verschillende plekken zijn groepen mensen aan het werk en vanuit de verte klinkt het kabaal van machines. Vanaf het punt waar ze staan is ook een deel van de transportkabelbaan zichtbaar waar de taxichauffeur van de vorige avond over heeft verteld.

'Daar moet die krottenwijk liggen,' wijst Pieter.

'Ja, Patatas of zoiets,' grijnst Jochem. 'Ik krijg er meteen weer zin in. Jij ook soms?'

'Ja hoor, leuk!'

Ze moeten een stuk bij de krottenwijk vandaan lopen voordat ze het kamp van Bibi en de anderen in zicht krijgen. Op veilige afstand blijven ze gebukt zitten. De eerste indruk leert dat er niemand in het kamp lijkt te zijn. Pieter kijkt verbaasd naar Jochem en fluistert: 'Ze hebben met zijn allen nauwelijks of niet geslapen vannacht, maar nu zijn ze toch weer aan het werk.'

157

'Niet allemaal,' fluistert Jochem terug terwijl hij in de richting van het kamp wijst.

'Isabella en de baby,' mompelt Pieter terwijl hij haar tussen de tenten met haar kind heen en weer ziet lopen.

'Bibi heeft haar vast niet alleen gelaten,' merkt Jochem op, terwijl hij speurend om zich heen kijkt op zoek naar de bewakers.

'Kom op,' besluit Pieter. 'We lopen er langzaam naar toe.'

Bij iedere volgende stap verwacht hij een schreeuw te horen. Pieter maakt volkomen automatisch een klein sprongetje als ze het kamp tot op een meter of vijftien genaderd zijn.

'Zo, daar zijn jullie dus weer,' klinkt er toonloos in het Engels. Verstijfd blijven de jongens staan, totdat Bibi uit de schaduw van een van de tenten tevoorschijn komt. Hij draagt opnieuw niets anders dan de onderbroek en zijn teenslippers. Zwijgend kijkt hij de jongens aan.

'Eh,' begint Pieter aarzelend en met trillende stem. 'We eh, hebben jullie hulp weer nodig.'

'O,' is het enige dat Bibi zegt terwijl hij de jongens strak aankijkt.

'Het gaat om de koker,' neemt Jochem het gesprek over. 'Hebben jullie dat ding nog?'

'Wie weet?' luidt het raadselachtige antwoord van Bibi.

'Dus jullie hebben de koker nog?' probeert Jochem opnieuw. Bibi maakt een geïrriteerd gebaar met zijn arm. 'Die koker is er nog, maar wat willen jullie?'

'Lopez heeft eh, nou ja hij heeft...'

Jochem kijkt snel even naar Pieter en dan weer naar Bibi. 'Lopez heeft onze vriendinnen eh...'

'Jullie lossen je eigen problemen maar op,' schreeuwt Bibi ze toe. 'Of moeten er nog meer van ons vermoord worden om jullie vriendinnen te helpen?'

Meteen begint op de achtergrond de baby te huilen. Isabella roept iets, waarna Bibi bijna fluisterend verder gaat. 'We willen jullie hier niet meer zien, begrijp dat dan. Die ene vriendin van jullie, die... Hij lijkt het nauwelijks over zijn lippen te kunnen krijgen, maar uiteindelijk spuugt hij met een woedend gezicht haar naam toch uit. 'Die Bonnie. Die willen we helemaal niet helpen.'

Pieter zegt snel: 'Dat snap ik ook wel. Maar daar gaat het ook helemaal niet om. Het gaat om Sharilla. Zij is hier in Manilla geboren. Zij komt uit de Filippijnen. Zij is degene die het idee heeft bedacht om actie te voeren om de kinderbank te helpen. Haar moeder moest als meisje werken in een sekshuis. Zij heeft Sharilla gekregen toen ze dertien jaar oud was. Eigenlijk is Sharilla een van jullie,' roept Pieter. Hij haalt adem en gaat verder. 'Sharilla was op een schip vanuit Hong Kong onderweg naar hier. Dat schip zou vanochtend aankomen. Daarom waren we naar de haven gegaan om het op te wachten. Maar toen we daar waren, kwam er plotseling iemand aanscheuren in een jeep. We herkenden die kerel meteen. Het is er één van Lopez. Hij heet Benigno, maar wij noemen hem de Rat. Hij heeft al eens geprobeerd om ons te vermoorden.'

'Benigno.' Pieter ziet hoe Bibi zijn vuisten balt, maar verder is er geen reactie. Hij twijfelt of hij Bibi zal vragen of hij die man kent. Maar hij besluit om eerst zijn verhaal af te maken.

'Terwijl dat schip onderweg was naar hier zijn de mensen van Lopez er met een helikopter naar toe gevlogen. Ze zijn geland en hebben een smoes verzonnen om Sharilla mee te krijgen. Pas toen ze in de lucht zat kwam ze erachter dat ze ontvoerd werd. De Rat heeft gezegd dat we Sharilla nooit meer zullen zien als Lopez vóór twaalf uur vanmiddag de koker niet terug heeft.'

Bibi staart hem aan en zegt niets. Plotseling komt hij in beweging en loopt op ze af.

'Kijk uit,' sist Jochem

Bibi blijft vlak voor Pieter stilstaan en fluistert: 'Ik wil jullie wel helpen, maar daar moet je eerst wat voor doen.'

'Oké,' zegt Pieter, 'zeg maar wat.'

'Die Benigno,' begint Bibi om vervolgens een omschrijving te geven van de man. 'Is dat dezelfde Benigno die jullie de Rat noemen?'

Dus het klopt, bedenkt Pieter. Hij heeft het net goed geraden. Bibi kent de Rat óók. Hij knikt, als teken dat de man die Bibi omschrijft en de Rat één en dezelfde man zijn.

'Die kerel,' gaat Bibi op een gevaarlijke toon verder, 'was bij de ontvoering van mijn Isabella.'

Hij kijkt snel even om naar zijn vriendin en fluistert nauwelijks verstaanbaar verder. 'Die vuilak heeft...' Dan stromen de tranen over het gezicht van de jongen. Het duurt voor Pieters gevoel eindeloos voor Bibi weer tot praten in staat is. Terwijl Bibi geluidloos huilt, kijken de jongens elkaar ongemakkelijk aan.

159

'Hij heeft haar...' begint Bibi opnieuw. Maar ook deze maal slaagt hij er niet in zijn zin af te maken.

Pieter ziet hoe Bibi opnieuw zijn vuisten balt, snel even achterom kijkt en zich dan naar voren buigt. Vlak bij Pieters gezicht houdt hij zich stil en fluistert: 'Die Benigno, die vuilak moet sterven. Vandaag nog.'

Voor de derde keer kijkt Bibi om, om te zien of zijn vriendin niets hoort. Dan fluistert hij: 'Ik heb gezworen dat ik wraak zal nemen voor wat hij met Isabella heeft gedaan. Maar zij mag het niet weten.'

Hij grijpt Pieter stevig bij diens schouders en sist: 'Jullie moeten hem voor mij vermoorden. Dan zorg ik ervoor dat jullie de koker terugkrijgen.'

Verdoofd staart Pieter Bibi aan. Hij doet zijn best helder te denken, maar het lukt niet.

'Vermoorden?' stamelt hij ten slotte.

'Ja, vermoorden. Ik zou het liefste zelf zijn vuile nek omdraaien. Maar als ik gepakt word, blijven Isabella en onze dochter alleen achter. Bovendien breng ik iedereen van mijn groep in gevaar. De politie zal ons allemaal oppakken en tijdens eindeloze verhoren pesten en treiteren. Daarom wil ik dat jullie die vuilak afmaken,' legt Bibi met vaste stem uit. Hij heeft Pieter nog steeds vast bij diens schouder.

'Maar, maar...' fluistert Pieter verbijsterd om vervolgens stil te vallen.

'Die vuilak heeft ook te maken met de andere verdwijningen,' fluistert Bibi verder. 'Verschillende kinderen hebben hem uit de beschrijving van Isabella herkend. Hij is hier vaak gezien in de buurt van de vuilnisbelt op dagen dat er kinderen verdwenen zijn.'

'We kunnen hem niet vermoorden,' zegt Jochem zachtjes.

Bibi laat Pieters schouder los en bijt Jochem toe: 'Dan krijgen jullie de koker ook niet! Dan zoek je het zelf maar uit!'

'Ik bedoel,' gaat Jochem op fluistertoon verder, 'dat we de koker juist aan de Rat moeten geven. Als we hem vermoorden kan hij de koker niet aan Lopez geven en dan is Sharilla verloren. Bovendien is er helemaal geen tijd. We moeten die koker voor twaalf uur afleveren.'

'En waar moet je die koker dan afleveren?' vraagt Bibi.

Pieter is weer enigszins bekomen van de eerste schrik en legt uit dat ze de telefoon hebben gekregen met het 06-nummer van de Rat.

'Uitstekend,' reageert Bibi. 'Dan kunnen jullie die vuilak mooi in de val lokken.'

'En de koker dan?' vraagt Jochem. 'Hoe moet die dan op tijd bij Lopez komen?'

'Wacht eens.'

'Ik wacht,' zegt Jochem ongeduldig als Pieter niet onmiddellijk verder gaat.

'Weet je,' begint die nadenkend. 'Stel dat we de koker op tijd hebben en die aan de Rat geven. Ik weet bijna zeker dat die vent ons alsnog wil vermoorden. Niet alleen ons, maar ook Sharilla en misschien zelfs ook Bonnie. Of denk jij van niet?'

Lang hoeft Jochem niet na te denken. 'Ik denk dat je gelijk hebt, maar wat wil je dan? Dat we helemaal niets doen?'

'We moeten proberen die koker te krijgen. Dan bellen we gewoon rechtstreeks met Lopez in de kliniek. Dat maakt nu toch niets meer uit. Hij weet dat wij weten wie hij werkelijk is. Snap je?'

'Ja, en dan?'

'Dat weet ik ook nog niet. We moeten een plan bedenken waarbij we gelijk oversteken. Ik bedoel, hij krijgt de koker en wij Sharilla en Bonnie als die ook in gevaar is.'

'Dat moet dan wel een plan zijn waarin we vervolgens met zijn allen veilig weg kunnen komen,' reageert Jochem. Hij kijkt Pieter aan en voegt er aan toe: 'En dan maar hopen dat die gekken ons niet thuis komen opzoeken. Alles wat ze maar willen weten kunnen ze in mijn laptop vinden. Ik neem dat ding nooit meer mee, dan weet ik nu al zeker.'

Pieter haalt met een somber gezicht zijn schouders op. Voor deze laatste mogelijkheid kan hij nu geen oplossing bedenken.

'En?' vraagt Bibi. 'Doen jullie het of niet?'

'Man,' roept Jochem plotseling veel te hard terwijl hij Pieter een stomp geeft. 'Dat idee van jou is perfect. Nu we de Rat niet meer nodig hebben, kunnen we hem uitschakelen. Dan kun je later tegen Lopez zeggen dat die rotzak zijn telefoon niet opneemt en dat we hem daarom maar zelf bellen.'

'Uitschakelen,' herhaalt Pieter. 'Je bedoelt dat we hem gaan vermoorden.'

Jochem haalt nonchalant zijn schouders op. 'Ja natuurlijk. Anders weet ik zeker dat we die koker nooit terugkrijgen. Kom op, Pieter,' zegt Jochem enthousiast, 'we nemen die rotzak deze keer te grazen.'

'Mag ik even,' protesteert Pieter. 'Dit is geen film hoor, Jochem. Weet je wel wat het is om iemand te vermoorden?'

Als Jochem antwoordt is er geen spoor van een grijns op zijn gezicht te bespeuren. 'Nee,' roept hij nijdig, 'natuurlijk niet. Dat doe ik niet dagelijks. Ik snap ook heus wel dat het erg is, hoor, maar weet jij dan iets beters? Of wil je Sharilla soms in de steek laten? Wat gebeurt er met Bonnie als we niets doen? Kun je me dat vertellen? We moeten iets doen, Pieter!' roept Jochem met overslaande stem. 'En anders doe ik het alleen. Ik laat Sharilla niet in de steek.'

'Stil, je maakt de baby wakker!' schreeuwt Bibi tegen Jochem. Meteen begint het kind weer te huilen, waarna opnieuw de nijdige stem van Isabella volgt.

'Sorry,' verontschuldigt Jochem zich. 'Maar je schreeuwt haar toevallig zelf wakker,' mompelt hij er achter aan.

Pieter schudt langzaam met zijn hoofd. De gedachte dat ze iemand zullen moeten vermoorden dringt maar moeilijk tot hem door. Maar hij weet dat Jochem gelijk heeft. Ze mogen Sharilla en Bonnie niet in de steek laten.

Half verdoofd hoort hij Jochem tegen Bibi zeggen: 'We doen het, maar dan moet jij ervoor zorgen dat we de koker vóór twaalf uur hebben.'

Ondanks het duffe gevoel in zijn hoofd steekt Pieter zijn hand op.

'Misschien hebben we meer tijd,' laat hij horen.

'Waar we nu eerst voor moeten zorgen is dat de Rat, eh...' Hij werpt een snelle blik op Jochem en gaat verder: '...dat de Rat na twaalf uur niet meer bereikbaar is op zijn 06-nummer. Dan kunnen we Lopez bellen. Dan zeggen we dat we de koker hebben maar dat we de Rat niet kunnen bereiken.'

'Je bedoelt dat we niet per se om twaalf uur hier terug hoeven te zijn om Lopez te bellen,' legt Jochem de woorden van Pieter uit.

'Nee, dat kunnen we overal vandaan doen. Hij kan toch niet controleren of we de koker op dat moment echt hebben.'

'Perfect, Pieter,' prijst Jochem. 'Dus we hebben tot twaalf uur om de Rat uit te schakelen en daarna kunnen we op ons gemak terugkomen om de koker op te halen.'

Er verschijnt een brede lach op het gezicht van Bibi als hij zegt: 'Ik ga ervoor zorgen dat jullie de koker terugkrijgen.' Hij kijkt de jongens één voor één nadrukkelijk aan voordat hij verder gaat. 'Maar eerst wil ik zeker weten dat jullie die vuilak van een Benigno hebben afgemaakt.'

'En hoe weten wij dan dat jij ook echt die koker aan ons geeft?' vraagt Jochem.

'Daar heb je mijn woord op,' antwoordt Bibi ernstig. 'Als jullie je aan de afspraak houden, dan doe ik dat ook.'

Zonder aarzeling zet Bibi een paar vingers aan zijn mond en fluit drie keer snoeihard.

'Daar gaan we weer,' grijnst Jochem. Maar vreemd genoeg reageert de baby deze keer niet.

'Misschien is ze er aan gewend,' denkt Pieter.

Het duurt niet lang of Robelito en nog twee andere jongens verschijnen aan de horizon.

'Wat doen die vuile moordenaars hier?' schreeuwt Robelito zodra hij de jongens herkent. 'Ik heb jullie gewaarschuwd hier nooit meer te komen.'

Bibi steekt zijn hand op om Robelito te kalmeren en zodra ze dichtbij genoeg zijn, begint hij in hun eigen taal snel te praten. Lang heeft hij niet nodig om de zaken te organiseren: Robelito blijft hier en de twee andere jongens zullen vertrekken in de richting van de krottenwijk.

'Zij gaan de koker ophalen,' legt Bibi uit. 'Robelito blijft hier om Isabella en ons kind te beschermen en ik ga met jullie mee.'

'Met ons mee?' roept Jochem uit.

Bibi knikt. 'Ik wil zeker weten dat die vuilak dood is. Bovendien heb ik een plan, dat leg ik onderweg wel uit.'

Hij verdwijnt en een paar tellen later verschijnt hij weer gekleed in korte broek en T-shirt.

Robelito loopt deze keer enthousiast op de jongens af en schudt ze hartelijk de hand. Net als Bibi kijkt hij snel even om of Isabella in de buurt is voordat hij fluistert: 'Succes. Het is hartstikke goed wat jullie gaan doen.'

'Wel handig dat het openbaar vervoer hier gratis is,' grijnst Jochem als ze even later klaar staan om opnieuw in de laadbak van een lege vuilniswagen te springen.

Pieter knikt, maar zijn gezicht staat ernstig. Hij vraagt zich af wat het plan van Bibi is en hoe gevaarlijk het voor hen zal zijn.

Het idee dat ze voor twaalf uur vanmiddag iemand moeten vermoorden lijkt nog steeds onwerkelijk. En hoe moeten ze het doen? De Rat zal zich niet zomaar laten pakken. Die kerel is zelf een ervaren moordenaar. En wat als ze er toch in slagen om de man te vermoorden? Hoe komen ze dan weer weg? Het is klaarlichte dag en ze zullen midden in de stad zijn. Misschien worden ze wel vastgehouden door omstanders en overgeleverd aan de politie. En dan? Het zal de rechter vast niets uitmaken dat de Rat een ongelofelijke rotzak is. De rechter zal natuurlijk zeggen dat je nooit en te nimmer het recht in eigen hand mag nemen. Ze zullen veroordeeld worden voor moord. Misschien krijgen ze de doodstraf wel als die bestaat in de Filippijnen, of anders levenslang. De gedachte dat hij de rest van zijn leven in een Filippijnse gevangenis moet doorbrengen zorgt ervoor dat de tranen spontaan in zijn ogen schieten.

Een moordplan

'Dit is mijn plan,' begint Bibi zijn uitleg, terwijl ze hotsend en bonkend op de laadvloer van de vuilniswagen zitten. 'In de stad staat een groot internationaal hotel. Het is één van de hoogste gebouwen in de stad. Op het dak is een terras met een zwembad. Vanaf die plek heb je een prachtig uitzicht over de stad. Dat heb ik tenminste gehoord. Ik zou nooit binnenkomen in dat hotel, maar jullie wel. Jullie zien er uit als toeristen. Als je eenmaal op het dak bent, bellen jullie die vuilak op. Dan zeg je hem dat jullie in dat hotel logeren en dat je hem op het dak de koker zult geven. Als hij er is, duwen jullie hem over de rand en komen jullie zelf weer naar beneden.'

Zonder ook maar een spier van zijn gezicht te vertrekken zegt Bibi: 'Ik wacht beneden en zal zien hoe die vuilak te pletter valt.'

'Dat klinkt wel heel eenvoudig,' is de eerste reactie van Jochem.

'Het is ook heel eenvoudig,' reageert Bibi. 'Jullie hoeven hem alleen maar over de rand te duwen. Dat is alles.'

'Mag ik even,' mengt Pieter zich in het gesprek. 'We komen daar dus nooit meer weg hè. Er zijn natuurlijk allemaal hotelgasten op dat dak. Denk je nou echt dat die ons zo laten vertrekken nadat we iemand over de rand hebben geduwd. Die houden ons vast en waarschuwen de politie.'

'Ik denk van niet,' zegt Bibi vol vertrouwen. 'De meeste mensen zijn te bang om zich ermee te bemoeien.'

'Of de lift wordt vastgezet terwijl we naar beneden ontsnappen,' bedenkt Pieter vervolgens. 'Dan kunnen ze rustig wachten tot de politie komt.'

'We nemen dus in ieder geval niet de lift, maar de trap naar beneden,' merkt Jochem op. 'Dat verwachten ze natuurlijk niet.'

Plotseling verschijnt er een brede grijns op zijn gezicht. 'Ik heb laatst een film gezien waarin ze met een parachute van een hoog gebouw afsprongen.'

'Man, even serieus graag,' bijt Pieter zijn vriend toe. 'Dat is echt een idioot idee. We hebben geen parachute en bovendien vallen we daarmee op als een gek.'

'Sorry hoor,' verdedigt Jochem zich zelf. 'Ik probeer ook alleen maar een oplossing te bedenken.'

'Maar dan wel een normale, graag,' roept Pieter gespannen uit. 'Man, we zijn bezig met een plan om iemand te vermoorden! Besef je dat wel?'

Het gezicht van Jochem verstrakt als hij op Pieters nijdige opmerking reageert. 'Die Benigno is een ongelofelijke rotzak, Pieter. Het lijkt mij ook niet leuk om iemand te vermoorden, maar die rotzak verdient het wel. Wie weet hoeveel mensen hij zelf al heeft vermoord?'

Hij kijkt Pieter strak aan als hij er aan toevoegt: 'Of wil je hem de kans geven om Bonnie en Sharilla ook te vermoorden?'

Pieter schudt zwakjes met zijn hoofd.

'Jullie hoeven hem alleen maar over de rand te duwen,' herhaalt Bibi nog maar eens.

'Mag ik even?' fluistert Pieter. 'Je denkt toch niet dat hij zich zomaar over de rand laat duwen? Hij zal zich toch zeker ongelofelijk verzetten. Misschien gooit hij ons nog eerder over de rand dan wij hem en misschien is hij wel gewapend.'

Jochem zucht eens diep. 'Je hebt wel gelijk, eenvoudig is het niet. Maar wat moeten we dan? Kunnen we niet een andere manier bedenken om de Rat te vermoorden?' Hij maakt een onduidelijk gebaar om vervolgens te zeggen: 'Ik wou dat we die harpoen nog hadden. Deze keer zou ik echt schieten.'

'We moeten een plek bedenken waar niet te veel mensen zijn en waarvandaan we ook weer snel weg kunnen komen,' zegt Pieter zonder veel enthousiasme.

'De haven,' weet Jochem meteen. 'Heb ik laatst in een film gezien. Daar gooien ze iemand die bewusteloos was met een paar stenen om zijn nek gebonden in het water.'

'En ging die dood dan?' vraagt Bibi.

'Eh, nou ja, in die film niet, eh, het was de held van de film, dus dat kon ook niet. Maar in het echt wel, denk ik. Als we die...'

'Ik wil die vuilak zien vallen,' zegt Bibi beslist.

'Maar eh, we slaan hem van tevoren bewusteloos, hoor,' verdedigt Jochem zijn plan. 'Een van ons leidt hem af door met hem te praten en de andere besluipt hem van achteren.' Na een snelle blik op Pieter zegt hij: 'Dat wil ik wel doen. Dan geef ik hem van achteren een knal op zijn kop. Daarna gooien we hem in het water.'

Bibi lijkt even over het plan van Jochem na te denken, maar schudt dan zijn hoofd. 'Niet goed genoeg. Als hij van meer dan twintig verdiepingen hoog naar beneden valt, dan is hij zeker dood.' Dan buigt hij zich naar de jongens toe en fluistert: 'Als hij eenmaal over de rand is, moet je hem naschreeuwen dat het voor Isabella is. Zeg maar dat hij met zijn vuile, gore poten van haar af had moeten blijven.'

'Dat zeg je hem zelf maar als hij beneden op de grond te pletter is gevallen,' zegt Jochem beslist. 'We gaan echt niet ook nog eens als gekken staan schreeuwen op dat dak.'

Pieter doet ondertussen zijn uiterste best om een beter plan te bedenken. Een plan waarbij Bibi het idee krijgt dat de Rat dood is zonder dat het echt zo is. Een plan waardoor zijzelf een betere kans hebben om te ontsnappen. Maar het lukt hem op geen enkele manier. Het lijkt wel of zijn hersens geblokkeerd worden door de gedachte dat hij straks, net als de Rat zelf, een moordenaar zal zijn. Of het komt door de spanning of door het voortdurende schuiven en bonken in de achterbak is onduidelijk, maar plotseling is de misselijkheid in alle hevigheid terug. Zeker een volle minuut zit hij voorovergebogen geknield in een hoek van de laadbak. Hij steunt met zijn handen op de laadvloer terwijl zijn maag keer op keer samentrekt. Eindelijk lijkt het voorbij.

'Man,' fluistert Jochem hem toe. 'Gaat het?'

'Best,' antwoordt Pieter. Maar het is hem aan te zien dat hij niet in de allerbeste conditie is.

'Hier moeten we eruit,' laat Bibi het volgende ogenblik weten.

Als de vuilniswagen stilstaat bij een verkeerslicht klauteren de drie jongens snel naar buiten. Pieter voelt zich slap in zijn knieën, maar hij weet dat hij zich daar nu niets van aan mag trekken. Hij doet al een stap vooruit, op weg naar de overkant, als Jochem hem met een ruk terugtrekt. Achter elkaar scheuren twee motortaxi's en een tricycle voorbij. Misschien is het de stiefvader van Sharilla wel, flitst het door Pieters hoofd. Tijd om daar verder over na te denken krijgt hij niet.

'Die gaan allemaal wel mooi door rood!' roept Jochem. Het is al snel duidelijk dat de meeste weggebruikers zich weinig of niets aantrekken van de verkeerslichten. Als ook de vuilniswagen weer begint te rijden blijven de jongens in een levensgevaarlijke situatie achter.

Er wordt druk geclaxonneerd en gebaard, maar niemand vindt het blijkbaar nodig om gas terug te nemen.

'Nu,' schreeuwt Bibi, om vervolgens zonder aarzeling voor een aanstormende auto te springen. De auto mist hem op een haar en Bibi slaagt erin om in een vrijwel rechte lijn de overkant te bereiken. Het is voor Pieter niet de eerste keer dat hij te voet een drukke weg moet oversteken. Maar deze keer durft hij nauwelijks.

'Kom op Pieter,' schreeuwt Jochem hem toe, terwijl het verkeer aan alle kanten vlak langs ze heen raast. 'Hier blijven staan is ook levensgevaarlijk.'

'Nu, kom op, toe dan,' dringen de woorden van Bibi door vanaf de kant.

Pieter heeft het gevoel dat zijn benen zijn gewicht maar nauwelijks kunnen dragen. Hij voelt zich slap en ellendig. De hitte van de felle zon maakt het er niet beter op. Maar hier blijven staan kan niet. Dat snapt hij ook wel. Zonder nog na te denken komt hij in beweging als Jochem schreeuwt: 'Kom op, nu!'

Een paar tellen later staan ze veilig naast Bibi.

Die wijst al op een hoog gebouw iets verderop. 'Dat is het hotel dat ik bedoel. Daar gaan we naartoe.'

Nog nahijgend kijkt Pieter snel op zijn horloge. 10.43. Hij haalt zijn schouders op en realiseert zich dat er nauwelijks of geen tijd meer is voor een nieuw plan. Ze zullen het moeten doen met het plan van Bibi en er het beste van zien te maken.

Op veilige afstand van het hotel houdt Bibi stil en hij kijkt ze ernstig aan.

'Ik zal niet op jullie wachten. Als jullie klaar zijn moet je terugkomen naar ons kamp. Daar krijgen jullie de koker terug.'

Hij steekt eerst zijn hand naar Pieter uit en wenst hem succes. Vervolgens is Jochem aan de beurt. 'Als jullie kalm blijven, gaat alles goed,' laat hij nog weten voordat hij wegloopt.

'Hij laat ons wel mooi het vuile werk opknappen,' moppert Jochem.

'Ik hoop dat we straks echt die koker terugkrijgen,' merkt Pieter op. 'Misschien wil die pater hem wel helemaal niet teruggeven.'

'Hij heeft anders wel zijn woord gegeven. Of vertrouw je hem niet?'

'We zullen wel moeten,' laat Pieter somber horen.

Net op tijd bedenken de jongens dat ze het vuil van hun kleren moeten kloppen voordat ze verder lopen richting de ingang van het luxe hotel.

'Zeker twintig verdiepingen,' mompelt Jochem goedkeurend, terwijl hij met een hand boven zijn ogen de hoogte van het hotel probeert in te schatten. Tijdens het lopen wijst hij op twee kleine poppetjes die hoog boven hen aan de buitenzijde van het hotel in een soort halfopen kooi staan.

'Glazenwassers,' merkt hij op. 'Bij ons in Parijs is laatst zo'n ding half naar beneden gekomen. Een van de staalkabels waarmee die kooi aan het dak hangt was gebroken.'

'En toen?'

'Die kooi hing voor de ramen van de veertigste etage. Ze hebben die glazenwassers met een helikopter moeten redden. Het was live op de televisie.'

'Dat gaat meteen al goed,' sist Pieter als hij voor de overdekte ingang twee gewapende mannen in uniform ziet staan.

'Shit,' sist Jochem op zijn beurt.

Pieter ziet hoe zijn vriend de reistas steviger vastklemt alsof hij de inhoud wil beschermen.

'Stop,' sist Pieter en hij trekt Jochem terug. Hij heeft niet de indruk dat ze al opgevallen zijn. Daarom fluistert hij: 'Omdraaien en rustig teruglopen.' Voor even lijkt hij vergeten dat hij zich niet lekker voelt.

'Geven we het nu al op?' wil Jochem weten terwijl ze teruglopen. 'We nemen een taxi.'

Jochem kijkt verbijsterd opzij. 'Een taxi, voor tweehonderd meter? Is dat niet een beetje overdreven?'

'Dan kunnen we net doen alsof we vanaf het vliegveld komen,' legt Pieter snel uit.

Een paar tellen later heeft hij Jochem overtuigd en gaan ze op zoek naar een taxi.

'Naar Hotel Intercontinental,' zegt Pieter zodra ze een taxi hebben laten stoppen en zijn ingestapt.

'Welk hotel?' vraagt de chauffeur

'Dat hotel daarginds,' grijnst Jochem. 'We weten dat het vlakbij is, maar mijn vriend heeft last van de zon. Hij heeft een, eh, lichtallergie. Als we nog langer blijven lopen krijgt hij te veel zon en valt hij flauw. Dus hopelijk wilt u ons helpen.'

De chauffeur staart ze nog even aan en haalt dan zijn schouders op.

'Wacht even,' roept Pieter, als de man meteen wil gaan rijden. 'We betalen in Amerikaanse dollars en we willen nu vast betalen.

'Mij best,' laat de man weten.

Minder dan een halve minuut na het afrekenen stopt de taxi voor het hotel. Behalve de twee gewapende bewakers staat er ook nog een portier in een deftig pak voor de ingang. Die komt meteen op de taxi aflopen en trekt het achterportier open. Hij laat de jongens uitstappen en gooit het portier weer dicht. Tot Pieters opluchting rijdt de taxi meteen weg.

'Goedemorgen,' zegt de man beleefd. 'Logeert u in het hotel?'

'Nog niet,' verzint Pieter vlot, 'maar dat gaat wel gebeuren. We zijn net aangekomen op het vliegveld maar mijn vader heeft eerst nog een bespreking in de stad. Daarna komt hij ook hier naartoe.'

'En zijn er voor jullie kamers gereserveerd?' wil de portier weten.

Pieter ziet dat de twee bewakers weinig belangstelling voor ze hebben. Blijkbaar zien ze geen gevaar. Hij aarzelt even voordat hij antwoord geeft op de vraag van de portier: 'Ik geloof dat de secretaresse van mijn vader heeft gebeld,' zegt hij vervolgens.

'Goed gedaan,' sist Jochem als de portier ze zonder enige aarzeling doorlaat. Ze passeren een detectiepoortje en staan in de hal van het hotel.

'Jullie kunnen je melden bij de receptie!' roept de portier de jongens nog na.

Pieter blijft stilstaan en begint in zijn zakken te zoeken.

'Wat doe je nou, man,' sist Jochem. 'Laten we doorlopen voordat hij zich bedenkt.'

'En zeker naar de receptie toegaan om een kamer te nemen. Kom op man, daar moeten we onze paspoorten laten zien. Dan weten ze meteen wie we zijn.'

Een snelle blik rondom leert dat de receptie iets verderop ligt. De medewerkers zijn druk bezig met een paar klanten. Op verschillende plaatsen in de hal staan luxe leren fauteuils en stoelen. Langs een kant van de hal zijn een paar kleine winkeltjes. Een groot international hotel zoals hij er al meer gezien heeft, constateert Pieter. Echt druk is het niet, maar het is druk genoeg om niet op te vallen. Als de portier hun zijn rug heeft toegekeerd en in gesprek is met een volgende bezoeker glippen de jongens snel naar de liften.

Pieter drukt op een willekeurige knop, wat Jochem de vraag ontlokt: 'Gaan we niet meteen naar boven?'

'Eerst verkennen,' laat Pieter weten.

Zodra de liftdeur openschuift, ziet hij waar hij op had gehoopt: een frisdrankautomaat met daarnaast een ijsblokjesmachine en een machine voor gekoeld water.

Jochem staat in drie stappen bij de automaat en geeft er een flinke lel tegen.

'Kom op ding, je zit toch veel te vol.'

De automaat laat zich niet ompraten en muntjes hebben de jongens jammer genoeg niet. Maar ijsblokjes zijn er in overvloed. Terwijl Jochem de automaat nog eens bewerkt en toespreekt heeft Pieter al een beker koud water met ijsblokjes te pakken. Bij de tweede beker voelt hij zich al merkbaar beter. Een plattegrond die in de buurt van de lift is opgehangen, geeft de plek aan waar ze zijn en maakt duidelijk welke vluchtwegen er zijn.

Op weg naar de plaats waar zich het trappenhuis moet bevinden, passeren ze een paar kamers waar kamermeisjes bezig zijn met schoonmaken. Pieter grist ongemerkt twee grote witte badlakens van een karretje dat op de gang staat.

'Om bij het zwembad te gebruiken,' sist hij als uitleg. 'Dan denken ze hopelijk dat we hotelgasten zijn.' Na een hoek in de gang zijn ze uit het zicht van de kamermeisjes en slaan de badlakens losjes rond de nek. Zonder problemen komen ze bij het trappenhuis. Ze lopen via de trap zover omhoog tot ze zeker weten dat je met de trap op het dak kunt komen en er dus ook weer af. Ze dalen weer een verdieping af en op de bovenste verdieping lopen ze via dezelfde route die ze beneden in de gang hebben genomen, terug naar de centrale liften. Ze zeggen een paar andere hotelgasten keurig gedag en passeren een open deur. Pieter kijkt snel even naar binnen en ziet dat hier een ruimte is waar de vuile lakens en handdoeken worden verzameld.

'Nou, daar gaan we dan,' verzucht Pieter als ze terug zijn bij de lift.

Hoogtevrees

Het eerste moment nadat de liftdeuren zijn opengeschoven zien de jongens niets dan de felle zon die naar binnen schijnt. De hoop dat er niemand anders op het dak is vervliegt snel als hun ogen aan de zon gewend zijn. Hij voelt zijn keel knijpen. Als het al lukt om de Rat hier te pakken, zitten we straks ongelofelijk in de val, weet hij meteen. En zelfs als ze toch hier vandaan weten te komen, zijn er ook nog de bewakers bij de ingang. Hij verwijt zichzelf dat ze niet hebben gekeken of er beneden nog andere uitgangen zijn. Het enige dat ze nu weten is dat er een trap is.

Pieter mompelt iets als ze langs de man lopen die gekleed lijkt als een badmeester. Hij zit vlak bij de lift in de schaduw van een parasol op een stoel. Naast hem staan twee karretjes op wielen. Eén met stapels handdoeken en badjassen erin. Het andere is gevuld met tennisrackets en dozen met tennisballen. De badmeester knikt ze zonder al te veel belangstelling toe en laat ze zonder iets te vragen doorlopen.

'Die badhanddoeken werken prima,' fluistert Jochem.

Hoewel er veel schaduw is door grote rieten parasols en een paar heuse palmbomen in grote potten, is het snoeiheet op het dak. De meeste gasten liggen in het zwembad, dat door de rietmatten die erboven zijn bevestigd wordt beschermd tegen de zon. Een enkeling ligt uitgestrekt op een ligstoel in de schaduw. Een paar vrouwen trotseren de felle zon in een poging om bruin te worden. Ze liggen languit op speciale reflecterende matten. In de buurt van het zwembad is een bar met een terras eromheen. Ook daar zitten wat gasten. Aan de andere kant van het

171

dak, achter de liftkoker, zijn twee kooien gebouwd. Tennisbanen, weet Pieter meteen. Hij heeft zoiets al eerder gezien op het
dak van een hotel. De banen zelf worden aan het oog onttrok-
ken door blauw gaasdoek dat tot een hoogte van ongeveer drie
meter rondom de kooi is gespannen. Het dak van de kooi is bedekt met rietmatten. Buiten de kooien staan twee machines die
Pieter herkent als tennisballenkanonnen. Het zijn dezelfde die
hij laatst in werking heeft gezien op de tennisvereniging van
zijn neef. Hij besteedt er verder geen aandacht aan en laat zijn
ogen verder ronddwalen. Hij schat dat er inclusief de bewaker
en het personeel van de bar zo'n vijftien mensen zijn. Dat is niet
heel veel, maar het zou heel veel beter zijn als er helemaal niemand was.

'Moeten we ons nog omkleden?' vraagt Jochem met een knik in
de richting van een serie hokjes.
'Echt niet,' fluistert Pieter terug. 'Of wil je straks op de terugweg
in je zwembroek over straat?'
'Wel lekker koel natuurlijk,' grijnst Jochem wat ongelukkig.
'Daar,' mompelt Jochem en hij schuifelt in de richting van twee
kolossale ligstoelen in de buurt van het zwembad.
Ze gaan aarzelend zitten op het voeteneinde en nemen de omgeving zorgvuldig in zich op.
We boffen dat er geen hek omheen staat.' Jochem doet op de
met planten gevulde bloembakken die langs de randen van het
dak zijn neergezet.
'Stel je voor,' gaat hij verder, 'dat we hem eerst over het hek had-
den moeten tillen om hem naar beneden te krijgen. Dat zou toch
even lastig zijn geweest.'
Ondanks alles kan Pieter een glimlach niet onderdrukken.
Die glimlach is snel verdwenen als er vanaf de bar iemand op
ze af komt lopen.
'Welcome to our pool. Can I serve you anything?' vraagt de jonge
ober in vrijwel accentloos Engels.
'A coke, please,' zegt Jochem brutaal.
'Eh, eh ja, voor mij ook een cola graag,' zegt Pieter in het En-
gels.
'What is your room number?' glimlacht de ober.
'Eh, mijn vader komt zo ook,' bedenkt Pieter snel. 'Hij heeft de
sleutel. We zijn net aangekomen,' geeft hij als uitleg om te ver-
klaren waarom ze hun kamernummer niet weten.

'We zitten in ieder geval op de achtste verdieping,' bedenkt Jochem om het geloofwaardiger te maken.

De ober lijkt het allemaal te geloven. 'Very well,' laat hij horen om vervolgens terug te lopen.

Ze wachten tot de cola's zijn gebracht en pakken dan de telefoon.

'Wie zegt het, jij of ik?' vraagt Jochem.

'Volgens mij ben jij daar het beste in,' vindt Pieter. Hij probeert te verbergen dat zijn handen al beginnen te trillen bij het idee dat hij de Rat zal moeten spreken. De gedachte dat ze de man hierheen lokken om hem te vermoorden maakt hem bang en onzeker.

'Goed dan,' zucht Jochem. 'Ik zal het vuile werk wel weer opknappen. En nu maar hopen dat hij geen hoogtevrees heeft. Dan durft hij hier niet eens te komen.'

Pieter schuift nog wat dichterbij om te kunnen meeluisteren.

'Ja,' klinkt er vrijwel meteen nadat de andere telefoon moet zijn overgegaan.

'Wij hebben de koker,' reageert Jochem. 'Je kunt hem komen halen, maar we willen eerst zeker weten dat Sharilla niets overkomt.'

Het korte lachje van de Rat klinkt Pieter meer dan onaangenaam in zijn oren.

'Ik stel hier de eisen, niet jullie,' klinkt er kil door de telefoon.

'Dan bekijk je het maar!' zegt Jochem, om vervolgens de verbinding te verbreken.

'Man,' sist Pieter geschrokken, 'wat doe je nou?'

'We moeten het gewoon hard spelen,' grijnst Jochem. 'Heb ik laatst ook in een film gezien. Nu hij eenmaal weet dat we de koker hebben komt hij wel terug.'

Pieter kijkt zijn vriend nijdig aan. 'Dit is geen film, J…'

Verder komt hij niet, want tegelijkertijd klinkt het beltoontje van Jochems telefoon.

Grijnzend wijst Jochem ernaar. 'Zie je wel.'

'Neem op dan.'

Jochem grijnst nog steeds. 'Kalm aan maar. Laat hem maar lekker zenuwachtig worden. Hij denkt dat wij iets hebben dat hij heel graag wil hebben. We moeten hem laten merken dat wij hier de eisen stellen, niet hij.'

'Maar Sharilla en Bonnie,' protesteert Pieter.

'Kom op nou, Pieter. Je hebt zelf gezegd dat ze ons toch wel zullen vermoorden wanneer ze de koker eenmaal hebben. Maar tot die tijd zijn ze echt wel voorzichtig. Ja toch?'

Pieter knikt aarzelend.

'We spelen het gewoon hard,' laat Jochem nog maar eens horen voordat hij de oproep beantwoordt.

Op een gevaarlijke klinkende fluistertoon sist de Rat: 'Dat moet je me niet nog...'

Jochem laat de man niet eens uitpraten. 'We willen eerst Sharilla spreken. Zorg maar dat ze ons weer opbelt. We willen zeker weten dat ze leeft en dat het goed met haar gaat.'

Onmiddellijk hierna verbreekt hij de verbinding opnieuw.

Jochem neemt rustig een slok cola, maar zet zijn glas snel terug als het beltoontje klinkt. Zijn gezicht begint zichtbaar te stralen en hij steekt zijn duim omhoog naar Pieter.

'Dus het gaat goed met je,' hoort hij Jochem zeggen. Pieter weet de neiging om mee te luisteren te bedwingen. Hij vindt dat Jochem de kans moet krijgen om even alleen met Sharilla te spreken. Die kans heeft hij tenslotte met Bonnie ook gehad.

'Bonnie,' mompelt hij voor zich uit. Het nadenken over de moordpoging op de Rat heeft hem zo in beslag genomen, dat Bonnie even op de achtergrond is geweest. Maar nu is zij volledig terug in zijn gedachten. Met een schok realiseert hij zich dat hij haar na de ontmoeting met de Rat in de haven meteen had moeten bellen. Het is belangrijk dat ze weet dat dokter Lopez hun gesprek heeft afgeluisterd. Maar dan realiseert hij zich dat het alleen zin heeft om te bellen als hij haar op haar mobieltje kan bereiken. Op de vaste nummers in de kliniek en het hotel zal het gesprek zeker worden afgeluisterd.

'We werden weer verbroken,' laat hij Pieter weten. Maar ondanks dat straalt zijn gezicht nog steeds.

'Het gaat goed met haar,' vertelt hij Pieter. 'Meer mocht ze niet vertellen.'

Minder dan twee minuten later gaat de telefoon opnieuw. Pieter ziet hoe een aantal mensen in de omgeving verstoord naar ze kijken. Blijkbaar beginnen de vele telefoontjes hen te irriteren.

'We wachten op je in het Intercontinental Hotel,' hoort hij Jochem zeggen. 'Kom maar naar het dak toe, dan krijg je daar de koker.'

Pieter is tot het uiterste gespannen. Hij kan zich niet goed op het gesprek concentreren.

Zijn hoofd is gevuld met de gedachte aan Bonnie.

'Hij wilde eerst niet,' grijnst Jochem als het gesprek is afgelopen. 'Ik heb hem gezegd dat wij geen risico willen lopen om door hem vermoord te worden en dat we daarom alleen maar hier willen afspreken. Ik heb hem al gezegd dat hij beneden door een poortje moet, dus dat hij zijn wapens beter thuis kan laten. Toen hij nog steeds niet wilde, heb ik gedreigd dat het niet doorging.'

Gespannen fluistert Pieter: 'Dus hij komt?'

'Over een kwartier is hij hier.'

'Vijftien minuten,' stamelt Pieter. 'Maar hoe? Wat moeten we doen? Hoe moeten we het aanpakken?'

Hij lijkt zijn eigen vragen al vergeten als hij zijn hand uitsteekt naar de telefoon. 'Ik moet Bonnie waarschuwen.'

'Yes,' roept hij blij als zij deze keer haar mobieltje beantwoordt.

Hij is zeker al vijf minuten in gesprek als Jochem hem aanstoot en op zijn horloge tikt.

'Over tien minuten is hij hier. We moeten wel weten wat we gaan doen.'

'Dokter Lopez doet nog steeds even aardig tegen haar,' vertelt Pieter snel als hij klaar is. 'Hij heeft er niets van laten merken dat hij heeft afgeluisterd.'

Jochem knikt gehaast. 'Goed. Maar wat gaan we nou doen? We kunnen moeilijk vragen of we een foto van hem mogen maken bij de dakrand. "Ja, nog een stapje naar achteren, meneer Rat, en nu nog een klein stapje",' laat Jochem horen.

Hij haalt nadrukkelijk zijn schouders op om duidelijk te maken dat deze truc niet zal werken en kijkt Pieter serieus aan. 'We moeten een goed plan hebben Pieter, en snel ook.'

Pieter geeft de indruk dat het gesprek met Bonnie hem nieuwe energie heeft gegeven. Hij recht zijn rug. Lang duurt het niet voor hij begint te fluisteren.

Tennisballenkanon

Het blauwe gaasdoek dat rondom de kooi van de tennisbaan is gespannen zorgt ervoor dat Pieter vanuit het zwembad onzichtbaar is. Zelf wacht hij op de achterste tennisbaan de komst van

de Rat af. Jochem staat in de andere kooi, die van de baan ernaast. Die tennisbaan ligt dichter bij het zwembad. Het is niet zo
dat niemand weet dat ze op de tennisbaan zijn. Ze hebben zich
keurig gemeld bij de badmeester en ze hebben toestemming gekregen om te tennissen. Hij heeft hun rackets gegeven en uitgelegd hoe het ballenkanon werkt. Pieter staat met zijn neus tegen
het blauwe doek aangedrukt. Vanaf een afstand lijkt het doek
een geheel, maar van dichtbij zijn de gaatjes duidelijk zichtbaar.
Die gaatjes komen goed van pas. Enerzijds omdat de wind erdoor kan, wat voorkomt dat de tennisbaan een oven wordt. An-
derzijds kan Pieter nu in de gaten houden wat er bij het zwembad gebeurt. Omdat de tennisbaan aan de achterzijde van de
liftkoker liggen, kan hij de liftdeuren niet zien. Maar horen kan
hij ze wel. Sinds het laatste telefoontje met de Rat zijn er meer
dan twintig minuten verstreken. In al die tijd is de lift eenmaal
op de daketage geweest om een nieuwkomer te brengen en dat
is alles. De Rat had er al moeten zijn, dat weet Pieter maar al te
goed. Hij begint te twijfelen of de man wel zal komen. Vermoedt
de Rat misschien dat het een valstrik is? Pieter overdenkt die
mogelijkheid, maar kan op geen enkele manier ontdekken hoe
de Rat dat zou kunnen weten. Zelfs als Lopez het mobieltje van
Bonnie heeft afgeluisterd kunnen ze het nog niet weten. Hij
heeft Bonnie niet verteld dat ze op het punt staan iemand te vermoorden. Hij drukt zijn gezicht zo mogelijk nog strakker tegen
het gaatjesdoek als een hoge zoemtoon opnieuw de komst van
de lift aankondigt. Dat Jochem het ook heeft gehoord, is meteen
duidelijk.

'Dat moet hem zijn, anders word ik gek,' roept die vanaf de andere baan.

'Oké, bellen dan maar. Nu!' Pieter schrikt van zijn eigen stem.
Hij hoopt dat het niet te hard was. Met geen mogelijkheid kan
hij de rillingen onderdrukken die door zijn lijf trekken. Hij sluit
heel even zijn ogen als de Rat in beeld verschijnt, maar dwingt
zichzelf om ze meteen weer te openen. Hij hoort het beltoontje
niet, maar hij ziet wel hoe de Rat een mobieltje van zijn riem
rukt en de oproep beantwoordt.
Hij kan niet horen wat Jochem zegt. Veel woorden kunnen het
niet zijn. De bewegingen van de Rat maken duidelijk dat het gesprek vrijwel meteen weer is afgelopen. Pieter ziet hoe de man
verbaasd naar zijn mobieltje staart, alsof hij verwacht dat er

meer gaat komen. Maar dan, met de telefoon nog in zijn hand, flitsen zijn ogen over het dak. Pieter duikt in elkaar als de ogen van de Rat op de tennisbanen gericht blijven.

'Nu moet het gebeuren,' mompelt Pieter voor zich uit. Hij heeft zich de hele tijd voorgenomen om er niet meer over na te denken. Gewoon doen, houdt hij zichzelf voor. Die kerel is een verschrikkelijke rotzak, weerklinken de woorden van Jochem in zijn hoofd. Maar tegelijkertijd weet hij dat ook een rotzak als de Rat familie heeft. Misschien heeft de man wel kinderen, speelt er door zijn hoofd. Op weg naar de achterkant van de baan, schudt hij zijn hoofd. Hij kan geen vader zijn. Zo'n rotzak kan geen vader zijn, houdt hij zichzelf voor. Niemand zal die rotzak missen, vertelt hij zichzelf. Maar hij weet dat hij ongelijk kan hebben.

Aangekomen bij de achterzijde van de baan verbergt hij zich achter het tennisballenkanon dat ze daar neergezet hebben.

'Hij heeft het verdiend, Pieter,' zegt hij harder dan zijn bedoeling was. Hoe hij ook zijn best doet om kalm te blijven, het lukt niet. De gedachten wervelen als een storm door zijn hoofd. De gedachte dat dit hele plan waanzinnig is, dat ze hier nooit meer weg zullen komen, overheerst alles op het moment dat het hek van de kooi piepend opengaat. Het liefst zou Pieter opspringen en langs de Rat naar de uitgang rennen. De man zal vast te verbaasd zijn om meteen te reageren. Bovendien zal hij eerst doorlopen naar het tennisballenkanon. Als alles goed is heeft Jochem hem wijsgemaakt dat de koker achter het kanon ligt. Misschien zullen ze nog op tijd bij de trap kunnen komen om te ontsnappen. Maar ondanks deze gedachte blijft Pieter gebukt zitten. Hij spant zijn spieren. Klaar om in actie te komen. Met ingehouden adem probeert hij te ontdekken waar de man is gebleven. Waarom hoort hij hem niet? Met moeite weet hij de neiging te onderdrukken om zijn hoofd om het hoekje te steken en te kijken. Waarom roept Jochem niet, zoals ze hebben afgesproken? Wat is er mis? Hij weet dat hij in paniek raakt, maar hij kan er niets aan doen.

'Niet meer wachten,' mompelt hij.

Gebukt achter het kanon reikt hij naar boven. Zijn hand trilt zo heftig dat hij niet meteen kan vinden wat hij zoekt.

Ondanks dat het fluitsignaal van Jochem niet hard is, dendert het door zijn hoofd. Hij moet nu in actie komen, weet hij. Nu

177

meteen. Maar als hij nu de goede schakelaar niet vindt is het af-gelopen. Volkomen automatisch schiet hij omhoog. Zijn herse-nen registreren hoe de Rat op het andere baanvak verschrikt blijft staan. Pieter knippert en knippert om zijn ogen scherp te stellen op de bedieningsknoppen.

'Toe nou,' jammert hij hardop.

In een flits ziet hij hoe de Rat weer in beweging komt en op hem toeloopt. Hij weet dat dit zijn laatste kans is. Eindelijk denkt hij de goede schakelaar gevonden te hebben. Hij rukt het ding in de goede stand en het kanon komt meteen tot leven. Met een sier-lijke boog wordt de eerste bal afgeschoten. Pieter draait de scha-kelaar door tot in de hoogste stand. De schuifjes om de balsnel-heid en het aantal ballen per minuut te regelen heeft hij al eerder in de hoogste stand geschoven. Het apparaat heeft even nodig om het nieuwe commando te verwerken, maar dan gaat het ook enthousiast aan de gang. In een moordend tempo worden de ballen weggeschoten. Pieter grijpt de besturingshendel en richt op de Rat. Die slaat de handen beschermend voor zijn gezicht. Maar een voltreffer van vier snoeiharde tennisballen in zijn kruis laat hem dubbelslaan. Pieter hoopt maar dat de man niet zal gaan gillen. Pottenkijkers kunnen ze nu niet gebruiken. Zorgvuldig mikt hij op de meest kwetsbare deel van zijn doel-wit. Het hoofd van de man.

'Raak,' juicht hij inwendig als een eerste bal de Rat vlak voor het oor raakt en een tweede en een derde. Pieter werpt een snelle blik op het ballenreservoir. Tot zijn schrik is hij al ver over de helft van zijn ballenvoorraad. De Rat kronkelt over de grond met twee handen in zijn kruis geslagen.

'Lig dan stil, man,' roept Pieter zachtjes voor zich uit. Op de achtergrond ziet hij hoe Jochem het hek, dat hij eerder achter de rug van de Rat heeft gesloten, openmaakt. Eenmaal binnen trekt hij het hek weer dicht. Omdat ze zijn omgeven door het blauwe doek zijn de gebeurtenissen op de tennisbaan nu on-zichtbaar voor de anderen op het dak. Alleen het zachte plop-pen van het kanon is hoorbaar. Pieter ziet hoe zijn vriend een ontrekkende beweging maakt naar het net. Daar aangekomen sluipt hij onder de bescherming van het net in de richting van de Rat. Pieter zwenkt de loop opzij als Jochem de zijkant van het net heeft bereikt en in de vuurlijn terecht dreigt te komen. Zodra de kust veilig is, schiet hij omhoog. Hij rent op de Rat af.

Pas op het laatste moment krijgt de kreunende man Jochem in de gaten. Maar dan is het te laat. Jochem haalt genadeloos uit met zijn racket en bezorgt de man een stevige slag in diens nek. Het duurt even voor het tot Pieter doordringt dat hij door zijn ballenvoorraad heen is. Zonder het bewegingloze lichaam van de Rat met zijn ogen los te laten draait hij de schakelaar terug in de nulstand. Jochem houdt het racket opnieuw boven zijn hoofd. Het ontgaat Pieter niet dat zijn vriend net zo hevig trilt als hij zelf.

'Als hij beweegt sla ik opnieuw,' laat Jochem met een grimmige trek rond zijn mond weten.

Op de achtergrond is het gespetter van water in het zwembad te horen.

'Heb je hem...?' vraagt Pieter weifelend terwijl hij op ze toeloopt.

'Ik..., weet ik veel,' antwoordt Jochem met een vreemde klank in zijn stem. Pieter haalt diep adem en probeert kalm te worden. 'Zijn telefoon,' sist Jochem. 'Je moet zijn telefoon afpakken en kijken wat hij verder in zijn zakken heeft. Ik hou hem in de gaten.'

Pieter knikt aarzelend. Hij weet wat hem te doen staat, maar hij verheugt zich er niet op. Langzaam loopt hij naar het lichaam en bukt. Met ingehouden adem begint hij aan zijn onderzoek. Een paar tellen later ligt het resultaat op de baan. Een telefoon, een portefeuille en wat kleingeld.

'Pak zijn horloge ook maar,' luidt het advies van Jochem. Op de vragende blik van Pieter reageert hij met: 'Als hij straks... Nou ja, hij moet zo min mogelijk bij zich hebben aan de hand waarvan ze hem kunnen herkennen. Als Pieter niet in beweging komt voegt hij er aan toe: 'Lopez mag voorlopig niet te weten komen dat... Toe nou maar. Ik heb het in een film gezien. Toe nou.'

Pieter zucht en pakt voorzichtig de pols van de man. Heel zachtjes voelt hij de hartslag. Dood is hij dus nog niet, constateert Pieter. In plaats van teleurstelling voelt hij slechts opluchting. Opluchting omdat ze de Rat niet vermoord hebben. Dat gevoel is maar van korte duur, want hij weet dat ze verder moeten met hun plan. Bibi en de anderen zullen de koker nooit afstaan als Jochem en hijzelf de afspraak niet nakomen. Daar is hij vast van overtuigd. Hij klikt de stalen horlogeband los. Met een schok dringt het tot hem door dat de man een ring draagt. Eentje met een klein glinsterend steentje erin. Terwijl hij naar de ring staart, houdt hij de pols van de Rat vast. Zie je nou wel, praat hij in zichzelf. Hij is dus getrouwd. En als hij getrouwd is heeft hij vast ook kinderen. Ze zijn dus misschien bezig om een vader te vermoorden.

'Pak die ring ook maar,' dringt de stem van Jochem tot hem door. 'Die kunnen ze ook gebruiken om uit te zoeken wie hij is.' Pieter staart even naar de ring, maar raakt het ding niet aan.

'Nee,' zegt hij dan beslist. 'Daar begin ik niet aan.'

'Mij ook best,' verzucht Jochem. 'Maar we moeten hem wel hier wegslepen.' Jochem aarzelt even, maar vraagt dan eindelijk: 'Is hij eh, is hij trouwens, nou ja, eh, dood?'

'Ik voel zijn polsslag nog,' laat Pieter weten.

Hij kan niet ontdekken of Jochem teleurgesteld is of net als hijzelf opgelucht, als zijn vriend reageert met een eenvoudig: 'O.'

'Ik ga wel even kijken of de kust veilig is,' bedenkt Pieter. 'Hou jij hem in de gaten?'

Zonder op antwoord te wachten komt Pieter omhoog en loopt naar het hek. Hij duwt het op een kier en krijgt de schrik van zijn leven. De ober die hun de cola's heeft gebracht lijkt in aantocht. Pieter duwt het hek voorzichtig weer dicht en blijft er met zijn rug tegenaan hangen. Hij voelt zijn hart in zijn keel kloppen. Hij weet dat hij hier niet kan blijven staan om het hek dicht te houden. Maar wat moet hij dan? Als de ober binnenkomt zal hij de Rat zien en wat dan?

Jochem heeft in de gaten dat er iets niet klopt en vraagt met zijn handen wat er is.

Zonder geluid te maken vormt Pieter de woorden op een overdreven manier met zijn mond. 'Er komt iemand aan.'

Gewoon doen alsof er niets aan de hand is, weet hij plotseling. Dat is de beste kans die ze hebben. Hij holt terug en grijpt de Rat bij een arm. Met zijn hoofd knikt hij naar de drie stoelen die langs de kooiwand staan. 'We zetten hem in een van die stoelen,' sist hij. 'Snel, er komt iemand aan. Het moet lijken alsof wij aan het tennissen zijn.'

'Blijf zitten, man!' sist Jochem als ze de Rat op zijn plaats hebben en de man naar opzij dreigt te zakken.

Een paar tellen later slaat Pieter zijn eerste bal. Jochem slaat hard en veel te hoog terug. Zijn bal raakt de kooiwand net op

180

het moment dat het hek aan die kant opengaat. Automatisch duikt de ober in elkaar. Maar hij herstelt zich snel.

'Sorry, sorry, dat ik uw spel onderbreek,' begint hij zich meteen te verontschuldigen. 'Maar eh, mijn dienst zit erop en u, eh ik weet uw kamernummer nog niet om af te rekenen.'

Pieter ziet hoe de ogen van de ober over de baan dwalen en blijven rusten op het slappe lichaam van de Rat. Hij verstijft als hij ziet hoe het lichaam van de man opnieuw naar opzij glijdt.

Jochem is al onderweg naar ze toe en kijkt Pieter en de ober lachend aan. Hij houdt zijn vinger voor zijn mond en als hij dichtbij genoeg is zegt hij: 'Oom Harry is weer in slaap gevallen. Dat doet hij nou altijd op de tennisbaan,' gaat Jochem vrolijk verder. De ober knikt alsof hij het begrijpt, maar ondertussen blijft hij met grote ogen naar het lichaam staren. Jochem draait zich net op tijd om, om net als de anderen te zien hoe het lichaam van de Rat uit evenwicht raakt en de man voorover uit zijn stoel duikelt.

'Eh, niets doen,' bedenkt Jochem snel. 'Ik denk dat oom Harry zo gaat slaapwandelen. Daar heeft tante voor gewaarschuwd. Als we hem nu wakker maken is het gevaarlijk. Dan kan hij heel agressief worden. We kunnen beter even naar buiten gaan.'

Met ogen vol verbazing kijkt de man van Jochem naar de Rat en weer terug.

Pieter heeft zich hersteld van de schrik en pakt de man bij diens arm.

'Kom maar, het is waar wat mijn vriend zegt. Hij kan ongelofelijk kwaad worden als we hem nu wakker maken.'

'We vragen straks aan je vader wat we moeten doen,' bedenkt Jochem om het geloofwaardiger te maken. 'Het is zijn broer tenslotte.'

Pieter knikt heftig van ja en weet ondertussen de ober naar buiten te werken. Die begint al aan de terugweg, maar bedenkt dan waarvoor hij eigenlijk kwam.

'Ik ga wel even geld halen,' zegt Jochem, als blijkt dat Pieter de laatste dollars heeft uitgegeven.

Jochem doet voorzichtig het hek weer open en legt zijn vinger nadrukkelijk op zijn mond. 'Hij kan ook gaan bijten als hij wakker schrikt. Ja toch,' zegt hij zacht, maar hard genoeg om de ober te laten meeluisteren.

'Ja,' sist Pieter terug. 'Doe voorzichtig hoor.'

Een paar tellen later is Jochem terug met in zijn ene hand de

portefeuille van de Rat en in de andere hand een paar bankbiljetten. Hij geeft ze aan de ober. Terwijl die naar het geld staart
laat Jochem snel even de meer dan goedgevulde portefeuille
aan Pieter zien.

'Dat is veel te veel,' stamelt de ober die nog steeds niet in zijn
gewone doen is.

'Voor de goede service,' grijnst Jochem.

'O!' roept Jochem de ober achterna. 'Waarschuw de anderen
maar dat er voorlopig niemand in de buurt moet komen!'

De jongens staren de ober na als die wegloopt.

'Zou hij het geloven?' vraagt Pieter zich zachtjes af.

'Als hij straks beneden ligt zullen ze misschien denken dat hij
van het dak af is geslaapwandeld,' reageert Jochem. 'Cool toch,'
grijnst hij.

'Die ring is vast een trouwring,' begint Pieter op fluistertoon.

'Ja, nou en?'

Hij kijkt meteen weer ernstig als Pieter hem beschuldigend aankijkt. 'Ik weet wel dat dit geen film is, hoor,' verdedigt Jochem
zichzelf al bij voorbaat.

'Ik bedoel, misschien heeft die man wel kinderen. Dan is hij
vader. We kunnen toch geen vader vermoorden?'

'Die kerel is een rotzak, Pieter. Een ongelofelijke rotzak. Hij
wilde óns vermoorden en hij heeft vast en zeker al die kinderen
van de vuilnisbelt ontvoerd en vermoord. Je zei zelf dat het een
sadist is en wie weet wat hij met de vriendin van Bibi heeft uit-
gespookt.'

Pieter schudt de gedachte van zich af. Daar wil hij niet over
denken. Maar het is geen toeval dat hem op datzelfde moment
een opmerking te binnen schiet die hij in de helikopter gehoord
heeft. Hij kan zich de woorden van de collega van de Rat nog
letterlijk herinneren: *Je bent een echte sadist Benigno. Een smerige,
moordlustige rat.*

'Die sadist kan nooit een goede vader zijn,' fluistert Jochem verder. 'Die kinderen zijn vast beter af zonder hem.'

Terwijl Pieter zucht, legt Jochem een arm over zijn schouder.
'Kom op, man. We moeten verder. We slepen hem naar de rand
en dan...'

In plaats van zijn zin af te maken haalt Jochem zijn schouders
op. 'Het moet, Pieter. We kunnen Sharilla en Bonnie niet in de
steek laten.'

Pieter op zijn beurt vraagt zich af wat Bonnie ervan zal zeggen als ze erachter komt dat hij een moordenaar is.

Een slaapwandelaar

Vanaf de tennisbaan naar de dichtstbijzijnde dakrand is het niet ver. Een meter of dertig, schat Pieter. De liftkoker en de kleedhokjes ernaast zorgen ervoor dat de route naar de dakrand vanuit het zwembad maar gedeeltelijk zichtbaar is.

Met zijn tweeën hebben ze het slappe lichaam van de Rat al naar de uitgang van de kooi gesleept. Ondanks dat de man niet zwaar is, hijgen ze allebei.

Pieter opent langzaam het hek en verkent de omgeving buiten de tenniskooi.

'Ik hoop maar dat we niet juist de aandacht op onszelf hebben gevestigd,' zegt hij licht hijgend.

'Hoezo?'

'Ja hoezo? Met dat verhaal over slaapwandelen natuurlijk.'

'Ik moest toch iets bedenken?'

'Dat is het ook niet. Het is goed bedacht, maar we weten niet wat ze ermee doen.'

'Nou, kunnen we of kunnen we niet?' vraagt Jochem ongeduldig.

Pieter kijkt een laatste keer in de richting van het zwembad en haalt zijn schouders op. 'We kunnen.'

Ze pakken de Rat bij zijn polsen en slepen hem het dak op. Zwijgend en zwoegend overbruggen ze de meters naar de dakrand. 'Mooi zo,' fluistert Jochem, als ze ongezien de bloembakken bereiken die als afscheiding dienen. Pieter duwt iets van de lagere begroeiing opzij. Daardoor ziet hij dat de bloembakken nog een kleine twee meter van de dakrand afstaan. Vlak bij de rand loopt een stalen staaf die nog het meest op een spoorrail lijkt. Een snelle blik opzij leert Pieter dat het een geleiderail is voor de lift van de glazenwassers. Vrijwel meteen na de rail volgt de afgrond. Omdat de bloembakken een aaneengesloten rij vormen, zullen ze de Rat er overheen moet tillen, dwars door de begroeiing heen. Het zachte gekreun verraadt dat de man nog steeds leeft.

'Kom op, Pieter,' spoort Jochem hem aan.

'Zonde van die mooie bloemetjes,' grapt Jochem als hij ze plattrapt om een doorgang te maken. Maar zijn ernstige gezicht en het trillen van zijn handen verraadt dat hij minder kalm en vrolijk is dan hij zich voordoet. Ze hijsen en sjorren aan de armen van de man maar het wil niet lukken.

'Eerst zijn benen dan maar,' besluit Pieter Als dat nog minder goed lukt, proberen ze toch maar weer eerst zijn bovenlichaam omhoog te krijgen. Ze gaan allebei in de bloembak staan en trekken de man langs de stenen bak omhoog. Eindelijk slagen ze erin om zijn billen over de binnenrand van de bak te krijgen. Vanaf dat moment gaat het snel. Ze trekken ook de benen van de man erover en leggen het lichaam languit achter de bloembakken.

'Niet naar beneden kijken,' waarschuwt Pieter zijn vriend. 'Sommige mensen krijgen dan juist de neiging om te springen.'

'Nou, ik niet!' laat Jochem weten.

'Maar hij vandaag wel,' voegt hij er even later met een knik naar de Rat aan toe.

'Shit, we krijgen bezoek,' fluistert Jochem als hij de platgewalste bloemen en planten weer een beetje in model probeert te krijgen.

Pieter zit al laag, maar na deze waarschuwing laat hij zich plat op zijn buik vallen, met zijn gezicht vlak bij de voeten van de Rat.

'Het is de badmeester met de ober,' doet Jochem verslag van wat hij tussen de begroeiing door ziet.

'Als ze ons vinden, zeggen we gewoon dat oom Harry hier naar toe is gewandeld en dat we nog maar net konden voorkomen dat hij van het dak afstapte.'

Pieter is te gespannen om hierop te reageren.

'Omlaag,' sist hij naar Jochem. 'Je moet ook komen liggen.'

'Ze gaan nu in de kooi naar binnen,' laat Jochem weten.

'Dus ze op zoek naar ons,' weet Pieter.

'We moeten hem nu over de rand duwen, Pieter,' sist Jochem. 'Een tweede kans krijgen we vast niet meer.'

Als de Rat opnieuw kreunt zegt Jochem: 'Zie je wel. Hij is het er mee eens.'

Pieter knikt zwakjes. Hij weet dat Jochem gelijk heeft. Een tweede kans krijgen ze misschien niet. Als ze de Rat nu over de rand duwen kunnen ze tegen de anderen zeggen dat ze ook op zoek zijn naar de slaapwandelende oom. Ze zullen vast niet meteen merken dat die inmiddels beneden ligt. Dat zal hen hopelijk de tijd geven om te ontsnappen.

Jochem heeft zich ook plat op zijn buik laten zakken. Hij ligt bij het hoofd van de Rat en begint al aan de man te sjorren.

'Kom op Pieter!' sist hij.

Pieter probeert te slikken. Zijn keel voelt droog en zijn handen trillen als een gek. Hij ziet hoe ver beneden hen een wazige blauwe wolk als een deken over de stad hangt. De straten puilen uit van het verkeer en de mensen krioelen als mieren door elkaar. Hij vraagt zich plotseling af hoe lang het lichaam van de Rat erover zal doen om naar beneden te vallen. Hij heeft de voeten al vast en begint net als Jochem aan het lijf van de Rat te sjorren. En waar zal de man terechtkomen? Dat is de volgende vraag die door zijn hoofd speelt. Vrijwel meteen sluit hij zijn ogen bij het besef dat ook anderen het slachtoffer kunnen worden van het neerstortende lijf. Volkomen onaangekondigd krijgt hij het krankzinnige beeld voor ogen van Bonnie die beneden op straat loopt. In een flits ziet hij een bizar beeld voor zich: hoe het vallende lichaam van de Rat haar verplettert. Zijn trillende handen laten de enkels van de Rat los.

'Het kan niet,' sist hij naar Jochem. 'Het is te gevaarlijk. We kunnen wel iemand anders vermoorden.'

Jochem lijkt het niet te horen en doet al zijn best om het bovenlichaam stukje bij beetje verder naar de rand te verplaatsen.

'Stop dan,' sist Pieter. 'Straks valt hij boven op andere mensen.'

Dit maal dringen zijn woorden tot Jochem door. Hij kijkt Pieter even aan, laat de Rat dan los en kruipt op zijn buik de laatste centimeters naar de dakrand. Voorzichtig schuift hij verder tot zijn hoofd zover is dat hij recht naar beneden kan kijken.

'Niets aan de hand,' laat hij vrijwel meteen weten. 'Het is het dak van de eerste of tweede verdieping. Een uitbouw van het hotel.'

Pieter heeft moeite om deze nieuwe informatie tot zich door te laten dringen. De reden is simpel. Nog steeds verzet alles in hem zich tegen de gedachte dat hij iemand gaat vermoorden. Hij had voor zichzelf net een goede laatste reden gevonden om de Rat niet naar beneden te gooien. Die reden lijkt nu weggevallen te zijn.

Jochem hervat zijn werk en doet zijn best om een schouderhelft over de stalen rail te tillen. Het is het laatste obstakel dat de Rat scheidt van de afgrond.

'Je moet meehelpen, Pieter,' fluistert hij dwingend.

Ondanks zichzelf pakt Pieter de enkels weer en begint te sjorren. Maar het is alsof alle kracht uit zijn lichaam is verdwenen. Zijn ogen voelen vochtig als hij knippert en met zijn hoofd schudt. Heel even heeft hij het gevoel dat hij ontwaakt uit een droom. Een heel nare droom.

'Dit mag niet,' mompelt hij geluidloos voor zich uit. Hij laat de enkels los en fluistert nauwelijks hoorbaar: 'Stop!'

'Stop,' zegt hij iets harder als Jochem niet reageert.

Met opnieuw een zwakke stem zegt hij: 'We doen het niet.'

'Kom op nou Pieter. Dit is de laatste kans.'

'Nee,' is het antwoord van Pieter.

Hij kijkt zijn vriend nadrukkelijk aan en zegt nu krachtiger: 'Nee, het kan niet.'

'Kijk dan man. Het kan prima, nog een paar centimeters.'

'Ik doe het niet.'

Nu laat ook Jochem de Rat los. De opluchting in diens stem ontgaat Pieter niet als zijn vriend zegt: 'Oké dan, dan doen we het niet.'

Een paar tellen staren de jongens elkaar bewegingloos aan. Pieter voelt zijn hart in zijn keel kloppen. Hij haalt diep adem in een poging kalm te worden.

'We mogen het niet doen,' zegt hij ten slotte zachtjes. Met ingehouden adem wacht hij op een reactie. Die laat niet lang op zich wachten. Jochem wendt zijn ogen af, knikt zwakjes en zegt nauwelijks verstaanbaar: 'Je hebt gelijk.'

Pieter ademt zachtjes uit en staart naar zijn hevig trillende handen.

'We kunnen hem hier niet laten liggen,' weet hij eindelijk uit te brengen. 'Dat is te gevaarlijk.'

Als Jochem niet meteen reageert, kijkt Pieter angstig op. Bang dat zijn vriend toch wil doorzetten. Maar die angst blijkt onnodig. Jochem knikt en fluistert: 'Als ze weg zijn, slepen we hem terug naar de tennisbaan. Dan sluiten we hem op in de kooi.' Na een korte stilte voegt hij er aan toe: 'We binden hem daar vast en dan smeren we hem.'

'Wat doen jullie daar?'

De woorden schokken door Pieters hoofd. Verland van schrik

blijft hij roerloos liggen. Zelfs zijn ogen durft hij niet te bewegen. Ook Jochem heeft tijd nodig om van de schrik te bekomen, maar hij blijkt toch als eerste in staat om iets te zeggen.

'Ssstt,' sist hij, om met trillende stem verder te gaan. 'We proberen om Harry te redden. We hebben hem even niet in de gaten gehouden en toen is hij hier naartoe gekropen. Over de bloembakken en dwars door de struiken. We waren nog net op tijd om hem vast te grijpen.'

Jochem haalt even diep adem. Zonder twijfel in een poging om kalm te worden. Dan fluistert hij verder: 'Hij slaapwandelt nog steeds. Als hij nu wakker wordt weet ik zeker dat we het geen van allen overleven.'

Pieter weet een zwakke knik te produceren. Eindelijk durft hij omhoog te kijken. De drie mannen die door de struiken heen naar ze kijken, staan er besluiteloos bij. Het is meer dan duidelijk dat ze niet weten wat ze hiervan moeten denken.

'Is die man jullie oom?' vraagt de badmeester ten slotte. Hij fluistert net als de jongens.

Pieter knikt opnieuw. 'De broer van mijn vader,' antwoordt hij zachtjes.

'Dus hij slaapt nu?' vraagt de badmeester.

'Ja, maar we kunnen beter stil zijn,' sist Jochem.

Pieter verstijft van schrik als de Rat heftig begint te kreunen.

'Hij wordt wakker,' gilt de ober.

Vlak voor zijn ogen ziet Pieter de rechtervoet van de Rat bewegen. Dan, volkomen onverwacht, schokt de man overeind. Nog steeds heftig kreunend, probeert hij steun te vinden met zijn linkerhand, maar grijpt in het niets. In Pieters hoofd lijkt het volgende moment een scène uit een vertraagde film. Hij ziet hoe de ogen van de man zich wijd openen. Zijn handen graaien wild in de lucht. Onafwendbaar kantelt zijn lichaam opzij. Pieter ziet hoe de handen van Jochem naar voren schieten om de man te redden. Volkomen automatisch komt hij zelf ook in actie. Zijn rechterhand flitst door de lucht en klauwt zich vast rond de rechterschoen. Hij voelt hoe hij wordt meegetrokken, terwijl het lichaam van de Rat wegglijdt over de rail. Niet loslaten, dendert er door zijn hoofd. Je mag niet loslaten, Pieter. In paniek graait zijn vrije hand opzij. De bloembakken, weet hij. Ik moet de bloembakken vastpakken.

Yes, juicht hij in zichzelf als zijn hand de betonnen rand van de bloembak vindt. Meteen dringen zijn vingers zich diep in de aarde. Hij sluit zijn ogen en omklemt met zijn andere hand de schoen met alle kracht die in hem zit. De verbeten trek rond zijn mond verraadt de inspanning die hij moet leveren. Maar hij is meer vastbesloten dan ooit om niet op te geven.

Dan is het voorbij. Hij opent zijn ogen en staart met ongeloof naar de lege schoen die in zijn hand is achtergebleven. Het bloed suist door zijn hoofd en de sterren dansen voor zijn ogen. In een poging niet flauw te vallen zuigt hij zijn longen vol. Hij heeft het idee dat hij uren zo ligt. Hij is verdoofd en is niet meer in staat om te denken.

Op het zwakke verkeerslawaai van beneden en de zwembad geluiden na is het doodstil op het dak. Pieter staart volkomen afwezig voor zich uit. Net als Jochem ligt hij bewegingsloos plat op zijn buik.

'Hij is gevallen. Jullie oom is gevallen,' weet de badmeester ten slotte uit te brengen.

De badmeester klimt langzaam en half gebogen over de bloembak heen en stapt op de plek waar een paar tellen daarvoor de Rat lag. Terwijl zijn hand de rand van de bloembak angstvallig omklemt zakt hij door zijn knieën en gaat net als de jongens op zijn buik liggen. Hij schuift voorzichtig naar de rand en kijkt naar beneden.

'Hij ligt op het dak,' maakt hij de anderen deelgenoot van wat hij ziet. Het is even stil voordat hij er bij zegt: 'Hij beweegt niet.'

'We, we...' stottert de ober, 'we moeten de politie bellen.'

'En de ambulance,' roept de badmeester vanaf zijn plek bij de dakrand. 'Ik geloof dat hij misschien toch beweegt.'

'Ik ga snel bellen,' roept de ober en meteen klinken diens voetstappen. Pieter kan zich maar al te goed voorstellen dat de man blij is weg te kunnen lopen van deze afschuwelijke plek.

Wat heb je nou toch gedaan, Pieter, draait een stemmetje door zijn hoofd. Je had hem hier nooit naar toe mogen slepen, zeurt het stemmetje verder. Hij drukt zijn vuisten tegen zijn slapen in een poging het stemmetje te verdrijven.

Langzaam trekt de verdoving weg uit Pieters hoofd. Hij wordt zich bewust van hun situatie. Hoe onwaarschijnlijk het verhaal over het slaapwandelen ook lijkt, tot op heden lijken de ober en de badmeester het te geloven. Maar nu is de politie op komst.

Die zal er achterkomen dat de Rat helemaal geen oom is. En dat is niet alles. De politie zal ook ontdekken dat ze over andere dingen hebben gelogen. Er is geen vader in aantocht en ze hebben geen kamer in het hotel. Het is meer dan duidelijk dat ze hier weg moeten zijn voordat de politie komt. Jochem heeft blijkbaar dezelfde gedachte.

'We eh, moeten je vader bellen,' roept hij richting Pieter.

'Ik blijf wel hier,' reageert de badmeester zonder op te kijken.

'Krijg nou wat,' mompelt Jochem zodra ze zich langs de struiken hebben gewrongen.

'Is er iemand naar beneden gesprongen?' is de eerste vraag die ze te verwerken krijgen uit het toegestroomde publiek.

'Een slaapwandelaar,' reageert Jochem met trillende stem.

'Ach, wat erg.' De mevrouw die de vraag gesteld heeft slaat een hand voor haar gezicht. 'Toch geen kind, mag ik hopen?' is haar volgende vraag.

De jongens schudden gelijktijdig hun hoofd.

Pieter wacht niet af wat er verder komt. Hij grijpt Jochem bij diens schouder en trekt hem mee. Ze zijn al op tweederde van de afstand naar de liftkoker en de deur naar de trappen als Pieter stopt.

'Je tas,' roept hij opgewonden tegen Jochem. 'Die staat nog op de tennisbaan met de telefoons erin.'

'Shit,' zegt Jochem uit de grond van zijn hart. Het volgende moment zijn ze met tas en telefoons terug-keren, zien ze hoe de laatste mensen uit het zwembad klauteren en op weg gaan naar de plek bij de dakrand.

'Wat is er gebeurd?' roepen twee drijfnatte meisjes in het voor-bijgaan.

'Er ligt iemand beneden,' weet Jochem nog uit te brengen.

'We nemen de trap,' beslist Pieter als ze er bijna zijn. Ze stuiven de hoek om bij de liftkoker en kunnen maar net de ober ontwijken. Hij is niet alleen. Pieter herkent de portier van beneden. En de portier herkent hem ook. Maar de mannen zijn niet alleen. Ze hebben een gewapende bewaker meegenomen. Ze weten het, is Pieters eerste gedachte.

De jongens staan doodstil en staren naar de drie mannen.

'Is je vader van het dak afgevallen?' vraagt de portier bezorgd.

'Eh, nou nee, het is mijn oom,' stottert Pieter. 'Hij was aan het slaapwandelen en toen...'

Hij stopt abrupt en staart naar zijn schoenen.

'Maar ik dacht dat je vader...' Op zijn beurt maakt ook de portier zijn zin niet af.

In plaats daarvan neemt de gewapende bewaker die ook met het tweetal is meegekomen het woord: 'De politie is al gewaarschuwd en de ambulance ook. Kom maar met mij mee, dan wachten we binnen op hen. Dan kunnen jullie ook bijkomen van de schrik.'

Met een gevoel van paniek kijkt Pieter naar Jochem. Als hun ogen elkaar ontmoeten is de boodschap duidelijk. Ze weten het allebei. Ze zitten ongelofelijk in de val. Even overweegt Pieter of het niet beter is om maar gewoon met de bewaker mee te gaan. Het lijkt er veel op dat de mensen van het hotel nog steeds het slaapwandelverhaal geloven. Dat betekent dat Jochem en hijzelf nog niet van moord verdacht worden. Maar zodra de politie er is, is alles verloren. Hij richt zijn ogen op de lift en daarna op de deur die toegang geeft tot de trap naar beneden. Welke moeten ze kiezen? Hij weet het niet. De drie mannen zullen onmiddellijk in actie komen. Maar wat dan? Toch met de bewaker meegaan? Nee, beslist hij voor zichzelf. Zijn ogen flitsen nerveus heen en weer, maar blijven ten slotte rusten op de deur die naar de trap leidt.

'Kom maar mee,' zegt de bewaker en hij doet een stap naar voren. Tijd om na te denken is er niet meer. Volkomen automatisch graait Pieter opzij en grijpt Jochem bij zijn T-shirt.

'Kom op, de trap!' schreeuwt hij uit. Tegelijkertijd weet hij dat ze zichzelf nu verraden hebben. Nu ze op de vlucht slaan kan iedereen bedenken dat er iets niet klopt. De verrassing bij de drie mannen is blijkbaar groot. Het duurt dan ook even voor de eerste in beweging komt. Het is de bewaker. Maar dan heeft Pieter de deur al naar binnen toe opengeduwd. Ze wringen zich gelijktijdig naar binnen en knallen de deur dicht.

'Wat doe je nou?' schreeuwt Jochem van vlakbij.

'Kom op!' schreeuwt Pieter nog maar eens. Een antwoord kan hij Jochem niet geven. Eerlijk gezegd weet hij zelf maar nauwelijks waar ze mee bezig zijn. Of eigenlijk weet hij het wel. Het is een wanhopige poging om te ontsnappen. Een poging die eigenlijk niet kan slagen.

Een wilde ruk is voldoende om een karretje gevuld met gebruikte handdoeken voor de deur te trekken.

'Dit gaat nooit lukken, Pieter,' gilt Jochem als ze de eerste treden naar beneden springen. Ze hebben de bovenste verdieping al bereikt als een donderend geluid door het trappenhuis galmt. Pas halverwege de afdaling naar de volgende verdieping dringt het tot Pieter door dat het het karretje met de handdoeken moet zijn dat de trap afkomt. Op dat moment is de achtervolging door de anderen hoorbaar begonnen. Hun voeten stampen op de treden. Ze schreeuwen opgewonden. Pieter stelt zich voor hoe de bewaker het wapen al in zijn hand heeft. Misschien schiet hij wel zodra hij ze in het oog krijgt. Met twee, drie treden tegelijk springt hij naar beneden. We redden het niet. We komen nooit naar buiten, dendert er door zijn hoofd. De vijf paar voeten die door het trappenhuis stampen, maken een vreselijk kabaal. Het dringt maar vaag tot hem door. Hij onderdrukt de neiging om te kijken hoe ver de achtervolgers nog weg zijn. Hij weet dat één misstap voldoende is om de voorsprong die ze hebben, kwijt te raken. Terwijl zijn voeten als vanzelf hun werk doen vormt zich in zijn hoofd een plan. Een waanzinnig plan, maar het is het enige dat hij kan bedenken.

Glazenwassers

Pieter heeft er geen idee van hoe groot hun voorsprong op de drie achtervolgers is. Hij hoopt groot genoeg om het eerste deel van zijn plan te laten slagen. Hij springt de laatste drie treden naar de nieuwe verdieping omlaag en grijpt de deurknop vast. 'Wat ga...?' sist Jochem, maar hij slikt de rest van zijn vraag in. Pieter weet dat er geen tijd is om eerst voorzichtig te verkennen. Hij rukt de deur open en staat met een grote pas op de hotelgang. Jochem volgt hem op de voet. Pieter weet net op tijd de deur vast te grijpen als die automatisch terugvalt. Met trillende handen duwt hij de deur de laatste centimeters terug op zijn plek. De deuren van de hotelkamers zijn gesloten en de gang is gelukkig verlaten.

'Man,' hijgt Jochem achter hem. 'Wat nu weer.'

'Sssstt,' is de enige reactie van Pieter.

Met een hand nog steeds op de deurknop en terwijl hij zijn hart in zijn keel voelt kloppen, wacht hij ademloos af. Het gebonk van de voetstappen op de betonnen treden wordt snel heftiger.

Het volgende moment zijn ze gepasseerd. Alsof hij het zelf niet wil geloven, blijft Pieter naar de deur staren.

'Ze zijn voorbij, maar wat nu?' fluistert Jochem in zijn oor.

'Terug naar boven.'

'Voor een lekkere frisse duik,' reageert Jochem luchtigjes. 'Nou, goed idee, dat lijkt me wel wat.'

Het is even stil voordat hij verder gaat. 'Kom op man. Terug naar boven, dat is toch onzin.'

Pieter heeft de deurknop nog steeds vast als hij fluistert: 'We moeten aan de buitenkant naar beneden zien te komen.'

'Ja, ja,' reageert Jochem op een veelzeggende manier. 'En hoe wil je dat dan doen? De badlakens als parachute gebruiken soms?'

'Met de lift van de glazenwassers.'

Als Jochem hem stomverbaasd aankijkt, zegt Pieter nog maar eens: 'Met de lift voor de glazenwassers. Je hebt me zelf op het idee gebracht.'

'O, ja. We fluiten even naar beneden en vragen of ze ons op komen halen. Ik begrijp het.'

'Mag ik even? Aan iedere kant van het gebouw hangt zo'n ding. We nemen gewoon onze eigen lift.'

Als het weer stil blijft, vraagt Pieter: 'Snap je?'

'Ja hoor,' antwoordt Jochem gemaakt vrolijk. 'Ik snap het helemaal. Maar ben je niet bang dat we daarmee een beetje opvallen?'

'Hopelijk denkt iedereen dat we glazenwassers zijn, net als in die andere lift. Bovendien, weet jij iets beters dan?'

Opnieuw blijft het stil, maar dan volgt ten slotte een kort 'nee'.

'Niemand mag zien dat we erop klimmen,' gaat Pieter verder. 'We pakken de andere kant van het gebouw bij het zwembad. De rest staat nu toch bij de plek waar eh...'

Met dat hij de woorden uitspreekt voelt hij zijn hart wild tekeer gaan. De kans dat dit plan slaagt is wel heel klein. Maar ze moeten iets doen. Ze moeten uit het hotel weg zijn voordat de politie iets komt. Automatisch kijkt hij even op zijn horloge. Alsof de tijd er op dit moment iets toe doet. Hij heeft zijn pols alweer weggedraaid als het tot hem doordringt dat het vijf minuten voor twaalf is. Uiterlijk twaalf uur, heeft de Rat gezegd, anders... Niet aan denken, spreekt hij zichzelf kwaad toe.

'We kunnen misschien maar beter terug gaan dan,' dringt de

fluisterstem van Jochem tot hem door. 'Voordat ze in de gaten hebben dat ze niemand meer achtervolgen.'

Als ze terug zijn in het trappenhuis is het meteen duidelijk dat de drie mannen de achtervolging nog niet hebben opgegeven. Het stampen van hun voeten en het schreeuwen klinkt nu gedempt maar dringt nog wel tot de etage van de jongens door.

'Die zijn al aardig op weg naar beneden,' merkt Jochem op.

Hij zet zijn handen als een toeter voor zijn mond en het lijkt alsof hij naar beneden wil schreeuwen.

'Niet doen, man!' sist Pieter geschrokken.

'Nee, natuurlijk niet,' grijnst Jochem. Met nog steeds een fluisterstem laat hij erop volgen: 'Maak maar lekker veel kabaal. Dan horen jullie ons tenminste niet.'

Zonder veel angst dat hun eigen voetstappen door de mannen opgevangen zullen worden, lopen de jongens terug naar boven.

'Dat dacht ik al,' mompelt Pieter als hij onder aan het laatste deel van de trap naar het dak het karretje met gebruikte badlakens ziet liggen.

'Wacht even,' sist hij naar Jochem, die al over het karretje heen klautert. Hij grist wat handdoeken van de trap. Eentje bindt hij rond zijn middel en de ander slaat hij achter zijn rug over zijn schouders.

'Kijk maar uit,' waarschuwt Jochem. 'Straks denken ze nog dat je een spook bent. Dan springen ze allemaal naar beneden.'

Ondanks die opmerking volgt hij het voorbeeld van Pieter. Hij snapt ook dat ze op deze manier hopelijk minder snel herkend zullen worden bij het zwembad. Het zweet loopt Pieter in straaltjes langs zijn lijf als hij ten slotte de deur naar het dak openduwt.

'Geen mens te zien op deze helft van het dak,' laat hij na een paar tellen weten.

'Zo normaal mogelijk lopen,' sist hij nog als ze het dak op stappen. Hij heeft er geen idee van wat ze nu kunnen doen als ze nu ontdekt worden. De liftkoker en de kleed- en toilethokjes zorgen ervoor dat ze hier voor de groep mensen aan de andere kant van het dak onzichtbaar zijn. Maar dat betekent niet dat er geen risico is. Ieder moment kan er iemand met de lift aankomen of één van de mensen uit de groep kan terugkomen. Maar dat is niet alles waar hij zich zorgen over maakt. Hij heeft wel gezegd dat er vier glazenwasserliften zijn, maar hij is er niet zeker van. Van twee weet hij het zeker. De ene die ze aan de voorkant in gebruik hebben gezien en één aan de kant van het gebouw waar de Rat naar beneden is gevallen. In een poging zijn gedachten af te leiden, begint hij te tellen. Bij dertig tellen hebben ze de bloembakken aan de zijkant van het dak bereikt. Voorzichtig, om zo min mogelijk sporen achter te laten, schuift Pieter de beplanting in de bloembak opzij, Jochem staat ongeduldig achter hem. Klaar om door dezelfde doorgang naar de dakrand te komen. Weinig later drukt Jochem de beplanting weer zo goed mogelijk terug op zijn plaats. Pieter is al op weg naar de lift die tot zijn grote opluchting iets verderop uitnodigend klaar hangt.

'Een elektromotor,' fluistert hij goedkeurend nadat ze naar de lift zijn toe gekropen.

'En erg dunne staalkabels,' merkt Jochem op terwijl hij de lift zonder veel enthousiasme bekijkt.

Pieter knikt. Hij is het verhaal van Jochem over de glazenwassers in Parijs nog niet vergeten. Maar veel keus hebben ze niet. Ze zullen deze lift moeten gebruiken. Hij kijkt zelf nog eens goed naar de staalkabels waar de lift aan hangt en moet toegeven dat Jochem gelijk heeft. Ze lijken erg dun.

'Gewoon doen, niet aan denken,' mompelt hij zachtjes. Hij gooit zijn twee badlakens in de kooi naar binnen en slaat voorzichtig een eerste been over de rand. Ondanks wat hij zichzelf net heeft voorgehouden is het moeilijk om niet te denken aan de duizelingwekkende hoogte. Hij weet dat het beter is om niet naar beneden te kijken, maar hij kan het niet laten. Daarna kost het hem zeker een paar tellen voordat hij weer in beweging komt en met één voet voorzichtig de bodem van de kooi aftast.

'Jij mag dat ding eerst testen,' merkt Jochem vriendelijk op, terwijl hij veilig op zijn buik blijft liggen.

De vloer van de halfopen liftkooi bestaat uit een metalen rooster. Eindelijk durft Pieter zijn volle gewicht op het rooster te laten rusten. Hij klemt zijn knokkels wit als de kooi lichtjes beweegt.

'Niet naar beneden kijken,' waarschuwt hij Jochem, als die op zijn beurt een eerste been over de rand slaat.

'Ja, leuk bedacht. Maar je kijkt dwars door die bodem heen. Ik hou toch liever mijn ogen open om te kijken wat ik doe.'

'Begane grond graag,' grijnst hij naar Pieter nadat hij binnen is. 'Knallen maar met dat ding,' voegt hij er aan toe.

'Ja, krijg nou wat,' roept hij van pure schrik veel te hard als de liftkooi met een schok in beweging komt en naar links verschuift.

'Sorry,' laat Pieter horen. 'Verkeerde knop.'

Aarzelend laat hij zijn vinger over het met dik doorzichtig plastic afgeschermde bedieningspaneel gaan en kiest ten slotte een volgende knop. Opnieuw een schok, maar deze maal in de goede richting. Ze beginnen tergend langzaam aan de afdaling. Twee verdiepingen lager spuugt Jochem tegen een raam dat ze passeren en begint met zijn hand te vegen.

'Ze moeten denken dat we glazenwassers zijn,' legt hij ongevraagd uit.

'Vijf,' telt Pieter hardop als ze weer een verdieping gepasseerd zijn. En dan gebeurt waar Pieter al vanaf de start van de afdaling bang voor is: gasten op de hotelkamers die ze passeren. In een flits ziet hij op de rand van het bed een man zitten. Hij heeft een onderbroek en een sok aan. De andere sok trekt hij net aan. Net als ze recht voor het raam hangen verschijnt een vrouw in beeld. Ze komt overduidelijk uit de badkamer. Het enige dat ze draagt is de handdoek die ze rond haar haren heeft geslagen.

'Ook goedendag,' hoort hij Jochem fluisteren. De gil van de vrouw dringt door het glas tot buiten door en verschrikt wendt Pieter zijn hoofd af.

'Sneller,' mompelt hij. Maar de lift trekt zich er weinig van aan. Centimeter voor centimeter zakken ze verder.

'Ze vond het niet leuk, geloof ik,' merkt Jochem op als ze eindelijk uit het zicht zijn.

Pieter knikt. Hij kan alleen maar hopen dat deze mensen niet bij de receptie gaan klagen.

De kamer die ze op de volgende lager gelegen verdieping passeren is gelukkig verlaten. Maar dan is het opnieuw raak. Deze maal zijn het geen gasten, maar een kamermeisje dat met de bedden bezig is.

Ze lijkt even te schrikken, maar dan steekt ze vrolijk haar hand op. Pieter tovert een lach op zijn gezicht en zwaait net als Jochem terug.

'Ze wil dat we stoppen,' vertaalt Jochem de gebaren van het meisje.

'Dat doen we dus echt niet,' reageert Pieter beslist.

Het meisje lijkt hem niet ouder dan Sharilla. Hij ziet hoe ze op weg is naar het raam en met haar mond woorden vormt. Omdat de ramen niet open kunnen zet ze haar handen als een toeter voor haar mond en schreeuwt vlak bij het raam.

Jochem steekt niet begrijpend zijn handen in de lucht.

'Spreek je ook Engels?' roept hij terug.

'Stil man,' sist Pieter

'Zijn Fellipo en zijn broer soms ziek?' horen ze nu in het Engels.

Jochem knikt en wijst naar de zon. 'Te veel zon,' zegt hij niet al te hard.

'Wat zeg je?' roept het meisje dwars door het raam.

Pieter knikt nadrukkelijk ter beantwoording van haar vraag. Opnieuw wenst hij dat de lift sneller zou kunnen zakken. Hij schenkt het meisje zijn liefste lach en zwaait nog maar eens. Ze zwaait gelukkig vrolijk terug.

'Die denkt dus dat we de echte glazenwassers vervangen,' merkt Jochem op als ze gepasseerd zijn.

'Tot ze hoort dat het hele hotel doorzocht wordt om een bruine en een blanke jongen te vinden.'

Terwijl Pieter het zegt wacht hij met spanning op het volgende raam waar ze langs zullen moeten op weg naar beneden.

Net als hij opgelucht constateert dat die leeg is wordt zijn aandacht getrokken door het geluid van sirenes. Ondanks zijn eigen advies om niet naar beneden te kijken, verkennen zijn ogen meteen de straten. Het kan de ambulance zijn voor de Rat, maar het kan ook de politie zijn, overweegt hij. Een paar tellen later is het duidelijk dat dit de politie is. Jochem ziet ze het eerst. Ze komen uit de richting waar Pieter met zijn rug naar toe staat.

'Dat is lekker, twee wagens om mee te beginnen,' merkt Jochem zonder enige vrolijkheid op.

Pieter kijkt zwijgend naar de naderende wagens. Hij bedenkt dat de ober en de twee anderen nu allang beneden moeten zijn.

Op dit moment is het doorzoeken van het hotel ongetwijfeld al begonnen. Hoelang zal het duren voordat ze bedenken dat we teruggegaan zijn naar het dak, vraagt hij zich af.

'Dat is niet mijn telefoon,' laat Jochem weten als uit zijn tas een beltoontje klinkt.

'Wat doe ik?' vraagt hij zich hardop af om het volgende moment met een serieus stemmetje voor te doen hoe hij de oproep kan beantwoorden. 'Met het toestel van de heer Benigno, alias de sadist, alias de Rat. Ik kan u nu niet te woord staan omdat ik van het dak ben gevallen. U mag natuurlijk best een boodschap achterlaten maar ik zal nooit terugbellen. Dat hoop ik tenminste,' laat Jochem er met zijn gewone stem nog op volgen. Hij heeft zijn tas al open geritst.

'Niet opnemen hoor,' reageert Pieter geschrokken. 'Gewoon laten gaan.'

'Nee, natuurlijk neem ik niet op,' sist Jochem enigszins verontwaardigd. Hij tikt met zijn vinger op het display, waar het nummer van de beller op staat weergegeven.

Pieter hoeft er niet lang naar te kijken. Hij herkent het vrijwel meteen als het nummer van de kliniek. Hetzelfde nummer dat hij de eerste keer heeft gebruikt om Bonnie te bellen.

'Lopez,' sist hij voor zich uit. 'Die wil natuurlijk weten of de koker al terug is.'

Met een lichte schok komt de lift plotseling tot stilstand. De elektriciteit, is Pieters eerste gedachte. Ze hebben de elektriciteit afgesloten. Maar meteen weet hij dat dit niet zo is. Na een lichte trilling komt de lift weer in beweging.

'Krijg nou wat,' fluistert Jochem geschrokken. 'Ze halen ons omhoog. Net nu we bijna beneden zijn.'

Terwijl het beltoontje van de telefoon van de Rat zich onverstoorbaar laat horen, staart Pieter met ingehouden adem naar boven. Maar hij krijgt niet te zien wat hij verwacht te zien. Het enige dat hij in beeld krijgt zijn een strakblauwe lucht en de twee staalkabels die de lift langzaam maar zonder twijfel omhoog trekken.

'Het kamermeisje,' denkt Jochem hardop, 'of misschien die, eh, nou ja, je weet wel, die vrouw.'

Eindelijk zwijgt de telefoon van de Rat.

'Je kunt die telefoon nu beter uitzetten,' zegt Pieter volkomen automatisch.

'Alsof dat nog wat uitmaakt,' bromt Jochem.

'Ik zie niemand,' mompelt Pieter terwijl hij nog steeds naar boven kijkt.

'We hadden nog beter een parasol kunnen pakken en daarmee naar beneden springen,' merkt Jochem somber op. 'Dan waren we tenminste beneden aangekomen. Of kunnen we alsnog springen?' vraagt hij zich hardop af.

'Niet zo gezond misschien,' geeft hij zelf al het antwoord op zijn vraag. 'Of denk jij van wel?'

Als Pieter zwijgt, roept Jochem: 'Kom op Pieter, zeg dan wat, man.' Nijdig geeft hij een trap tegen het gaaswerk dat de kooi aan de buitenkant en de zijkanten afsluit. 'We kunnen er niet eens afspringen. De enige kant waar we naar toe kunnen is naar binnen, het hotel in. Dus dat doen we dan maar.'

Pieter reageert nog steeds niet. In plaats daarvan gaat zijn hand aarzelend naar het bedieningspaneel.

'Oké, Pieter,' roept Jochem enthousiast, als de lift schokt en vervolgens stopt. Hij draait zich om en grijpt zijn vingers vast in het gaaswerk van de buitenkant van de liftkooi. Voor Pieter in de gaten heeft wat zijn vriend van plan is, schopt Jochem op volle kracht achterwaarts. Het raam van de hotelkamer waar ze voor hangen kraakt hoorbaar, maar dat is niet het belangrijkste effect van Jochems trap. De liftkooi zwenkt zeker een halve meter achterwaarts. Weg van de gevel. Pieter kan zich nog maar net staande houden. Met een klap klettert de liftkooi terug tegen de gevel aan. 'Niets te zien,' constateert Jochem teleurgesteld als hij achterom naar het raam kijkt. Dat verandert op slag als met een nijdige ruk het gordijn wordt opengeschoven en het verbijsterde gezicht van een man in pyjama verschijnt.

'Shit man, wacht dan ook even!' reageert Pieter nijdig en hij drukt een knop in op het bedieningspaneel.

Jochem heeft even nodig om bij te komen van de eerste schrik, maar dan zwaait hij de man vriendelijk toe en roept: 'Niets aan de hand, hoor. We controleren de ramen.'

Heel even vertoont Pieters gezicht zijn brede lach. Maar dat heeft niets met de opmerking van Jochem te maken. Na een lichte schok begint de lift opnieuw aan de afdaling. 'Precies wat ik dacht,' laat hij horen. 'De kabels zijn te kort om helemaal tot beneden te komen. Ze draaien boven in het motorhuis op een ronde trommel. Als ze helemaal zijn uitgerold draait de trommel verder en gaat de lift automatisch weer omhoog. Op de onderste etages wassen ze de ramen natuurlijk met een ladder,' voltooit hij zijn uitleg.

'Perfect, Pieter,' roept Jochem. 'Die zijn we gelukkig kwijt,' voegt hij er aan toe als de hotelgast in pyjama uit het zicht verdwijnt.

'Dat hoop ik dan maar,' mompelt Pieter. Maar hij weet bijna zeker dat ze zichzelf nu echt verraden hebben. De man zal vast

198

en zeker de receptie bellen en klagen. Die zullen er niets van begrijpen en komen kijken. En dan...

Iets minder dan drie verdiepingen boven de grond schokt de lift opnieuw. Om te voorkomen dat ze opnieuw naar boven gaan schakelt Pieter de motor meteen uit.

'We weten nu in ieder geval dat we de lift van de gevel af kunnen duwen,' grijnst Jochem wat ongelukkig. 'Dus als we willen, kunnen we springen.'

Pieter knikt zwijgend en staart naar het grasveld beneden. Het vormt een ideale ondergrond om te springen, maar niet vanaf deze hoogte. Ze zitten gewoon nog te hoog. Hij kan zich niet voorstellen dat ze niets zullen breken.

'Of toch maar opnieuw proberen om binnen te komen?' vraagt Jochem.

'Dat dus echt niet.'

'Dus toch springen dan?' vraagt Jochem. 'En onze nek breken?'

'Dan kunnen ze ons in ieder geval niet meer pakken,' laat hij er droogjes op volgen.

'De badlakens,' laat Pieter horen om meteen te bukken en er eentje van de vloer te pakken. 'Deze zijn zeker anderhalve meter lang. Als we ze aan elkaar binden en dan aan de kooi vastmaken, zijn we denk ik een meter of vier lager. Dat moet maar genoeg zijn.'

Jochem kijkt even naar beneden en kijkt Pieter dan aan. 'Prima idee, maar we kunnen ze nog beter eerst in de lengte doormidden scheuren, dan hebben we straks acht meter.'

Als Pieter zijn duim opsteekt verklaart Jochem: 'Uit een film. Alleen gebruikten ze daar lakens.'

Ze benutten een scherp uitstekend onderdeel van de kooiconstructie om de dikke randen van de badlakens door te snijden. Daarna gaat het snel. Maar dat mag ook wel, bedenkt Pieter. Als de laatste hotelgast de receptie heeft gewaarschuwd, zal het niet lang meer duren voordat er iemand komt kijken.

Ze besluiten snel dat Pieter als eerste zal gaan. Jochem duwt de lift zonder al te veel moeite weg bij de gevel zodat Pieter erdoor kan. Dankzij de knopen die op korte afstand van elkaar zitten klautert hij vlot naar beneden. Jochem gooit zijn tas en weet daarna zichzelf tussen de gevel en de liftkooi door te wurmen. Binnen vijf minuten na het besluit om de badlakens te gebruiken staan ze allebei in de parkachtige tuin van het hotel.

'Het is gelukt, man,' fluistert Jochem terwijl hij Pieter een stevige klap tegen zijn schouder geeft.

Alsof hij het zelf niet kan geloven kijkt Pieter nog even naar boven. Ze hebben ongelofelijk veel geluk gehad, constateert hij. Dan dringt het tot hem door dat er iemand boven over de rand kijkt. Hij schermt zijn ogen af tegen de zon. Niet één, maar meer. Een van hen lijkt wild te gebaren. Of ze ook iets roepen, blijft onduidelijk. Het verkeerslawaai overstemt alles. Geschrokken ziet hij hoe de lift in beweging komt en traag omhoog gaat. Zijn gedachten worden verwoord door Jochem als die zegt: 'Ik ben blij dat ik nu hier sta.'

Hij kijkt Pieter veelbetekenend aan en voegt er dan aan toe: 'Alleen moeten we hier misschien maar niet te lang blijven staan.'

'Dat lijkt mij ook niet,' roept Pieter terwijl hij in beweging komt. 'Naar die palmbomen toe,' schreeuwt hij naar zijn vriend. 'Dan kunnen ze ons van bovenaf moeilijker zien.'

Als ze opnieuw de sirenes horen is dat het signaal om nog harder te rennen. Het fluiten dat hij hoort als ze eenmaal tussen de palmbomen zijn komt hem vaag bekend voor. Maar hij wordt zich er pas van bewust dat het Bibi moet zijn als die ook hun namen roept.

'Jullie hebben het geweldig gedaan,' zegt die met een brede lach. Zijn gezicht verstrakt als hij ernstig en zonder een spoor van vreugde zegt: 'Ik heb hem zien vallen. Het hele stuk.'

Pieter slikt en slikt en ziet uiteindelijk kans om met een zwaar trillende stem te vragen: 'Is hij dood?'

Ook Jochem heeft zijn stem niet onder controle als hij op zijn beurt zegt: 'Hij bewoog toch nog?'

Bibi schudt beslist met zijn hoofd. 'Hij moet dood zijn. Niemand overleeft zo'n val. Jullie hebben het geweldig gedaan!' Met een breed gebaar zegt hij: 'Kom maar mee, ik ken hier de weg.'

Blauwe rook

Boven op het afval, in een stevig gevulde vuilniswagen leggen ze de kilometers af, terug naar Smokey Mountain. Terwijl Bibi opgewonden praat staren Pieter en Jochem verdoofd voor zich uit. Pieter doet zijn uiterste best om niet terug te denken aan de gebeurtenissen op het dak. In plaats daarvan probeert hij zich te concentreren op wat er verder moet gebeuren. Hij weet maar al te goed dat de uiterste tijd die ze hadden gekregen voor het inleveren van de koker al lang is verstreken. Maar hij gelooft dat Jochem gelijk heeft. Lopez zal niets ondernemen zolang hij denkt dat hij de koker nog terug kan krijgen. Tot die tijd loopt Sharilla hopelijk geen gevaar. En dan Bonnie. Bonnie is geen moment uit zijn gedachten. Hij weet niet goed of hij zich over haar ook zorgen moet maken. Zij heeft verteld dat haar vader een heel belangrijke baan heeft in Amerika. Bonnie gelooft daarom niet dat dokter Lopez haar wat zal durven doen. Ze heeft in het laatste telefoongesprek ook gezegd dat ze over de zaken die ze met Pieter besproken heeft niets aan haar ouders heeft verteld. Verder komt hij niet met nadenken. Opnieuw klinkt het beltoontje van de telefoon van de Rat.

'Heb je zijn toestel dan niet uitgeschakeld?' vraagt Pieter verstoord.

'Eh, nou nee. Niet aan toegekomen. Maar we laten hem gewoon overgaan,' voegt hij er luchtig aan toe.

'Het is opnieuw Lopez,' meldt Jochem nadat hij het display heeft bekeken.

Eindelijk zwijgt het toestel. Deze maal schakelt Jochem het uit. Maar vrijwel meteen daarna klinkt zijn eigen toestel.

'Lopez,' meldt hij met een zuur gezicht. 'Hij heeft ons nummer natuurlijk doorgekregen van de Rat. En wat nu ?'

'Het is te vroeg,' reageert Pieter. 'We moeten eerst een plan hebben voor de ruil.'

Hij houdt zijn handen samengeknepen om te verbergen dat ze nog steeds trillen.

'Oké,' reageert Jochem met een stem waar de trilling nog steeds niet uit verdwenen is.

De volgende minuten rijden ze zwijgend verder. Pieter heeft het idee dat hij al ruikt dat ze in de buurt komen van Smokey Mountain. Bij de gedachte aan de stank voelt hij zich alweer licht worden in zijn hoofd. Ze kruipen over het afval helemaal naar de achterkant, precies zoals Bibi ze heeft verteld en wachten af.

'Oké, nu!' roept Bibi automatisch wanneer hij als eerste springt. Maar de jongens hebben geen aanmoediging nodig. Vrijwel gelijktijdig komen ze op de weg. Op datzelfde ogenblik wordt hun plek op de wagen ingenomen door een paar kinderen die er

201

vanaf een hoger gelegen punt inspringen. Als Pieter de vuilniswagen nakijkt ziet hij hoe ze meteen beginnen met het doorzoeken van het afval.

'Nou, daar gaan we maar weer,' zucht Jochem als ze klaarstaan om de helling op te klauteren naar de vuilnisberg toe. Het is op het heetst van de dag en het afval stinkt verschrikkelijk. Op sommige plaatsen stijgt er rook op uit de vuilnisberg. Die blijft als een grauwe sluier boven het gebied hangen. Als vanzelf moet Pieter denken aan wat Sharilla hem heeft verteld over Smokey Mountain. Het is er zo ongezond dat maar de helft van alle kinderen die er geboren worden, ouder wordt dan twaalf jaar.

Onder aanvoering van Bibi vinden ze zonder problemen het kamp terug. Er is geen spoor van vijandigheid meer als Robelito hen deze maal begroet. Hij kijkt eerst goed om zich heen en fluistert dan: 'En?'

'Het is gelukt,' laat Bibi weten.

Terwijl Bibi verder loopt breekt Robelito's gezicht open in een glimlach van oor tot oor. Hij grijpt Jochems hand en blijft maar schudden. 'Goed gedaan. Ik had nooit gedacht, eh, nou ja, geweldig.' Hierna is Pieter aan de beurt.

Als hij eindelijk diens hand loslaat voelt hij in zijn broekzak en komt het geld tevoorschijn.

'Eh, ik weet niet, maar eh, wat zal ik hiermee doen?'

Zonder nadenken antwoordt Pieter: 'Het is voor jullie. Voor jullie allemaal hier in het kamp.'

'Dus eh, ik hoef het niet aan Boy te geven, voor de bank?'

'Nee hoor.'

'Man,' sist Jochem opzij naar Pieter. 'Hij hoefde dat rotgeld van ons toch niet. Laat het hem dan ook maar mooi teruggeven.'

'Kom op, zeg. Ze kunnen het prima gebruiken hier en wij hebben nu toch het geld van de Rat.'

Jochem kijkt met een zuur gezicht van Pieter naar Robelito en terug, maar zegt dan toch: 'Oké dan.'

De zelfverzekerde houding van Robelito is totaal omgeslagen. Hij wipt verlegen van het ene op het andere been en mompelt zachtjes: 'Nou bedankt dan. Ik eh, we kunnen het geld goed gebruiken. De baby van Bibi en Isabella is ziek. Misschien komt het omdat ze een poosje geen borstvoeding heeft gehad, toen Isabella was ontvoerd. We hebben melk gekocht maar dat wilde ze niet. Toen hebben we het gemengd met water en nou ja, we hebben van alles geprobeerd.' Hij lacht opgelucht als hij zegt: 'Nu kunnen we tenminste een dokter betalen.'

Pieter weet niet goed wat hij moet zeggen. Hij moet opnieuw denken aan wat hij gehoord heeft. Dat de helft van de kinderen op Smokey Mountain doodgaat voordat ze twaalf worden. En de baby, die kan er niets aan doen dat ze hier geboren is. Net zo min als Robelito, Bibi en de anderen hier voor hun plezier zijn. Het is gruwelijk oneerlijk allemaal, weet hij. Hij neemt zich voor om terug thuis nog harder zijn best te zullen doen om met de Action Kids Club acties te bedenken voor kinderen zoals hier. Kinderen die gewoon een ongelofelijk rotleven hebben.

Jochem stoot hem aan. 'Ze kunnen met die baby ook naar het schip.'

'Dat kan toch pas morgen of overmorgen. Dan is het misschien al te laat. Maar je hebt gelijk. We moeten hem vertellen van het schip. Er zijn hier natuurlijk nog veel meer kinderen die wel een dokter kunnen gebruiken.'

'Of een tandarts,' zegt Jochem terwijl zijn gezicht duidelijk maakt hoe hij daar over denkt.

Robelito knikt en lacht als ze hem over het schip vertellen. Hij laat weten dat hij het allemaal snapt en dat hij het goede nieuws aan de anderen zal vertellen. Dan nodigt hij ze uit in het kamp en zoekt een plekje in de schaduw voor ze. Vervolgens regelt hij iets dat op brood moet lijken en biedt ze iets te drinken aan. Pieter kan maar net voorkomen dat hij begint te kokhalzen als hij in de beker kijkt waar Robelito mee aankomt.

'Gadverdamme,' sist Jochem, 'dit lijkt wel slootwater.'

Robelito moet het gehoord hebben. 'In Payates is wel een kraan,' legt hij uit. 'Maar de bewoners vinden het niet goed dat wij daar ook water halen. Soms vangen we het regenwater op en dat bewaren we dan.' Hij wijst op een oud roestig olievat dat verderop in de brandende zon staat. 'Maar meestal,' zo gaat hij verder, 'nemen we lege flessen mee naar de stad en halen daar ons water. Als we tenminste niet weggejaagd worden,' zegt hij erbij.

Hij maakt een gebaar naar de bekers en zegt: 'Je kunt dit gerust drinken, hoor.'

Als Robelito even niet kijkt giet Pieter zijn beker snel leeg. Als de baby dit bedorven spul gedronken heeft, kan hij goed begrijpen dat het meisje nu ziek is, Jochem neemt ook geen risico en volgt het voorbeeld van Pieter.

'Maar eh...,' begint Pieter. 'Hoe doen jullie het dan met wassen en zo? Kunnen jullie wel eens douchen?'

'Ja, als het regent,' lacht Robelito. 'Dan douchen we met zijn allen. En hier vlakbij is de vissershaven van Manilla. Daar nemen we wel eens een duik. Dat is alleen wel gevaarlijk want ik kan niet echt goed zwemmen. Bovendien vind ik die vislucht vreselijk.'

'Vind je vislucht vreselijk?' roept Jochem verbaasd uit, 'en hier dan? Ik snap niet hoe jullie in deze stank kunnen leven.'

Robelito reageert met het ophalen van zijn schouders en staart vervolgens zwijgend in de verte.

Jochem geeuwt onbeheersbaar en laat zich iets onderuit zakken. Nu pas voelt Pieter hoe moe hij is. Hij kan moeilijk bedenken hoelang het geleden is dat ze voor het laatst geslapen hebben. Uiteindelijk komt hij tot de conclusie dat dat op de boot van Yuko geweest moet zijn.

'Ik moet Bonnie bellen,' gaat het nog door zijn hoofd vlak voordat hij zich net als Jochem onderuit laat zakken. Hij dommelt even weg maar schrikt op door het gehuil van de baby. Als hij merkt dat Jochem al ligt te slapen buigt hij zich over zijn vriend heen.

'Ik pak de telefoon even, oké?'

Jochem bromt wat en gaat een beetje verliggen. Pieter vraagt niet verder en frommelt de telefoon tevoorschijn. Hij belt Bonnie op haar mobieltje.

'Hoe is het met je?' luidt zijn eerste vraag.

'Het gaat heel goed met me, Pieter,' laat Bonnie weten. 'O, en dokter Lopez is nog steeds heel aardig. Hij laat er niets van merken dat hij weet dat ik met jou heb gesproken. Ik denk niet dat we bang voor hem hoeven zijn.'

Pieter laat het zo. Hij heeft ook helemaal geen zin om over dokter Lopez te praten. Hij sluit zijn ogen en laat zich achterover zakken. Als na een kwartier een signaaltje duidelijk maakt dat de accu uitgeput raakt, neemt hij afscheid. Met een glimlach rond zijn mond valt hij daarna al snel in slaap.

Hij herinnert zich deze laatste gedachte nog als hij wakker wordt gemaakt. Slaperig kijkt hij in de gezichten van Bibi en Robelito.

'Het gaat niet zo goed met de baby,' is het eerste dat Robelito zegt. 'Isabelle is nu met haar bij pater Joel.'

'We hebben de koker voor jullie,' laat Bibi met een sombere stem weten. 'We houden ons altijd aan onze afspraken.'

Pieter zit meteen recht overeind. Het beeld van de lege schoen in zijn hand staat hem meteen helder voor ogen. Hij haalt diep adem terwijl hij voelt hoe het bloed door zijn lijf wordt gestuwd. Kalm blijven, vertelt hij zichzelf. Maar hij kan de stem die door zijn hoofd bonkt niet weg krijgen. Je hebt hem vermoord, Pieter. Je bent een moordenaar.

Bibi is even stil voordat hij verder gaat. 'Nu die Lopez en zijn bende nog. We moeten ze allemaal afmaken voordat ze nog meer kinderen ontvoeren en vermoorden. Ze zullen met hun leven moeten betalen voor wat ze ons en de kinderen van Smokey Mountain hebben aangedaan.'

Pieter laat zijn hoofd zakken en duwt met zijn vuisten hard tegen zijn slapen. Het kost hem geen enkele moeite om te begrijpen wat Bibi zegt. Die wil nog meer mensen vermoorden.

Hij laat zijn hoofd los en kijkt Bibi aan. Ondanks dat hij krachtig wil klinken, komen zijn woorden er weinig overtuigend uit. 'Er loopt toch al een onderzoek naar Lopez? Ze zullen er vast achterkomen en dan zal de politie hem oppakken.'

Bibi begint hard te lachen, maar als hij is uitgelachen staat zijn gezicht uiterst serieus. 'Ik weet zeker dat die Lopez nooit gestraft zal worden. Het kan de mensen niets schelen wat er met ons gebeurt. Het kan ze niet schelen dat wij hier als beesten moeten leven. En het maakt ze vast ook niets uit dat Lopez ons vermoordt om onze organen te verkopen aan rijke mensen. Ze vinden ons niets waard.'

'Maar ik...' begint Pieter. Dan besluit hij dat hij maar beter kan zwijgen.

'Jullie moeten maar doen wat je wilt,' is de reactie van Jochem.

'Maar nu nog niet. We moeten er eerst voor zorgen dat Sharilla wordt vrijgelaten en daarvoor hebben we de koker nodig.'

Bibi staart even voor zich uit en kijkt om zich heen. Dan buigt hij zich samenzweerderig naar de jongens toe en fluistert: 'Hoe gaan jullie je vriendin ruilen voor die koker? Hebben jullie daar al over nagedacht?'

Hij kijkt ze één voor één aan en zegt dan: 'Je kunt erop rekenen dat die vuile hond van een Lopez niet te vertrouwen is.'

205

Pieter krijgt het angstige gevoel dat Bibi hun de koker nog steeds niet zomaar zal willen geven. Misschien zal hij deze keer aan ze vragen om Lopez te vermoorden.

'Je hebt ons de koker beloofd. Wij hebben ons aan de afspraak gehouden,' zegt Jochem kortaf. 'Nu moet jij je ook aan de afspraak houden.'

Er verschijnt een beledigde blik in de ogen van Bibi. 'Jullie krijgen de koker ook,' zegt hij nijdig. 'Die koker is al hier. Alleen dacht ik dat jullie wel om ons geven. Jullie zeggen zelf dat je helemaal hier naar toe bent gekomen om ons te helpen. Om de bank van Boy geld te brengen.'

'Dat is ook zo,' onderbreekt Pieter hem. 'Natuurlijk geven we om jullie en we willen jullie graag helpen, maar ik ga niet meer mensen vermoorden. Dat doe ik niet.'

'Er zijn hier genoeg jongens te vinden die Lopez met plezier willen afmaken,' laat Bibi weten.

'Alleen dacht ik dat we misschien kunnen samenwerken. Als jullie die koker gaan ruilen, kunnen we Lopez misschien ook in de val lokken, net zoals we dat met die vuilak gedaan hebben,' Pieter schudt beslist met zijn hoofd.

'Wacht nou eens even,' spreekt Jochem hem toe. 'Als zij Lopez pakken, dan hebben wij in ieder geval geen last meer van hem. Alleen moeten we eerst zeker weten dat Sharilla in veiligheid is.'

Robelito is ondertussen opgestaan en komt terug met de tas van Lopez. 'Hier is de koker terug,' zegt hij met een brede lach op zijn gezicht.

'En de pater,' wil Pieter weten. 'Wat zei hij er van?'

De lach verdwijnt van Robelito's gezicht. Hij staart naar zijn slippers en zegt dan zachtjes: 'Hij, eh, hij weet er niets van. We, eh, ik kon hem moeilijk vertellen welke afspraak we met jullie hebben gemaakt. We hebben de tas gewoon meegenomen. Niemand heeft het gezien.'

Plotseling zijn ze er, als vanuit het niets. Twee mannen in uniform. Geschreeuw, gesis en dan blauwe rook. Pieter schiet omhoog. De rook dringt in zijn ogen, zijn neus, zijn mond. En dan is er niets meer.

Gevangeniseiland

Het duurt eindeloos voor het tot Pieter doordringt dat hij niet droomt. De deinende beweging die hij voelt, het stampen van een zware motor dat hij hoort. Het is allemaal echt. Hij opent zijn ogen zonder dat de omgeving tot hem doordringt. De pijnscheut die door zijn hoofd trekt zorgt ervoor dat hij zich met gesloten ogen meteen weer terug laat zakken. Hij is zich er van bewust dat hij op een schip is. De stampende bewegingen, door het slaan op de golven, dreunen door in zijn lijf. Hij ligt languit op een stinkende houten vloer, maar hij heeft er geen idee van hoe hij daar komt. Het laatste dat hij zich herinnert is dat ze met Bibi en Robelito zaten te praten. Daarna is hij alles kwijt. Ondanks de pijnscheuten door zijn hoofd schiet hij plotseling in paniek overeind. Zijn wijd opengesperde ogen staren in het volslagen donker. Hij ziet de armen van de Rat wild door de lucht maaien en plotseling weet hij het weer. De mannen in uniform en de blauwe rook. Zonder geluid te maken stromen de tranen over zijn gezicht. Hij weet het zeker. Ze zijn opgepakt voor de moord op de Rat. Zijn ergste vrees wordt werkelijkheid. Ze zullen worden veroordeeld voor moord. Of misschien komen ze niet eens voor de rechter. Misschien hoeft dat niet in de Filippijnen. Het is natuurlijk zo enorm duidelijk dat zij verantwoordelijk zijn voor de dood van de Rat dat er geen rechter meer aan te pas hoeft te komen. Dat moet het zijn, vertelt hij zichzelf. Ze zijn opgepakt en worden nu vast en zeker naar een gevangeniseiland gebracht. Naar een gevangenis, waarvandaan ontsnappen onmogelijk is. Hij weet dat dit soort gevangenissen bestaat. Laatst heeft hij er nog een reportage over gezien. Zijn lichaam begint onbeheersbaar te trillen bij het vooruitzicht van het leven dat hem te wachten staat. Nooit zal hij meer zelf kunnen beslissen wat hij gaat doen. Voortaan zullen anderen beslissen over zijn leven.

Hij vraagt zich af hoe ze hem gevonden kunnen hebben, maar weet tegelijkertijd dat het antwoord op die vraag van geen enkel belang meer is. Ze zijn opgepakt, daar is niets meer aan te veranderen.

Met gesloten ogen laat hij zich terugzakken op de vloer. De tranen prikken op zijn gezicht, maar hij laat het zo. Het kan hem

207

allemaal niets meer schelen. Eén ding weet hij zeker. Het plan om de Rat te vermoorden was verkeerd. Heel erg verkeerd. Maar nu is de man vrijwel zeker dood. Bibi heeft het gezegd: *Niemand overleeft zo'n val.* Pieter schudt treurig zijn hoofd en vraagt zich af voor de zoveelste keer af hoe het zo ver heeft kunnen komen.

Een geluid alsof iemand bijna stikt maakt hem er eindelijk van bewust dat hij niet alleen is. Met nog steeds zijn ogen dicht fluistert hij voorzichtig: 'Jochem.'

Een hevige hoestbui volgt en dan klinkt er zachtjes: 'Ik ben het, Bibi.'

De eerste ogenblikken is Pieter te verbaasd om te reageren. Als hij van zijn eerste verbazing is bekomen vraagt hij: 'En Jochem? Is Jochem er ook?'

'Geen idee,' laat Bibi moeizaam weten. 'Ik word net, eh, wakker. Ik, eh, waar zijn we?'

'Op een boot. Ik denk op weg naar een gevangeniseiland. We zijn gepakt, ze hebben ons gevonden.'

Deze maal is het Bibi die niet meteen reageert. Maar eindelijk stamelt hij op verslagen toon: 'Een gevangeniseiland, maar, maar, dat kan niet. Ik moet Isabella helpen. Ze mag nu niet alleen zijn. Ik moet haar beschermen tegen Lopez. Ik moet haar helpen. Ons kind is ziek. Ons meisje is ziek. Ze mag niet doodgaan. Dat mag niet!'

Pieter schudt in stilte zijn hoofd. Hij heeft geen idee wat hij tegen Bibi moet zeggen. Die is blijkbaar rechtop gaan zitten want zijn stem klinkt anders als hij volkomen overstuur gilt: 'Isabella, Isabella, waar ben je?!'

'Wat? Wat, waar, wat?' klinkt nu ook de stem van Jochem en een paar tellen later laat ook Robelito merken dat hij er is. 'Die stank hier is vreselijk,' is zijn eerste opmerking. 'Het is net als in de vissershaven.'

'Isabella,' roept Bibi opnieuw. 'Ik moet zeker weten dat ze hier niet is.'

'Ze hebben Isabella en de baby niets gedaan,' zegt Robelito beslist. 'Ze waren niet in het kamp, Bibi, toen die mannen kwamen. Dat weet je toch.'

Tijd om verder met elkaar te praten krijgen de vier jongens niet. De boot vermindert voelbaar snelheid tot hij uiteindelijk stilligt. Pieter knijpt zijn ogen dicht als een luik boven zijn hoofd wordt opengeschoven en het felle zonlicht in het ruim van het schip binnendringt.

Iemand roept iets onverstaanbaars en er wordt een ladder naar beneden geschoven.

'We moeten komen,' vertaalt Robelito.

'Een vissersboot,' mompelt Robelito vol afschuw als ze alle vier boven staan.

De boot schommelt zachtjes in het diepblauwe water. Op niet al te grote afstand ligt een wit strand met daarachter bos. Meteen vraagt Pieter zich af of hier de gevangenis zal zijn. Of misschien is er helemaal geen gevangenis, bedenkt hij dan. Misschien worden ze achtergelaten op een onbewoond eiland en aan hun lot overgelaten. Hij herinnert zich de woorden van de Amerikaan. Van John. Die heeft hun verteld dat de Filippijnen uit meer dan zevenduizend eilanden bestaan, waarvan het grootste deel onbewoond is. Het idee hier achtergelaten te worden is niet aantrekkelijk, maar het lijkt hem duizend keer beter dan opgesloten te zitten in een gevangenis. Het idee lucht hem zelfs enigszins op. Hij neemt zich al voor dat ze gaan proberen om van boomstammen een vlot te maken. Hij vindt het wel vreemd dat ze op een vissersboot hiernaar toe zijn gebracht. En dat is niet alles wat vreemd is. De twee mannen in uniform zijn nergens te bekennen en de vijf mannen aan boord lijken in de verste verte niet op agenten. Waarschijnlijk zijn het vissers.

'We moeten jullie hier afleveren,' zegt een van hen. Het ophalen van zijn schouders is waarschijnlijk bedoeld om duidelijk te maken dat hij er verder niets van afweet. Met dat hij zijn woorden uitspreekt klautert er iemand aan boord. Over zijn schouder hangt een geweer. Nu pas bedenkt Pieter dat het gebonk dat hij hoort het gevolg moet zijn van een boot langszij die door de golven steeds opnieuw tegen het vissersschip aanbonkt.

De opluchting van zo-even is meteen verdwenen. Het is dus toch geen onbewoond eiland, constateert hij teleurgesteld. Er zijn bewakers op het eiland en dat betekent waarschijnlijk dat er toch een gevangenis is. Misschien wel een gevangenis in de open lucht. Een met prikkeldraad eromheen. Of… Hij huivert bij de gedachte. Of ze worden in holen onder de grond opgesloten. Dat heeft hij wel eens op de televisie gezien.

De gewapende man bekijkt de jongens grijnzend en praat dan even met de andere mannen. Pieter ziet hoe de man die hen net heeft aangesproken naar de kajuit loopt en naar buiten komt met een tas. Zijn eerste gedachte is dat het de tas van Jochem is. Maar als hij ziet hoe de man ermee loopt te zeulen is het hem meteen duidelijk. Het is de reistas van Lopez. Pieter ziet nog net hoe de bewaker de visser betaalt, maar dan sluit hij zijn ogen. Het zien van de tas veroorzaakt een storm in zijn hoofd. De gedachten rollen over elkaar heen. Wat doet de tas van Lopez hier? vraagt hij zich ademloos af. Wat doet de tas met de koker erin hier?

'Wat...?' begint Jochem.

'Stil,' snauwt de man met het geweer er meteen bovenop. Hij tikt tegen zijn geweer. De boodschap is voor allemaal duidelijk. Er mag niet gepraat worden. Volkomen in verwarring gaat Pieter mee als ze de opdracht krijgen de vissersboot te verlaten. Een paar minuten later zijn ze, samen met drie gewapende bewakers, onderweg in een lange open boot met een buitenboordmotor. Door het gewicht van zeven personen liggen de extra drijvers die de boot aan weerszijden heeft, stevig in het water. De jongens zitten vóór in de boot, op zeker drie tot vier meter afstand van de bewakers. De vissersboot, waarmee ze hier gekomen zijn, vertrekt in tegenovergestelde richting. In tegenstelling tot Pieters verwachting varen ze niet rechtstreeks naar het strand. Ze volgen de kustlijn en varen met een rustig gangetje verder. Net als Pieter zitten de andere drie er verloren bij. Geen van vieren waren ze ook maar in de verste verte voorbereid op wat er nu gebeurt. Pieter heeft nauwelijks oog voor de omgeving. Hij doet al zijn best om de chaos in zijn hoofd op orde te krijgen. Het kan niet, houdt hij zichzelf voor. Lopez en zijn mensen kunnen onmogelijk geweten hebben dat ze op de vuilnisbelt waren. Maar hoe wist de politie het dan? Dat vraagt hij zichzelf vervolgens af. Of zijn ze misschien gevolgd vanaf het hotel? Hij schudt nauwelijks zichtbaar zijn hoofd. Bibi heeft ze op de vlucht vanaf het hotel door een wirwar van straatjes geloodst. Ze zijn niet gevolgd. Door niemand. Dat weet hij zeker. Plotseling zit hij stijf rechtop. 'Bonnie,' mompelt hij zachtjes voor zich uit. Bonnie is de enige die wist dat ze op de vuilnisbelt waren. Hij heeft het haar verteld in het lange gesprek dat ze hadden. Heeft zij hen dan verraden aan Lopez? Hij schaamt zich meteen voor de gedachte alleen al. Bonnie heeft er geen enkel belang bij om hem te verraden. Ze heeft tenslotte gezegd dat ze hem miste. Het is onmogelijk, vertelt hij zichzelf. Tenzij... Tenzij Lopez haar gedwongen heeft. Opnieuw schudt hij wanhopig zijn hoofd. Hij weet het niet. Hij komt er niet uit. Bonnie dacht zelf dat ze veilig was. Maar hoe kan Lopez hen dan gevonden hebben. Of heeft Lopez het gesprek afgeluisterd? Maar hoe dan? Hij heeft haar gewoon gebeld op haar mobieltje. Of is het..? Hij houdt zijn adem in. Of is het de telefoon van Jochem geweest, die hij zelf gebruikte? Automatisch richten zijn ogen zich op zijn vriend. Die kijkt hem vragend aan. Natuurlijk, dát is het, weet Pieter. Ze moeten hebben geknoeid met het mobieltje van Jochem. Hij voelt de misselijkheid als een golf opkomen. Net op tijd hangt hij overboord. Als een eerste golf braaksel het water raakt zijn de vissen al ter plaatste.

'Lekker feestmaal,' durft Jochem op te merken.

Zijn opmerking blijft onbestraft. De bewakers kijken lachend toe.

Met nog steeds een akelig gevoel in zijn hoofd, gaat Pieter weer op zijn plek zitten. De gedachte dat Lopez opnieuw heeft meegeluisterd, is onverdraaglijk. Pieter buigt zijn hoofd. Lopez moet alles gehoord hebben. Alles wat Bonnie en hij tegen elkaar hebben gezegd. Door zijn longen keer op keer vol te zuigen, weet hij te voorkomen dat hij van pure walging opnieuw moet overgeven.

Jochem gaat iets verzitten en legt een hand op zijn schouder. 'Gaat het?' vraagt hij bezorgd.

Het spreekverbod lijkt niet meer te gelden, want opnieuw grijpen de bewakers niet in. Ze praten met elkaar in een voor Pieter en Jochem onverstaanbare taal en hebben dikke lol.

'Verstaan jullie wat ze zeggen?' vraagt Jochem aan de andere jongens.

Robelito aarzelt even. 'Ze zeggen dat ze niet begrijpen dat zulke watjes Lopez zo dwarsgezeten hebben.'

Terwijl Jochem een protest laat horen, knikt Pieter zwakjes. Nu is het dus zeker. Ze zijn opnieuw in handen van Lopez gevallen. Hij weet dat dit het ergste is dat hun had kunnen overkomen. Lopez zal ze niet levend laten vertrekken. En dat is niet alles. Elke kans om Sharilla te bevrijden is nu verkeken. En Bonnie? Hij weet het niet. Maar hij is bang dat ook Bonnie groot gevaar loopt. En dat alles omdat hij haar heeft opgebeld. Waarom heeft hij niet bedacht dat er met het mobieltje van Jochem geknoeid kon zijn, vraagt hij zichzelf vertwijfeld af. Hij kijkt verwijtend naar Jochem. Waarom heb jij dat niet bedacht, vraagt hij in stilte. Je weet alles van mobieltjes en computers en dan al die films die je ziet. Dit had je toch kunnen bedenken? Stilletjes haalt hij zijn schouders op. Wat heeft het allemaal nog voor zin? Het is gebeurd. Er is niets meer aan te doen.

Terwijl Bibi zwijgend in de verte staart, fluistert Robelito: 'Wat zal die Lopez met ons doen? Zou hij weten...?'

Jochems voet schiet vooruit en raakt Robelito flink. 'We moeten onszelf niet verraden,' sist hij hopelijk onhoorbaar voor de bewakers. 'Misschien weten ze nog van niets.'

'Maar...' begint Robelito.

'Stil nou man!' gaat Jochem nijdig verder. 'Het gaat ze alleen om de koker.'

'Dus niet om ons.'

'Weet ik veel. Ik weet het toch ook niet. Ik snap hier helemaal niets van. Hoe wisten die kerels waar ze ons konden vinden?'

'Ik denk dat ik het weet,' fluistert Pieter. 'Ik denk dat ze met jouw telefoon geknoeid hebben.'

Jochems eerste reactie is een greep naar zijn broekzak.

'Weg,' sist hij.

Pieter weet maar al te goed dat de telefoon niet meer in de broekzak van zijn vriend kan zitten. Hij heeft hem na het gesprek met Bonnie naast zich neergelegd en is toen zelf in slaap gevallen.

'Eh, toen jij sliep...' begint hij aarzelend zijn uitleg.

'Ik denk dat je gelijk hebt,' zucht Jochem als Pieter is uitgepraat. 'Maar ze hebben niet alleen de gesprekken afgeluisterd. Ze hebben tijdens de gesprekken ook de GPS-coördinaten doorgekregen van waar we waren. Daarom wisten ze tot op de meter nauwkeurig waar ze ons op de vuilnisbelt konden vinden.'

Pieter weet precies wat Jochem denkt als die hem strak aankijkt. Hij is blij dat zijn vriend niets zegt. Hij voelt zich zo al schuldig genoeg over zijn telefoongesprek met Bonnie.

Robelito zegt een paar keer iets tegen Bibi, maar die lijkt onbereikbaar. Hij blijft zwijgend in het niets staren. Het is voor geen van de jongens moeilijk om te bedenken dat Bibi zich grote zorgen maakt over zijn vriendin Isabella en hun baby.

'Hebben jullie ook gezien dat de twee kerels die ons overvielen een uniform droegen?' vraagt Pieter vervolgens.

'Zeker weten,' reageert Robelito. 'Het waren soldaten. Ik snap alleen niet wat die met Lopez te maken hebben.'

'Dus geen agenten?' wil Pieter weten.

Robelito schudt beslist met zijn hoofd. 'Het was geen politie. Die ruik ik op een kilometer afstand. En,' gaat hij verder, 'ze hebben gas gebruikt om ons te verdoven.'

Jochem grijnst en zegt: 'Wat toevallig. Dat is mij ook opgevallen.'

De volgende minuten varen ze zwijgend verder. Pieter kijkt naar het dobbelspel dat de drie mannen samen spelen. Heel af en toe kijkt er eentje hun kant op, maar veel belangstelling hebben de bewakers niet voor de jongens. Het is Pieter inmiddels duidelijk dat er meer eilanden en eilandjes in de buurt zijn, evenals rotsen die boven het water uit steken. Maar op geen ervan heeft hij tot op heden een teken van leven gezien. Gelukkig begint hij zich langzaam maar zeker weer iets krachtiger te voelen. Als Jochem dan ook fluistert: 'Kunnen we niet iets bedenken om die kerels te overmeesteren,' begint hij meteen over een vluchtplan na te denken.

'Te laat,' sist Jochem als ze minder dan een minuut later koers zetten richting de kust. Er is hier geen strand; alleen bos. Ze varen recht op de begroeiing af. Maar dat blijkt ook de bedoeling. Waar de kustlijn begint, varen ze onder en tussen de bomen en struiken door en komen terecht in een verborgen baai.

'Krijg nou wat,' sist Jochem. 'Een marineschip en geen kleintje ook!'

'Wat, wat?' vraagt hij vervolgens opgewonden aan Robelito als een soldaat vanaf het schip hen iets toeschreeuwt. 'Ze moeten zich snel melden bij de commandant. Er wordt op ons gewacht,' vertaalt Robelito.

'Wat is dit allemaal?' vraagt Jochem zich verbijsterd af. 'Welke commandant wacht er dan op ons?'

Pieter haalt een paar keer diep adem om kalm te worden. Het zweet loopt in straaltjes van hem af, maar ondanks dat trekken de rillingen door zijn lijf.

'Ik kan maar één ding bedenken,' fluistert hij met trillende stem opzij naar zijn vriend. 'En dat is dat dit allemaal iets met de koker te maken heeft.'

Via een touwladder aan de buitenkant van het schip klimmen ze omhoog. Pieter houdt even stil bij het horen van een helikopter. Hij verwacht de helikopter van Lopez te zien, maar die verwachting komt niet uit. De gedachte aan Lopez neemt hem zo in beslag dat hij nauwelijks oog heeft voor wat er aan boord allemaal te zien is. Samen met de drie bewakers worden ze door het schip geleid, om een paar trappen en gangen later te eindigen in de hut van de commandant. Dat is tenminste wat er op de deur staat. De commandant blijkt een kleine dikke man in een wit uniform dat vol hangt met medailles. Zijn handen zijn steeds in beweging om de uiteinden van zijn veel te grote snor in een krul te houden. De man heeft totaal geen belangstelling voor de jongens, maar des te meer voor de reistas van Lopez. Twee soldaten nemen de tas voorzichtig over van de bewakers en zetten hem midden op een grote tafel.

'Ze zijn zeker bang dat er een bom in zit,' fluistert Jochem als hij ziet hoe een van de soldaten met een soort metaaldetector de tas aan alle kanten onderzoekt. Blijkbaar doen ze geen onverwachte ontdekking. De soldaat staakt zijn onderzoek en knikt. Dat is het teken voor de ander om de tas open te maken. Een paar tellen later ligt de glimmende koker op tafel. Opnieuw komt de soldaat met de detector in actie. De commandant kijkt ernstig toe. Er trekt een flauwe glimlach over zijn gezicht als de soldaat opnieuw knikt, waarschijnlijk als teken dat alles in orde is. Plotseling wendt de commandant zich rechtstreeks tot de jongens. 'Jullie hebben geluk gehad,' merkt hij op in perfect Engels. 'De koker is nog steeds perfect gesloten.'

Een antwoord wordt niet verwacht, want hij maakt met zijn hand een soort wegwerpgebaar naar de bewakers. 'Neem ze maar mee,' laat hij er op volgen.

'Kunt u ook zeggen wat er in die koker zit?' waagt Jochem te vragen.

In tegenstelling tot wat Pieter verwacht, wordt de commandant niet boos. Hij kijkt Jochem lachend aan en zegt: 'Een nieuwe toekomst voor de Filippijnen.'

Op datzelfde moment stapt er nog iemand in de hut van de commandant naar binnen. De commandant springt meteen in de houding en ook de twee soldaten staan stram. De bewakers mompelen iets en buigen in ontzag hun hoofd.

'Meneer Marcos,' roept de commandant veel te hard in het Engels. 'Welkom op ons schip.'

Ondanks de hitte draagt de kleine magere man die is binnenge-

214

komen een keurig pak. Hij loopt op de commandant toe en schudt hen stevig de hand. 'En, bent u er klaar voor?'

'Helemaal,' laat de commandant glunderend weten. Dan dwalen de ogen van de nieuwkomer naar de koker op tafel. 'Dat is het?'

De commandant vertoont een lach van oor tot oor als hij antwoordt: 'Dat klopt. Het is prima in orde. De experts gaan er meteen mee aan het werk.'

'Dus alles loopt weer volgens plan?' wil de man die door de commandant Marcos wordt genoemd weten.

'Dat klopt, meneer,' antwoordt de commandant overdreven beleefd, 'het bezoek van de president staat voor morgenmiddag op het programma. Dan is alles klaar.'

'Mooi, mooi,' grijnst meneer Marcos tevreden.

'Zijn dit de knapen die zoveel problemen hebben veroorzaakt?' vraagt hij, als hij zich eindelijk bewust lijkt te worden van de aanwezigheid van de jongens.

'Klopt, meneer. Maar dat is nu voorbij. Lopez zal wel voor ze zorgen.'

'Nog meer proefkonijnen voor onze dokter,' reageert meneer Marcos hoofdschuddend. 'Nou ja, hij gaat zijn gang maar. Dat is de afspraak.'

Doktersbezoek

Vanaf het marineschip varen ze met hun boot in de richting van een open plek in het bos. De dichte begroeiing is hier weggekapt. Vanaf de kant loopt een houten steiger een stuk het water in. Behalve een paar grote rubberboten met dubbele buitenboordmotoren ligt er een lange, slanke, sigaarvormige boot langs de steiger afgemeerd. Pieter herkent de boot meteen. Hij is van het type dat ook door smokkelaars wordt gebruikt.

Jochem heeft het ook gezien, want hij stoot Pieter aan.

'Zie je die boot? Misschien zitten er toch drugs in die koker en wordt dit eiland gebruikt door drugshandelaren.'

'Drugs?' herhaalt Pieter nadenkend. 'Maar wat heeft het leger daar dan mee te maken?'

'Kom op nou, Pieter. Je weet best dat er landen zijn waar het leger en de politie zich ook met de drugshandel bezighouden.'

'Oké, maar wat hebben drugs dan met de toekomst van de Filippijnen te maken?' is Pieters volgende vraag. 'En dan nog dat feestje voor de president, waar ze het over hadden.'

'Misschien komt de president morgen heel feestelijk zijn drugs ophalen,' grijnst Jochem.

De houten boot wordt met de punt vastgelegd aan de steiger en de jongens krijgen opdracht om over de steiger naar de oever te lopen. Daar staat een kolossale auto met vierwielaandrijving met draaiende motor op ze te wachten.

'Snel instappen, dan houden we de warme buiten,' zegt een van de bewakers kortaf terwijl hij het achterportier openhoudt. Jochem die als laatste instapt weet net op tijd zijn voet naar binnen te trekken als het portier wordt dichtgeduwd. De airconditioning staat op volle kracht te loeien. Dat ontlokt Jochem de opmerking: 'Ze willen ons zeker invriezen.'

Twee bewakers gaan voorin zitten. Een snelle blik door het ruitje achter zijn hoofd leert Pieter dat de derde in de laadbak zit. Zodra ze het dichtbegroeide bos in rijden verdwijnt het zonlicht. Pieter heeft het gevoel dat het blauwe gas dat ze in Manila hebben ingeademd nog steeds niet helemaal is uitgewerkt. Maar dat gevoel is snel voorbij als hij de koele lucht een paar keer diep heeft ingeademd. Hij weet dat ze dit moment niet voorbij mogen laten gaan. De bewakers voorin hebben meer aandacht voor elkaar dan voor hen en de fourwheeldrive rijdt met een kalm gangetje. Hij weet zeker dat ze er met zijn vieren in zullen slagen om de twee mannen te ontwapenen en de wagen te laten stoppen. Maar dan is er nog de man achterin. Hij overweegt hoe ze ervoor kunnen zorgen dat die niet gaat schieten. Tegen de tijd dat hij naar Jochem sist: 'Tijd voor actie,' is het te laat. Minder dan tien minuten na het vertrek bij de baai komen ze aan op een grote open vlakte, midden in het bos. Alle bomen en andere begroeiing zijn hier gekapt.

Een gewapende man houdt de wacht bij een hoog hek.

'Ik wil jullie vast even waarschuwen,' zegt een van de drie bewakers die de jongens nog steeds vergezellen ernstig. 'Dit hek loopt helemaal rondom het terrein en dit hier is de enige in- en uitgang. Als je dit hek aanraakt verander je in een geroosterde biefstuk.'

'Maar dan zwartgeblakerd,' voegt de bewaker bij het hek er lachend aan toe.

Pieter stoot zijn vriend aan en wijst op het grote bord boven de ingang.

'Nationaal Testcentrum,' fluistert hij.

'Ik ben benieuwd wat ze hier dan testen,' is de reactie van Jochem.

'Ik niet,' zegt Pieter. 'Je hebt toch wel gehoord wat die Marcos zei. Hij noemde ons proefkonijnen.'

'Shit,' sist Jochem. 'Je denkt toch niet dat het met die nierentoestand te maken heeft?'

Tot het uiterste gespannen neemt Pieter het terrein in zich op. Hij ziet dat het het gebied links er uitziet als een boerderij. Op stukken land, die door rieten matten tegen de zon zijn beschermd, lopen geiten, koeien, kippen en nog meer dieren. Op een ander deel groeien verschillende soorten gewassen. Pieter voelt een zekere opluchting als hij bedenkt dat ze misschien op een proefboerderij zijn aangekomen. Misschien is dat wat er met het testcentrum wordt bedoeld. Behalve verschillende grote tenten staan er op het terrein een aantal op palen gebouwde houten hutten. De fourwheeldrive stopt bij een vrij groot stenen gebouw dat ongeveer in het midden van het terrein staat. HOSPITAL / LABORATORY staat er op een keurig bordje naast de deur.

'Dit gaat niet goed, Pieter,' fluistert Jochem. 'Misschien gaat die idioot van een Lopez ons meteen opensnijden.'

Als Pieter aarzelt met uitstappen krijgt hij een gemene duw van één van de bewakers.

'Kom op, naar binnen jij! Ik waarschuw je, je gedraagt je hè?'

'Shit, Pieter, we moeten iets bedenken, man,' fluistert Jochem als ze eenmaal binnen zijn. 'Ik laat me niet zomaar afslachten.'

Pieter op zijn beurt kijkt wanhopig om zich heen. Hij is het helemaal met Jochem eens. Ze moeten iets doen. Maar wat?

'Ah, onze nieuwe gasten,' zegt een jonge vrouw met een witte jas die hen even later in een kamertje verwelkomt. Ze heeft een stethoscoop rond haar nek hangen en ze ziet er uit als een dokter.

Terwijl de bewakers in de deuropening blijven staan, staat ze glimlachend op vanachter haar bureau. 'Kleden jullie je maar uit,' zegt ze allervriendelijkst. 'Ik doe even een kort eerste onderzoek om te zien of jullie helemaal gezond zijn.'

'Ik voel me prima,' laat Jochem meteen horen.

'Nou, dat is prettig om te horen,' lacht de vrouw. 'Maar dat neemt niet weg dat ik je toch moet onderzoeken. Dat is een regel die geldt voor alle nieuwe gasten. Dus kleed je maar uit.'

Pieter verstijft als hij achter zijn rug een bekende stem hoort. De stem van dokter Lopez.

'Kijk eens aan, mijn jonge vrienden,' laat Lopez enigszins spottend horen. 'Wie had kunnen denken dat ik jullie hier terug zou zien?'

Pieter wacht volkomen verkrampt op wat komen gaat. Hij is niet in staat om zich te bewegen. De voetstappen van de dokter klinken door de kamer als hij naar het bureau toeloopt.

'Ik zie dat jullie ook nog twee vrienden hebben meegenomen,' merkt hij geamuseerd op.

Zonder veel belangstelling laat hij zijn ogen langs Bibi en Robelito glijden. Dan kijkt hij Pieter en Jochem aan.

'Ik heb gehoord dat er in Manilla een ongeluk is gebeurd,' begint hij zachtjes en dreigend. 'Er is iemand van het dak van het Intercontinental Hotel gevallen. Nu weet ik toevallig dat jullie daar ook waren. Jullie hadden daar een afspraak met één van mijn mensen.'

Pieter sluit zijn ogen. Hij weet het, stampt het door zijn hoofd.

De Rat moet het hem van tevoren hebben verteld of nee, het is de telefoon geweest. Lopez heeft alle gesprekken kunnen afluisteren en bovendien heeft hij de GPS-coördinaten doorgekregen. Hij wist dus precies waar we waren.

'Weten jullie meer van dat ongeluk?' dringt de stem van Lopez tot hem door.

Langzaam opent Pieter zijn ogen, maar hij durft Lopez niet aan te kijken. Als vanzelf begint zijn hoofd nee te schudden. Maar tegelijkertijd weet hij dat ontkennen geen enkele zin heeft. Door de telefoontjes die we hebben gevoerd weet Lopez nu honderd procent zeker dat we in dat hotel met de Rat hebben afgesproken, vertelt hij zichzelf. Bovendien, zo redeneert hij verder, weet Lopez zeker dat we in dat hotel zijn geweest. Daar heeft de telefoon ook voor gezorgd. De coördinaten voor de plaatsbepaling zijn automatisch doorgeseind aan Lopez. Opnieuw verwijt hij zichzelf dat ze niet tijdig hebben bedacht dat er met de telefoon van Jochem geknoeid zou kunnen zijn. Daarmee hebben ze een vreselijke fout gemaakt. Een dodelijke fout misschien zelfs. Hij kan zich met geen mogelijkheid voorstellen hoe ze hier nog levend vandaan kunnen komen. Lopez zal zeker wraak nemen.

'Ik vroeg jullie wat!' klinkt opnieuw de stem van Lopez.

'Wij waren daar inderdaad,' zegt Jochem. Zijn stem klinkt brutaal, maar de onzekere trilling ontgaat Pieter niet. 'We wilden die, eh, meneer van u de koker geven,' gaat Jochem verder. 'Maar we hebben hem niet gezien.'

'Dat kan wel kloppen,' reageert Lopez scherp. 'Hij is van het dak gevallen.'

Jochem speelt zijn rol geweldig als hij verbaasd uitroept: 'Die meneer van u? O, wat erg!'

'Dat ging vast niet zomaar vanzelf,' snijdt de stem van Lopez door het onderzoekskamertje.

Jochem doet zijn uiterste best om nonchalant te antwoorden. Hij haalt zijn schouders op. 'We zaten bij het zwembad te wachten en toen hoorden we dat er iemand naar beneden was gevallen. Maar toen wisten we niet dat het de Ra..., eh, die meneer van u was. Dat horen we nu pas. We hebben nog een uur gewacht en toen zijn we maar vertrokken. We konden die meneer namelijk ook niet meer op zijn telefoon bereiken.'

Eindelijk durft Pieter Lopez aan te kijken. Hij probeert op het gezicht van de man te lezen of die het verhaal van Jochem gelooft.

Maar het enige dat hij ziet is een Lopez die zijn hoofd afwendt. Alsof er niets aan de hand is praat de dokter op normale toon tegen de vrouwelijke arts. 'Een medisch onderzoek voor deze twee is niet nodig.' Hij wijst eerst Pieter en dan Jochem aan. 'Ze zien er gezond genoeg uit om morgen een leuk uitstapje te maken.'

Even lijkt hij te aarzelen, dan verplaatsen zijn ogen zich naar Bibi en Robelito.

'Wat hebben jullie met deze jongens te maken? Zijn dit jullie vrienden?'

'Ja,' zegt Robelito zonder na te denken. Bibi knikt afwezig.

'Prima,' gaat Lopez met een glimlach rond zijn mond verder. 'Dan mogen jullie met ze mee. Er zijn vandaag dus geen kandidaten voor een medisch onderzoek, dokter,' laat hij de arts vervolgens weten.

Hij draait zich half om en is terug bij Pieter en Jochem. Na nadrukkelijk Pieter en vervolgens Jochem te hebben aangekeken, zegt hij vrolijk: 'Ik heb goed nieuws voor jullie. Jullie gaan morgen niet alleen op stap. Jullie worden vergezeld door een schat van een meisje.'

Bonnie, is Pieters eerste gedachte. Lopez heeft Bonnie gevangen genomen!

'Wie? Wie bedoelt u?' roept Jochem nerveus door de kamer.

Pieter weet zeker dat Lopez hem aankijkt als de man zegt: 'Dat merk je vanzelf.'

Dan richt Lopez zich tot de bewakers. 'Ik wil dat deze vier heren morgen rond het middaguur klaarstaan bij de haven, samen met dat meisje.'

'Begrepen, dokter Lopez,' zegt de bewaker die de leiding lijkt te hebben.

'Dus jij bent Lopez!' sist Bibi, die nu pas hoort wie de man in de witte jas is. Tegelijkertijd schiet hij met gebalde vuisten naar voren. Lopez reageert razendsnel. Hij schiet langs de bewakers de gang op. Die versperren meteen weer de doorgang, zodat Bibi recht in hun armen loopt.

'Hou ze goed in de gaten,' hoort Pieter Lopez nog roepen voordat hij wegloopt.

Robelito loopt naar Bibi toe en slaagt erin om hem te kalmeren.

'Hij keek mij aan,' mompelt Pieter voor zich uit terwijl ze worden weggevoerd uit het stenen gebouw. 'Ik weet zeker dat hij Bonnie bedoelt. Hij heeft Bonnie óók gevangen genomen.'

'En Sharilla dan?' zegt Jochem op zijn beurt. 'Waar is die dan? Volgens mij bedoelde hij haar.' Pieter haalt moedeloos zijn schouders op. Hij heeft het wanhopige gevoel dat hij niet meer helder kan denken.

'Ik word gek hier,' sist Jochem. Hij stoot Pieter voorzichtig aan. 'Heb je al een plan om hier weg te komen? Nee dus,' constateert Jochem zelf al wanneer Pieter zwijgt. 'Nou, dat is lekker dan. Wat is die kerel met ons van plan? Wat bedoelt hij met "een leuk uitstapje"?'

Net als de bewaker tegen de deur naar buiten wil duwen gaat de deur open. Pieter krijgt een nieuwe schok te verwerken als hij recht in het gezicht van de verpleger kijkt. De man kijkt hem ook vluchtig aan, maar lijkt hem niet te herkennen. De verpleger groet de bewakers en houdt de deur open als ze met z'n allen naar buiten lopen.

'Zag je dat?' sist Pieter.

'Zag je wat?'

'Die verpleger natuurlijk, man. Dat is dezelfde als bij het zwembad. Dat is een van de twee mannen die het bed van Bonnie duwden. Je weet wel, toen we haar voor de eerste keer zagen, bij het zwembad.'

'Krijg nou...' begint Jochem. Maar Pieter onderbreekt zijn vriend. 'Zie je wel. Precies wat ik al dacht. We zijn terug op het eiland waar ook het hotel en de kliniek zijn. Dat kan toch niet anders?'

'Dat zou je inderdaad denken,' reageert Jochem.

Opstand

'Sharilla!' Jochem schreeuwt haar naam uit.

'Jochem, Pieter,' roept Sharilla op haar beurt.

Jochem aarzelt niet en begint te rennen. Hij wordt overrompeld door zijn eigen enthousiasme en weet niet goed meer wat hij moet doen als hij eenmaal voor haar staat.

'Hoi,' zegt hij ten slotte maar.

Sharilla lijkt even te aarzelen maar dan valt ze hem om zijn nek. Een paar tellen later is Pieter aan de beurt. Als ze die ten slotte ook loslaat pakt ze de jongens allebei bij een hand.

'Hoi,' zegt ze ten slotte ook. 'Wat is het fijn om jullie te zien.'

Jochem schuifelt onzeker met zijn voeten heen en weer, zonder goed te weten wat hij moet doen. Pieter verkent ondertussen met zijn ogen snel de tent waar ze door de bewakers naartoe zijn gebracht. Het is verreweg de grootste tent in het kamp. Vierkant, maar met de afmetingen van een kleine circustent. Er staan flink wat tafels en stoelen en hij ziet zelfs een filmdoek hangen en een televisietoestel straks te staan. Hier krijgen jullie straks te eten, is hun door de bewakers verteld. Zijn ogen houden stil bij Bibi en Robelito die voor in de tent zijn gebleven. Pieter ziet hoe Robelito enthousiast handen schudt. Bibi doet hetzelfde maar kijkt ondertussen voortdurend rond. Misschien is hij toch op zoek naar Isabella, weet Pieter. Zelf is hij ook op zoek. Maar totnogtoe kan hij Bonnie niet ontdekken tussen de anderen. Nu het duidelijk lijkt dat ze op hetzelfde eiland zitten als waar Bonnie is, is hij er steeds minder zeker van dat haar veilig is. Het betekent dat het voor Lopez heel eenvoudig is om Bonnie hier ook op te sluiten en misschien zelfs haar ouders gevangen te nemen. De dokter heeft tenslotte al laten blijken tot alles in staat te zijn.

Eindelijk laat Jochem zich horen. 'Hoe gaat het met je?' vraagt hij onzeker.

Sharilla slaat haar ogen neer en fluistert nauwelijks hoorbaar: 'Het was verschrikkelijk. Die ontvoering en toen hier. Die dokter Lopez ken ik nu ook. Hij doet heel aardig en zegt dat hij de kinderen wil helpen gezond en gelukkig te worden. Maar geen van de kinderen is hier vrijwillig naar toe gekomen,' vertelt Sharilla verder. 'Ze komen allemaal uit Manilla, van Smokey Mountain. Ze weten geen van allen meer wat er precies gebeurd is. Wel dat ze zijn meegenomen vanaf de vuilnisbelt. Maar daarna niets meer, totdat ze bijkwamen, hier in het kamp. Ondanks alles vinden sommigen het prima hier. Beter dan op de vuilnisbelt in ieder geval. In de ochtend wordt er op de boerderij gewerkt en 's middags is er een klasje waar ze kunnen leren lezen en schrijven. Er is genoeg te eten en te drinken, er is schoon water en er is zelfs een badtent met douches. Na het werk mogen ze hier doen waar ze zin in hebben, het is alleen verboden om het kamp af te gaan. Het enige waar ze allemaal bang voor zijn is het ziekenhuis. Daar moet je pillen slikken. De meeste kinderen zijn daar geopereerd. Die hebben een litteken in hun zij. Lopez heeft ze verteld dat dat is om hen weer gezond te maken. Daarom moeten alle kinderen hier ook iedere dag verplicht pillen slikken en soms krijgen ze injecties.'

Terwijl de tent bol staat van de enthousiaste begroetingen tussen Bibi, Robelito en de andere kinderen staart Pieter Sharilla sprakeloos aan.

Dat is het dus. Dat wordt er dus bedoeld met testcentrum. Lopez gebruikt de kinderen om medicijnen te testen. Nu weet hij waarom Marcos het had over proefkonijnen. De kinderen hier worden niet alleen gebruikt voor hun nieren, maar ook als proefkonijn om medicijnen te testen voor Lopez.

Terwijl hij dit denkt zijn ogen even die van Jochem.

'Lopez heeft één van hun nieren gestolen,' zegt hij dan langzaam tegen Sharilla.

'Een nier gestolen?' roept Sharilla ontdaan.

'Ja,' zegt Pieter die zich de uitleg van een van de taxichauffeurs herinnert. *Iedereen heeft twee nieren, maar met eentje kun je ook leven.* 'Lopez gebruikt hun nieren om ze aan zijn eigen patiënten te geven.'

'En jij?' vraagt Jochem plotseling met trillende stem. 'Heb jij ook een litteken?'

Sharilla laat de jongens los en slaat haar armen beschermend om zich heen.

Net als Jochem kijkt Pieter haar gespannen aan. De bizarre gedachte komt bij hem op dat Bonnie misschien een van de nieren van Sharilla gekregen heeft.

'Gelukkig niet,' zegt ze zachtjes. 'En ze hebben mij ook nog niet gedwongen om medicijnen te slikken. Maar hoe moet het nu verder?'

Ze kijkt de jongens één voor één aan. 'Er liggen al een paar kinderen van hier in het ziekenhuis. Lopez zegt dat ze ziek zijn, maar vroeger waren ze gezond. Misschien heeft het wel te maken met al die pillen die ze hebben moeten slikken.'

'Ik weet zeker dat je gelijk hebt,' laat Pieter horen. 'Iemand die wist dat we naar dit kamp werden gebracht noemde ons proefkonijnen voor Lopez.'

'Man, dat is ook zo. Daarom staat er bij de ingang dat dit een testcentrum is. Maar waarom slikken ze die troep dan?' gaat Jochem kwaad verder. 'Je gaat toch geen pillen doorslikken als je dat niet wilt?'

'Jij weet niet hoe het er hier aan toe gaat, Jochem,' roept Sharilla enigszins verwijtend. Pieter heeft het idee dat hij de tranen in haar ogen ziet glinsteren. Maar een snelle veeg met haar hand maakt daar een eind aan.

'Eh, nee,' stottert Jochem, duidelijk geschrokken van de reactie van Sharilla. In een poging haar van dit onderwerp af te leiden wijst hij naar Robelito en Bibi, die onverminderd bekenden begroeten en handen schudden.

'Dat zijn ook jongens van Smokey Mountain. Zij en, eh, wij ook, waren bang dat alle ontvoerde kinderen dood zouden zijn.'

'Maar... Dus jullie wisten al wat hier gebeurde?' roept Sharilla verbaasd. Dan eindelijk stelt ze de meest voor de hand liggende vraag. 'Hoe komen jullie hier eigenlijk?'

Jochem begint aan een verslag, maar vertelt tot opluchting van Pieter niets over de moord op de Rat. Zelf laat de gedachte aan de moord Pieter niet los. Hij beseft maar al te goed dat de Rat de moorden waarvan ze hem verdachten niet gepleegd heeft.

223

Hij heeft de kinderen van Smokey Mountain misschien helpen ontvoeren, maar hij heeft ze in ieder geval niet vermoord. Pieter weet eigenlijk niet goed wat hij met deze nieuwe informatie aan moet en probeert het te verdringen.

Net als Jochem klaar is met zijn verslag komt Robelito erbij staan.

'Ben jij Bonnie?' vraagt hij, zonder meer vijandig.

'Nee joh,' zegt Jochem snel. 'Dit is Sharilla. Ze is ook in Manila geboren. We zijn samen met haar in Hong Kong aangekomen. Ze is, net als jullie, ontvoerd door Lopez.'

Robelito knikt. 'Oké, dan is het goed. Dat heeft Bibi me verteld.'

Hij maakt een gebaar met zijn arm en zegt: 'Ze zijn er allemaal. Alle zesendertig. Ik bedoel, alle kinderen die in de laatste twee jaar verdwenen zijn. Maar er zijn er wel een paar ziek. Die liggen in het ziekenhuis. En sommigen hebben een litteken in hun zij. We hebben ze verteld dat dat waarschijnlijk is omdat Lopez hun nier gestolen heeft. Alleen snap ik niet hoe ze dan nog kunnen leven.'

'Makkelijk zat,' zegt Jochem deze keer. 'Ieder mens heeft twee nieren, maar je hebt er maar één nodig om te kunnen leven.'

'Daarom leven ze dus nog,' zegt Bibi ernstig als hij er ook bij komt staan.

Robelito wijst op Sharilla. 'Dit is het meisje waar ze jou over verteld hadden.'

Bibi knikt even kort, maar het is duidelijk dat dit hem weinig uitmaakt.

Somber praat hij verder, waarbij hij strak naar Pieter kijkt. 'Weet je nog dat ik jullie vertelde dat Isabella samen met een vriendin is ontvoerd? Die vriendin is hier. Ze is gisteravond opgehaald en naar het ziekenhuis hier op het kamp gebracht. Een van ons heeft haar vanochtend gezien.' Dan is Bibi plotseling stil. Hij kijkt veelbetekenend naar Robelito. Dan richten zijn ogen zich weer op Pieter. Die staat er roerloos bij. Zijn bange vermoeden wordt bevestigd als Bibi verder praat. 'Zij heeft nu ook een litteken.'

Pieter weet maar al te goed wat Bibi bedoelt. Het kan bijna niet anders dan dat Bonnie de nier van de vriendin van Isabella heeft gekregen. Hij weet dat hij iets moet zeggen, maar hij weet niet wat. 'Het spijt me,' zegt hij uiteindelijk maar na een pijnlijke stilte. 'Maar ik denk, of eh, ik weet dat Bonnie...' Hij stopt en probeert het opnieuw. 'Bonnie wist niet...' begint hij. Maar hij stopt meteen weer. Je kunt beter niets zeggen, Pieter, vertelt hij zichzelf. Ze geloven toch niet dat Bonnie hier allemaal niets van af wist. Hij herinnert zich nog maar al te goed dat Bibi hem eerder heeft toegeschreeuwd dat Bonnie heel goed kon weten dat er iets niet klopte. Pieter weet dat Bibi daarin gelijk kan hebben. Als er overal gebrek is aan donororganen, behalve in de kliniek van dokter Lopez, is dat natuurlijk vreemd. Hij schudt de gedachte van zich af. Hij wil er niet over denken.

In een poging de aandacht af te leiden van Bonnie vraagt Pieter aan Bibi en Robelito: 'Wat denken jullie dat Lopez bedoelt met een leuk uitstapje maken en wat heeft die meneer Marcos ermee te maken?'

'Geen idee,' antwoordt Bibi nijdig, terwijl hij nog steeds niet al te vriendelijk kijkt.

'Marcos,' roept Sharilla. 'Zeg je Marcos? Maar zo heette vroeger de president hier in de Filippijnen. Ze hebben hem afgezet omdat hij steeds meer geld van het volk voor zichzelf en zijn familie gebruikte. Zijn vrouw had wel duizend paar schoenen en tassen en echt een warenhuis vol kleding voor zichzelf.' Ze lijkt even na te denken. 'Maar die man moet nu al best wel oud zijn, of wacht eens, volgens mij is hij zelfs al dood.'

'Nou, deze Marcos was heel levend, hoor,' reageert Jochem.

Sharilla haalt haar schouders op. 'Nou ja, dan zal het een andere Marcos zijn.'

'Ze hadden het wel over een bezoek van de president,' merkt Robelito op.

'Nou, dat is dan in ieder geval niet president Marcos,' weet Sharilla.

'Wat kan mij dat allemaal schelen?' snauwt Bibi. 'Laten we liever proberen te bedenken hoe we die Lopez te grazen nemen en hoe we hier weg komen. Ik wil terug naar Manilla. Ik wil weten hoe het is met Isabella en mijn dochtertje.'

Andere kinderen komen om hen heen staan en al snel kunnen Pieter, Jochem en Sharilla de gesprekken niet meer volgen. Ze zoeken een rustig plekje aan een tafel bij de achterwand van de tent en praten daar verder.

'Ik weet zeker dat Bonnie ook op dit eiland zit,' begint Pieter. 'Ik moet haar zien.'

'Leuk bedacht,' reageert Jochem, 'en hoe ga je dat doen?'

'Gewoon naar haar toe te gaan.'

'Ach, wat dom van me. Natuurlijk, je gaat gewoon naar haar toe.'

'Zij moet ervoor zorgen dat haar vader ons helpt,' praat Pieter snel verder. 'Haar vader is iets belangrijks in de regering van zijn land. We moeten vragen of hij opbelt en iedereen waarschuwt over wat er hier gebeurt.'

'Julia,' komt Sharilla tussenbeide. 'De kapitein van het kinderziekenhuisschip. Zij heeft me haar telefoonnummer gegeven, toen ik vertrok. Ik weet zeker dat zij ons zal willen helpen. Ze is echt ongelofelijk lief en ze kent heel veel mensen. Ze heeft al op veel plaatsen in de wereld gewerkt en ze is ook dokter.'

'Oké, dat is allemaal leuk hoor,' reageert Jochem. 'Maar die Lopez is echt zwaar gestoord. Die trekt zich nergens wat van aan. En dan nog wat. Het lijkt erop dat hij samenwerkt met het leger. Als dat zo is kunnen die vader van Bonnie en die kapitein wel thuis blijven. Ze kunnen het moeilijk tegen het leger opnemen.'

'Ik weet het ook allemaal niet,' reageert Pieter nijdig. 'En ik kan het ook allemaal niet bedenken. Het enige dat ik weet is dat we hier niet moeten gaan zitten wachten.'

'Oké,' reageert Jochem op zijn beurt ook nijdig. 'Je hebt gelijk. Die gek heeft morgen vast een heerlijk uitstapje voor ons bedacht. Dan moeten we hier weg zijn.' Hij stopt even en zegt dan:

'En liefst heel ver.'

'Maar hoe komen we hier weg?' mengt Sharilla zich in de discussie. 'Er staat hier een hek omheen dat zwaar onder stroom staat. Daarom zijn er bijna geen bewakers in dit kamp. Ze weten toch zeker dat we er niet levend uitkomen.'

Net op dat ogenblik komen de drie bewakers die de jongens naar het kamp hebben gebracht binnen. Ze stoppen bij de groep die om Bibi en Robelito heen staat. Duidelijk hoorbaar zegt de leider: 'Jullie mogen hier niet zijn. Dus kom maar gauw mee.'

'Nee,' schreeuwt Bibi opgewonden. 'Jullie hebben ons hier zelf gebracht. We gaan niet mee.'

'Dat was een vergissing van ons. Het mag niet van de dokter,' reageert de leider gehaast. 'Dus schiet maar snel op,'

Pieter ziet hoe de man zenuwachtig naar de ingang kijkt. Daar is nog niets te zien, behalve dan dat het buiten donker is geworden.

'En waar gaan we dan naartoe?'

'Maak nou maar geen problemen,' fluistert de leider nerveus. 'Wij doen ook gewoon ons werk. Laat het nou niet gebeuren dat ik geweld moet gebruiken.'

'Maar ik vraag gewoon waar we naartoe gaan.'

Pieter ziet hoe de leider een seintje aan zijn twee mannen geeft. Vanaf dat moment gaat het snel. Robelito is de eerste die uithaalt als een van de bewakers zijn geweer op Bibi lijkt te willen richten. Het volgende ogenblik komt de rest van de kinderen in actie. Binnen een paar tellen is het voorbij. De drie bewakers zijn ontwapend en er is geen schot gelost.

Bibi steekt triomfantelijk zijn vuist in de lucht.

'Dit gaat nooit goed,' sist Pieter. 'Op die manier komen we hier niet weg.'

'Maar…' begint Sharilla. Verder komt ze niet.

Pieter laat zich van zijn stoel op de grond glijden en fluistert: 'Kom op. We kruipen hier naar buiten.'

'En de anderen dan?' aarzelt Sharilla.

'We gaan juist om hulp vragen,' sist Pieter gehaast. 'Als we nu hier blijven lukt dat niet meer, dat weet ik zeker.' Alsof zijn woorden gehoord zijn, komt vrijwel op hetzelfde moment een luidspreker tot leven.

'Camera's,' sist Pieter vanaf de grond. 'Ze houden de boel hier in de gaten met camera's. Dat kan niet anders.'

Ze verstaan niets van wat er allemaal geroepen wordt, maar ze zien wel wat er gebeurt.

Bibi grijpt een van de geweren en richt het op de bewakers. Pieter heeft geen vertaling nodig om te begrijpen wat Bibi vervolgens schreeuwt.

Hoogspanning

De stem uit de luidspreker die door de grote tent galmt, klinkt akelig kalm.

'Wat zegt hij?' sist Jochem.

Sharilla haalt gespannen haar schouders op en ook Pieter heeft er geen idee van. Maar wat ze vervolgens te zien krijgen, spreekt voor zich. Bibi blijft nog even staan, maar laat dan moedeloos zijn geweer zakken. De opstand, die Bibi nog maar net begonnen is, lijkt alweer ten einde.

227

'Zie je wel,' sist Pieter. 'We moeten nu weg, anders is het te laat.' Hij duwt het tentzeil omhoog en trekt met een ruk de stalen stoel naar zich toe.

'Wat ga je doen?' vraagt Jochem nog. 'Over dat hek klimmen? Dan mag jij eerst.'

Pieter duwt de stoel voor zich uit onder het tentdoek door en volgt dan zelf. Sharilla kruipt als laatste naar buiten.

'We hebben maar één kans,' fluistert Pieter, terwijl hij de stoel oppakt. 'Ik gooi deze tegen het hek aan om kortsluiting te maken. Maar...' Hij houdt even stil en slikt hoorbaar. 'Maar,' begint hij opnieuw, 'er is een kans dat de stroom op meer plaatsen afzonderlijk op het hek is aangesloten.'

'En dan?' Jochem kijkt hem roerloos aan.

'Dan hebben we pech,' fluistert Pieter.

'Je bedoelt dat we dan eindigen als een verkoolde biefstuk?'

'Zoiets.'

'Gatverdamme,' sist Jochem. 'En ik houd helemaal niet van biefstuk.'

Of Pieter het hoort is niet duidelijk. Hij reageert in ieder geval niet. In plaats daarvan zegt hij: 'We moeten de stroom naar de grond afleiden.'

Jochem haalt zijn schouders op. 'Ik snap er niks van, maar je gaat je gang maar.'

'Ssst.' Sharilla gebaart driftig en wijst naar een eenzame figuur die verderop langs het hek loopt. 'Er loopt er altijd eentje door het kamp,' laat ze fluisterend weten.

Pieter maakt zich meteen klein. 'En er waren bijna geen bewakers,' sist hij.

'Bijna geen. Maar niet helemaal geen.'

'Hij loopt al verder,' sist Jochem. 'Hij weet blijkbaar nog niet dat zijn vriendjes een probleem hebben.'

'Hadden,' verbetert Sharilla hem. 'Bibi liet dat geweer toch zakken. Ik weet niet wat er door die luidsprekers werd gezegd, maar ik denk dat ze zich daarbinnen overgeven.'

Pieter komt iets omhoog en maakt een gebaar met zijn arm. 'Nu,' laat hij nauwelijks hoorbaar weten. Hoewel de nacht snel is gevallen zijn ze in het schijnsel van de maan en de sterren goed zichtbaar als ze achter elkaar over het terrein rennen. Licht hijgend houdt Pieter stil bij het hek. Hij weet dat het geen zin heeft om de stoel tegen het hek aan te smijten. Hij moet het ding er zó tegen aan laten zakken dat hij blijft staan, zodat het metaal van de stoel een verbinding vormt tussen het hek en de grond. Centimeter voor centimeter schuifelt hij verder naar het hek. Op ongeveer een meter afstand blijft hij staan. Hij heeft het gevoel dat hij de spanning die op het hek staat kan voelen, maar dat kan ook verbeelding zijn.

Hij zet de stoel neer en schuift hem iets naar het hek toe.
'Doe je wel voorzichtig?' fluistert Sharilla die op veilige afstand blijft.

Pieter knikt en laat de stoel voorzichtig kantelen. Zijn trillende handen zitten stevig rond de leuning geklemd. Hij wrikt de stoel heen en weer om de twee poten die de grond nu nog raken stevig in de aarde te drukken. Op tijd loslaten, vertelt hij zichzelf. Als je dat niet doet ben je dood. Zijn handen, die om de leuning zijn geklemd, zijn misschien nog maar twintig centimeter van het hek vandaan. Het zweet drupt van zijn gezicht.

Niet verder, weet hij. Hij moet nu de leuning loslaten, waarna de stoel tegen het hek zal vallen. De stroom moet dan via het stalen frame van de stoel afvloeien naar de grond. Dat zal hopelijk voor kortsluiting zorgen.

Terwijl hij achter zijn rug allerlei geluiden hoort, laat hij de stoel los. In paniek slaat hij een arm voor zijn ogen als een gele vonkenregen hem tegemoet spat. Hij laat zich zijdelings vallen en rolt zo ver mogelijk bij het hek vandaan. De vonken en het geknetter houden nog een paar tellen aan en dan is het stil. Doodstil. De stoel is veranderd in een verwrongen hoopje metaal.
'Oké, Pieter!' juicht Jochem stilletjes. 'Het is je gelukt. Alles is donker.'

Hijgend krabbelt Pieter overeind. Hij weet dat ze geen seconde te verliezen hebben. Het hek is nu misschien uitgeschakeld, maar dat weet dan ook iedereen in het kamp. Ze zullen niet veel tijd krijgen om er overheen te klimmen en weg te rennen.

Sharilla is als eerste bij het hek. Ze steekt haar hand uit maar houdt dan stil. 'Ik durf het niet,' zegt ze zachtjes. Ondanks het feit dat de stroom in het kamp lijkt uitgevallen, is Pieter zelf ook niet van overtuigd dat het hek veilig is. Bovendien zal het ze flink wat tijd kosten om meer dan vier meter omhoog en aan de andere kant weer omlaag te klauteren. Hij staat er even besluiteloos bij. Hij heeft ooit op de televisie gezien dat een hek als dit verschillende stroomkringen kan hebben. Misschien hebben ze bij toeval de stroomkring uitgeschakeld waar ook de verlichting van het kamp op is aangesloten. Maar er kunnen nog andere stroomkringen actief zijn. Als dat zo is kan een aanraking met zijn pink al voldoende zijn om dood neer te vallen. Wanhopig laat hij zijn ogen door het nachtelijke kamp dwalen. In de verte ziet hij mensen vanuit het ziekenhuis naar de tent lopen. Het kan niet anders dan dat de opstand in de tent en het uitvallen van het licht voor grote verwarring zorgen in het kamp.

'Oké, dan toch maar het hek,' mompelt hij. Hij is al op weg om de kans te wagen als hij iets bedenkt.

'De auto,' sist hij, 'We moeten de auto meenemen.'

Zonder nog op een reactie van de anderen te wachten begint hij langs het hek te rennen. Als ze ongezien aan de andere kant van het ziekenhuis kunnen komen, bedenkt hij, dan moet daar die auto met vierwielaandrijving staan, waarmee ze naar het kamp zijn gebracht. Dat is tenminste de plek waar hij de fourwheeldrive geparkeerd heeft zien staan. Het is hem bij aankomst opgevallen dat de chauffeur de sleutels erin heeft laten zitten. Rennend langs het hek volgen ze de omtrek van het kamp. Hij maakt zich zo klein mogelijk en hoopt dat Sharilla en Jochem zijn voorbeeld volgen. Maar hij weet dat de kans dat hij met zijn witte huid als eerste ontdekt wordt het grootst is. Net als hij denkt dat het ze bijna gelukt is om ongezien de andere kant van het kamp te bereiken is hij er plotseling; de bewaker die ze al eerder voorbij hebben zien komen. Hij ziet de man pas als hij hem tot op korte afstand genaderd is. De man staat met zijn rug naar hem toe. Hij aarzelt en wil zich plat op de grond laten vallen als hij toch besluit om gewoon door te rennen. In volle vaart ramt hij de bewaker in zijn rug. De man klapt voorover maar herstelt zich razendsnel. Hij rolt door en staat meteen weer op. In een flits ziet Pieter hoe de man de koptelefoon van zijn hoofd rukt. Een walkman, vermoedt Pieter. Dat is de reden dat de man ze niet heeft horen rennen. In een vloeiende beweging gaat de hand van de man door naar zijn heup. De arm die Sharilla van achteren om zijn nek slaat komt voor de bewaker als een volslagen verrassing. Sharilla zet haar wurggreep strakker aan, waarna de man door zijn knieën zakt en roerloos blijft liggen. Geschrokken bukt ze zich voorover. 'Zou ik...?' begint ze. Maar Jochem pakt haar arm en trekt haar omhoog.

230

'Perfect gedaan, maar we moeten verder.'

'Mijn jiu-jitsu leraar heeft er nog voor gewaarschuwd,' gaat Sharilla opnieuw van start. 'Niet te strak.'

'Kom nou mee!' sist Jochem dwingend. Hij bukt zich en slaat met zijn vuist tegen de knie van de man, waarna diens onderbeen keurig vooruit wipt.

'Zie je nou wel,' grijnst Jochem. 'Zijn reflexen werken nog, niets aan de hand.'

Ze hollen verder en bereiken zonder problemen de andere zijde van het kamp. Dwars over het terrein van de boerderij gaan ze op weg naar de zijkant van het ziekenhuis. De rietmatten die het land overdag beschermen tegen de zon zorgen er nu voor dat het licht van maan en sterren niet bij hen doordringt. Dat komt goed uit, want de matten zorgen er zo ook voor dat ze vrijwel onzichtbaar zijn. Zonder verdere tegenstand bereiken ze de fourwheeldrive. Pieter houdt zijn adem in als hij het portier vastpakt. Geruisloos zwaait het open. Als de binnenverlichting aangaat duwt hij de deur van schrik weer bijna dicht.

'Volgens mij is de kust veilig,' fluistert Jochem in Pieters oor.

Opnieuw trekt Pieter het portier naar zich toe. Hij schuift achter het stuur en zijn handen zoeken in de buurt van het plafondlampje nerveus naar de schakelaar.

'De sleutels zitten er in ieder geval in,' meldt Jochem ondertussen.

Hij is samen met Sharilla door het achterportier naar binnen gekropen en hangt over de voorbank.

'Rij jij of rij ik?' vraagt Jochem. Hij weet ondanks alles nog een grap te produceren. Erg veel succes met zijn opmerking heeft hij niet. Pieter lijkt het niet eens te horen en Sharilla sist gespannen: 'Stil nou.'

Pieter is kwaad op zichzelf als hij eindelijk bedenkt dat hij alleen maar het portier hoeft te sluiten om de binnenverlichting te doven. Hij zoekt met zijn voeten naar de pedalen. Het is jammer genoeg geen auto met een automatische versnelling. Maar hij weet dat hij ook in een auto met een handgeschakelde versnelling kan rijden. Ondanks de protesten van zijn moeder heeft zijn vader hem laatst nog laten oefenen op een bijna lege camping. Waar hij zich zorgen over maakt zijn de extra hendels die hij ziet. Hij denkt dat ze bedoeld zijn voor de vierwielaandrijving. Hoe ze precies werken weet hij niet.

'We zullen dwars door het hek moeten,' fluistert Sharilla angstig. 'Gaat je dat lukken?'

'Pieter wel,' stelt Jochem haar gerust. Om duidelijk te maken dat hij er het volste vertrouwen in heeft slaat hij zijn armen losjes over elkaar en laat zich heerlijk op de achterbank onderuitzakken.

'Rijden maar, chauffeur,' laat hij horen.

'Weet je eigenlijk waar je naar toe moet?' is de volgende gefluisterde vraag van Sharilla. Pieter knikt in een poging Sharilla gerust te stellen, maar hij is er zelf niet zeker van. De enige weg die hij heeft gezien is die van de baai naar het kamp. Dat is ook de weg die hij zal moeten gebruiken om hier weg te komen. Want ook al hebben ze vierwielaandrijving, het is uitgesloten dat ze met deze auto dwars door de dichte begroeiing zullen kunnen ploegen. Misschien staat het leger hen al op te wachten als ze in de baai aankomen. Misschien moeten ze onderweg wel uitstappen en door het bos verder trekken. Dat vooruitzicht trekt hem weinig aan. Onwillekeurig denkt hij terug aan het stadspark vlak bij hun school en het plan van zijn klasgenote Betine om daar een boa constrictor los te laten. Hij rilt bij de gedachte dat ze in het bos zo'n slang zullen tegenkomen. Hij weet immers maar al te goed dat ze de fourwheeldrive misschien ergens zullen moeten achterlaten. Dan zullen ze te voet verder moeten.

Maar één ding is zeker: voorlopig geeft deze auto hem wel een gevoel van veiligheid. Hij kijkt een laatste keer door de voorruit en volgt met zijn ogen de weg die ze moeten nemen om de uitgang te bereiken. Tegen de tijd dat ze daar zijn, zullen ze op volle snelheid moeten zitten.

'Gaan we nog?' informeert Jochem van achteren.

Pieter weet het. Hij mag nu niet langer aarzelen. Zijn trillende hand omklemt de contactsleutel. Hij heeft de sleutel al half omgedraaid als hij geschrokken bedenkt dat hij de koppeling nog moet induwen. Net op tijd stampt zijn voet het koppelingspedaal in tot op de vloer. De motor brult als zijn andere voet het gaspedaal aanraakt.

'Nu langzaam de koppeling op laten komen,' mompelt hij voor zich uit. Hij heeft het gas bijna volledig ingedrukt, de banden slippen door de aarde en de fourwheeldrive schiet vooruit. Ze zijn op weg.

Scheurend metaal

Pieter houdt zijn ogen strak op het hek gericht. Hij heeft het gaspedaal tot op de bodem ingedrukt.

'Vanaf nu hoeven we in ieder geval niet meer zachtjes te doen,' roept Jochem opgewonden.

Pieter weet dat hij moet schakelen, maar hij aarzelt. Met zijn vader erbij ging het prima. Maar als hij nu een fout maakt en de auto slaat af dan…

'Schakelen Pieter,' klinkt opnieuw de stem van Jochem. 'Anders draai je de motor in de soep.'

Pieter weet dat zijn vriend gelijk heeft. De motor giert als een gek. Hij knippert met zijn ogen om het zoute zweet eruit te krijgen. Hij klemt zijn hand om de versnellingspook.

'Nu,' schreeuwt hij. Hij trapt de koppeling helemaal in, laat het gas los en rukt de versnellingspook in de tweede versnelling.

'Langzaam laten opkomen en weer gas geven,' vertelt hij zichzelf, terwijl hij de handelingen uitvoert. Vrijwel zonder schokken rijdt hij verder in de twee. Hij richt zijn ogen op de vooruit en ziet dat de poort waar ze doorheen moeten breken al angstig dichtbij is. Terwijl hij het gaspedaal zo mogelijk nog verder intrapt, duikt hij diep in elkaar achter het stuur. Zijn ogen zijn gesloten en zijn handen omklemmen het stuur als de fourwheeldrive het gaaswerk van de poort raakt. Er trekt een schok door de fourwheeldrive en even wordt alles overheerst door het geluid van scheurend metaal. Maar voordat Pieter zijn ogen weer open heeft is het voorbij.

'Yes,' gilt Jochem enthousiast. 'We zijn buiten.'

Bijna verbaasd kijkt Pieter door de ongeschonden voorruit voor zich uit. Veel ziet hij niet. Door de begroeiing aan weerskanten is de duisternis hier bijna volledig. Geschrokken neemt hij gas terug en zijn vrije hand tast zenuwachtig het dashboard af, op zoek naar de lichtschakelaar. Gelukkig heeft Jochem in de gaten wat er aan de hand is. Hij wringt zich tussen de stoelen naar voren en schiet Pieter te hulp. Het gas wordt meteen dieper ingetrapt als twee krachtige bundels de bosweg volop in het licht zetten. Als de auto na een minuut of wat meer moeite lijkt te krijgen met de weg, lukt het Pieter om de vierwielaandrijving in te schakelen. Vanaf dat moment draaien de wielen de auto

233

schijnbaar moeiteloos vooruit door het soms losse zand. Zo snel als maar mogelijk is davert Pieter over het smalle bospad in de richting van de baai. Zoals verwacht dient zich geen enkele andere weg aan. Dat betekent dat ze iets meer dan tien minuten na hun vertrek uit het kamp al aan de rand van het water staan. De koplampen zijn gedoofd en ze staren vanuit de cabine naar het marineschip dat nog steeds in het midden van de baai voor anker ligt.

'En nu?' vraagt Sharilla gejaagd.

Pieter omklemt het stuur met twee handen als hij met onvaste stem zegt: 'Ik had gehoopt dat hier nog een andere weg zou zijn. Eentje naar het hotel en de kliniek.'

Hij laat zijn hoofd tegen het stuur aan zakken in een poging om helder te denken.

'Stom,' zegt hij meer tegen zichzelf dan tegen de anderen. 'Natuurlijk is er geen weg tussen dit deel van het eiland en het deel waar de kliniek en het hotel staan. Ik denk dat er zelfs niet eens een pad loopt. Lopez wil hier natuurlijk geen pottenkijkers in zijn testcentrum. Hij wil niet het risico lopen dat een van zijn gasten zijn centrum ontdekt.'

Als hij plotseling rechtop veert, dreunt hij bijna met zijn hoofd tegen dat van Jochem. Die hangt half over de bank en staat op het punt iets in zijn oor te fluisteren. Wat dat is, blijft onduidelijk. Pieter neemt meteen het woord.

'De boten!' zegt hij opgewonden. 'Dat is het natuurlijk. Ze gebruiken de boten om heen en weer te varen. We laten de auto hier en nemen de boot.'

'Dat marineschip?' roept Jochem verbaasd. 'Wil je dat soms even kapen?' De grijns op het gezicht van zijn vriend ontgaat Pieter. Hij is opnieuw druk op zoek naar het knopje voor de binnenverlichting. 'Ik bedoel een van die boten aan de steiger waar we vanmiddag aankwamen. We varen langs de kust en dan komen we vanzelf langs het strand waar we eerder zijn geland. Je weet wel, toen we van Yuko's boot afkwamen.'

Jochem heeft niet lang nodig om over dit nieuwste plan na te denken.

'Perfect,' roept hij meteen. 'Hier kunnen we sowieso niet blijven. Die lui van Lopez kunnen snel hier zijn.'

'Precies, kom op dan,' reageert Pieter, terwijl hij eindelijk de schakelaar vindt die hij zoekt.

234

Een paar minuten later peddelen drie paar handen door het donkere, vrijwel rimpelloze water van de baai. Het grote marineschip heeft met al zijn kannonnen iets weg van een reusachtig monster. Het licht dat het schip verspreidt zorgt ervoor dat een groot deel van het water in de baai zwakjes wordt verlicht. Sharilla en de jongens zorgen er in hun rubberboot voor dat ze buiten de lichtcirkel blijven. Dat lukt alleen door heel dicht langs de kant te varen. Het marineschip lijkt ondertussen volop in bedrijf en is waarschijnlijk klaar voor vertrek. Het stampende geluid van de scheepsmotoren vult de baai.

'Misschien kunnen we de buitenboordmotoren nu wel starten,' stelt Jochem fluisterend voor. 'Gewoon even het sleuteltje omdraaien.'

'Echt niet,' fluistert Pieter beslist terug. 'Pas als we op zee zijn. En we kunnen beter stil zijn,' voegt hij eraan toe. Hij weet dat het slechts een kwestie van tijd is voordat de mensen van Lopez de verdwijning van een van hun boten zullen opmerken. Met de andere boten zullen ze niet ver komen, bedenkt hij tevreden. Pieter voelt in zijn broekzak, waar de contactsleutels van alle andere boten zitten. Dat was snel voor elkaar. De buitenboordmotor van de enige boot zonder sleutels hebben ze onklaar gemaakt door zand in de tank te gooien.

Maar toch maakt hij zich zorgen. Wat als de marine met een van de boten die ze aan boord hebben, de achtervolging inzet? Niet aan denken, weet hij. Onwillekeurig huivert hij als hij naar de kant kijkt. Ook daar schuilt het gevaar. De dichte begroeiing zorgt voor een spookachtige sfeer en vormt een perfecte schuilplaats voor aanvallers. Liever zou hij meer naar het midden gaan varen, maar daar lopen ze weer te veel in de gaten. Hij ademt diep in en probeert zich op het peddelen te concentreren. Zwijgend zwoegen ze verder om de rubberboot met zijn twee zware buitenboordmotoren vooruit te krijgen.

'Eindelijk,' zucht Jochem als ze de baai hebben verlaten en op open zee zitten. Met een draai van de contactsleutel starten de twee zware buitenboordmotoren. Ze werken probleemloos. Pieter aarzelt niet en zet de gashendel meteen op vol vooruit. Binnen een paar tellen stuiteren ze over de golven. De machtige motoren stuwen de lichte rubberboot met enorme snelheid over het water. Pieter zit ongeveer midden in de boot, achter het consolestuur. Hij moet zich met beide handen aan het stuur vastklemmen om op zijn plek te blijven. Om ervoor te zorgen dat de neus van de boot door de motoren niet nog verder omhoog wordt gestuwd, zitten Sharilla en Jochem voor in de boot. Ze zitten diep ineengedoken om zich te beschermen tegen het opspattende water. Pieter houdt zijn ogen voortdurend op de kust gericht, maar heeft het strandje dat dicht bij het hotel ligt nog niet kunnen ontdekken. Hij heeft al minstens drie keer snelheid geminderd om beter te kunnen kijken. Ook nu twijfelt hij en trekt hij de gashendel naar de neutraalstand toe.

'Alles ziet er ook anders uit!' roept Jochem van voor uit de boot. Pieter knikt slechts en stuurt de boot nog iets verder in richting van de kust. In tegenstelling tot in de baai is het water hier onrustig. De golven zijn niet hoog, maar glad is het water allerminst. Hij moet iets gas bijgeven om op koers te blijven. De opwinding klinkt door in zijn stem als hij zegt: 'Volgens mij is dit het strand waar...'

Het volgende moment verscheurt een afschuwelijk geratel de nachtelijke stilte.

De marine, is zijn eerste gedachte. Ze worden aangevallen door de marine. Hij kijkt wild om zich heen, maar ziet niets. Hij heeft bijna de neiging om zijn oren dicht te drukken. Het is een geluid alsof iemand met een drilboor bezig is het asfalt van de weg open te breken. Maar dan tien keer sterker, naar Pieters idee. Eindelijk dringt het tot hem door dat het zijn eigen motoren zijn die het kabaal veroorzaken. En hij weet ook wat dat betekent. Ze zijn vastgelopen. Hij draait wild aan het stuur. Zijn eerste reactie is: weg van hier, weg van de kust, terug naar dieper water. Hij duwt de gashendel naar voren. De boot trilt verschrikkelijk terwijl de schroefbladen van de motoren onder water in de bodem malen.

'Toe dan,' schreeuwt Pieter als vanzelf. Maar terwijl hij het roept weet hij dat hij een fout heeft gemaakt. Misschien was het met een zanderige bodem gelukt om weg te komen. Maar het is hem nu duidelijk dat de bodem hier niet van zand is. Een rotsbodem, flitst er door zijn hoofd. Terwijl hij het denkt begint een van de motoren te loeien. Hij rukt de gashendel in de neutraalstand, maar weet meteen dat het al te laat is. Ook de tweede motor begint te loeien. Nijdig trekt hij het dodemanskoord los van het contactslot. De plotselinge stilte is bijna onwerkelijk. 'Breekpennen gebroken,' laat hij kortaf horen. 'De motoren doen het nog wel, maar de schroeven draaien niet meer mee,' voegt hij er als uitleg aan toe.

'Nou, dat is lekker dan,' laat Jochem met een zucht horen. 'Kun je dat maken?'

'Hier niet in ieder geval.'

'Nou ja, we hebben één voordeel,' weet Jochem. 'Als die golven zo blijven komen, dan spoelen we vanzelf aan land.'

Een scheurend geluid en een korte gil van Sharilla maken een einde aan het gesprek. Ze staat nu rechtop en wijst naar de bodem van de boot.

Voordat Pieter ziet wat er aan de hand is, weet hij het al. Ze zijn lekgeslagen. Tegen de tijd dat hij ook staat en over de ruit van zijn stuurplek kijkt, stroomt het water al naar binnen.

'Deze boten kunnen bijna niet zinken,' hoort hij zichzelf zeggen. Maar hij weet zelf dat dat in dit geval niet opgaat. De zware motoren zullen de boot waarschijnlijk naar beneden trekken.

De stem van Sharilla klinkt angstig en zacht. 'Ik denk dat we boven een koraalrif zitten. Die zijn hier heel veel rondom de eilanden. Ik weet het omdat ik met mijn vader gesnorkeld heb. Die heeft er van alles over verteld.'

'Nou, dat valt alweer mee,' merkt Jochem zuchtend op. 'Dan zijn er toch nog een paar over. Ze hebben het er toch altijd over dat de koraalriffen bedreigd worden.'

'Dat koraal is vlijmscherp,' weet Sharilla. Ze heeft het nog niet gezegd of een luid sissend geluid verraadt dat een van de rubberen drijvers geraakt moet zijn. Kort hierna is het opnieuw raak. Pieter ziet ademloos toe hoe de rubberboot zichtbaar dieper in het water komt te liggen. 'Nog maar tweehonderd meter misschien,' roept Jochem. 'Als het moet, kunnen we dat zwemmen.'

'Nee,' gilt Sharilla. 'Het koraal moet hier vlak onder het oppervlak zitten. Als je nu uitstapt is dat levensgevaarlijk. Het zijn net messen.'

'O,' reageert Jochem zwakjes. 'Dan blijf ik nog maar even.'

Naarmate de boot zwaarder wordt door het binnenstromende water en daardoor dieper komt te liggen, krijgen de golven er meer grip op. Het duurt niet lang voor de eerste golf over de kant slaat en de boot in één klap vult.

'Nee hè?' kreunt Jochem. 'Ook dat nog!'

Pieter hoeft niet te vragen wat er is. Zodra hij zich omdraait ziet hij het ook: een sterk zoeklicht dat heen en weer zwiept over het water.

'En ik dacht dat ze hun boten niet meer konden gebruiken,' sist Sharilla.

'Ik denk...' begint Pieter zachtjes, 'ik denk dat ze de marine om hulp hebben gevraagd. Die hebben natuurlijk ook kleine boten aan boord.'

'Nou, die kunnen ons dan mooi komen redden,' reageert Jochem somber. 'Ik verheug me er al op om Lopez weer te zien. Hopelijk hebben ze het eten voor ons warm gehouden. Ik heb wel trek.'

Dag 4

Vlijmscherp koraal

Het eerste daglicht kondigt zich eindelijk aan. Alsof hij heerlijk geslapen heeft rekt Jochem zich demonstratief uit. Hij zit op een van de weinige nog opgeblazen delen van de rubberboot.

'Heerlijk toch, zo'n nachtje op het koraalrif,' weet hij al geeuwend te zeggen. Ondanks de grijns vertoont zijn gezicht duidelijk de tekenen van een slapeloze nacht. Dat geldt ook voor Pieter en voor Sharilla. Half onder, half boven water zijn ze er in geslaagd de nacht door te komen. Gezonken zijn ze gelukkig niet. Daarvoor is het gedeelte van het rif waarop ze zijn vastgelopen ook te ondiep. Van de rubberboot is niet veel meer over. Slechts een paar luchtkamers zijn onbeschadigd. Daar hebben ze dankbaar gebruik van gemaakt om af en toe wat te liggen. Sharilla is de enige die nog een uurtje geslapen heeft. Maar dat was pas tegen de ochtend. Eigenlijk is ze net pas wakker.

'Is de marine nog een keer langs geweest?' wil ze weten.

'Gelukkig niet,' reageert Jochem. 'Twee keer was wel genoeg. Ik denk dat ze de zoektocht nu wel gestaakt hebben.'

Pieter knikt instemmend. 'Die tweede keer was bijna raak. Eén meter meer naar rechts en we waren in dat zoeklicht gevangen.'

'De eerste keer scheelde anders ook niet veel. Volgens mij is het onze redding geweest dat we hier half onder water liggen,' meent Jochem. 'Nou, en nu naar de kant. We kunnen nu tenminste zien wat we doen.'

Dat is ook precies de reden dat ze hebben besloten om de nacht op het rif door te brengen, bedenkt Pieter. Nu zullen ze er hopelijk in slagen om zonder verwondingen naar het strand te komen. En dan? Dan zal het hopelijk lukken om bij Bonnie te komen. Hij weet dat het een voordeel kan hebben dat ze vannacht noodgedwongen stil hebben moeten zitten. Lopez zal hopelijk denken dat ze inmiddels verdronken zijn of dat ze naar open zee zijn gevlucht, weg van het eiland.

'Ik hoop niet dat de kinderen in het kamp gestraft zijn, omdat wij zijn ontsnapt,' onderbreekt Sharilla zijn gedachten. 'Mis-

239

schien zal de dokter denken dat hun actie bedoeld was als afleiding om ons de kans te geven om te ontsnappen.'

Pieter reageert niet. Hij staart zwijgend naar de kant. Dezelfde
gedachte heeft ook hem in de afgelopen nacht gekweld. En dat
is niet alles waar hij zich zorgen over maakt. Nog een paar uur
en dan zullen Bibi en Robelito naar de baai worden gebracht.
Daar moeten ze klaarstaan voor het uitstapje dat Lopez heeft
bedacht.

'Je had gewoon moeten zeggen dat je ons niet kende,' mompelt
hij nietsziend voor zich uit. Maar hij weet dat Robelito in plaats
daarvan heeft gezegd dat ze vrienden van elkaar zijn. Dat wordt
de jongens nu misschien fataal, weet Pieter.

Hij zucht diep. 'We moeten gaan, en snel ook. Misschien hebben
we nog een kans om ze te redden.'

'Bedoel je de kinderen in het kamp?' vraagt Sharilla.

'Allemaal,' antwoordt Pieter, 'maar vooral ook Bibi en Robelito.
Zij lopen op dit moment, denk ik, het grootste gevaar.'

Terwijl ze elkaar angstvallig vasthouden schuifelen ze, voetje
voor voetje, over het koraal. Rond hun schoenen en de boven-
kant van hun benen hebben ze lappen rubber gebonden die ze
van de boot hebben afgesneden. Het loopt ongelofelijk ongemakkelijk, maar de kans op verwondingen is kleiner. Het is inmiddels duidelijk dat ze zijn vastgelopen op een ondiep gedeelte en dat een paar meter verderop het water alweer dieper
is. Als ze daar eenmaal zijn, hopen ze zonder problemen naar
het strand toe te kunnen zwemmen. Sneller dan verwacht, is het
zover.

'Dit hadden we vannacht moeten weten,' merkt Jochem op, als
ze eenmaal op het strand staan. 'Dan was ik hier heerlijk gaan
slapen.' Om te demonstreren hoe dat geweest zou zijn laat hij
zich languit in het vrijwel witte zand vallen.

'Je ziet eruit als een sneeuwpop,' lacht Sharilla opgelucht als Jochem overeind komt. Ze loopt op hem toe en begint het fijne
poederzand van zijn nog natte gezicht te vegen.

'Ik geloof dat ik zo nog een keer door dat zand ga rollen,' grijnst
Jochem tevreden.

'Als je het maar laat,' lacht Sharilla.

Pieter besteedt ondertussen zijn tijd om een indruk te krijgen
van de plek waar ze zijn. Vanaf het moment dat het licht begon

te worden heeft hij vanuit zee het strand al uitgebreid bestudeerd. Hij is er eigenlijk al zeker van dat dit het strand is waar ze eerder door de Filippijnse visser en zijn zoon zijn afgezet. Maar de vorige keer zijn ze aan het andere uiteinde van het strand aan wal gezet. Dat moet de reden zijn dat ze toen niet op het koraal zijn vastgelopen.

'Zo, en nu een lekker ontbijtje met een paar liter cola graag,' hoort hij Jochem zeggen. 'Toch jammer dat we gisteren het diner hebben gemist,' praat Jochem vrolijk verder. 'We hadden beter kunnen wachten met ontsnappen tot na het eten. Dan had ik nu niet zo'n ongelofelijke honger en dorst gehad.'

'Pluk dan maar even een paar kokosnoten,' stelt Sharilla voor.

'Heb ik de vorige keer met mijn vader ook gedaan. Het is niet lekker hoor, maar ja, beter dan niets.'

'Sorry, maar volgens mij moeten we nu gaan,' fluistert Pieter, die hun gesprek onderbreekt, 'en we moeten vanaf nu zachtjes doen.'

Tegen de tijd dat ze aan de andere kant van het strand aankomen heeft de wind hun kleren alweer gedroogd.

Pieter is er nu zeker van dat dit het goede strand is. Hij vindt moeiteloos het pad dat hen dwars door een deel van het bos naar het hotel moet brengen.

'Bingo,' fluistert Jochem, als ook hij het pad herkent waarover ze eerder hebben gelopen.

'We zitten hier op minder dan vijf minuten van het hotel,' laat hij Sharilla fluisterend weten.

In een poging zichzelf af te leiden probeert Pieter te berekenen hoelang het geleden is dat ze hier voor de eerste keer liepen. Maar hij merkt al snel dat hij alle gevoel voor tijd kwijt is. Misschien komt dat ook omdat de gedachte aan Bonnie zich steeds op de voorgrond dringt. De idee dat zij op slechts een paar minuten afstand is maakt hem tegelijkertijd onrustig en opgewonden. Onrustig, omdat hij weet dat dit een heel gevaarlijke ontmoeting kan zijn. Niet alleen voor hemzelf, maar ook voor Bonnie. Opgewonden, omdat hij ongelofelijk blij is dat hij haar weer zal zien.

Nog sneller dan verwacht naderen ze het punt waar het bospad uitkomt op het open terrein waar het vakantiecentrum ligt. Het is meteen duidelijk dat het zwembad er nog verlaten bij ligt. Eén van de tennisbanen is al wel in gebruik. Waarschijnlijk spelen er nu gasten die de betrekkelijke koelte van de vroege ochtend verkiezen boven de hitte later op de dag.

'Wat doen we?' vraagt Pieter zich fluisterend af.

'Lekker het zand en zout afspoelen,' grapt Jochem.

Pieter kijkt zijn vriend snel even aan. 'Goed idee,' zegt hij dan. 'We nemen gewoon een duik en dan slaan we een handdoek om. Dat vallen we hier het minste op, denk ik.'

'Ik heb anders geen bikini bij me hoor,' merkt Sharilla op.

Jochem schudt zijn hoofd. 'Ik ook niet. Ik bedoel natuurlijk een zwembroek,' grijnst hij.

'Of denk je dat dat niemand zal opvallen?'

'Oké, slecht idee,' geeft Pieter toe. 'Maar dan kunnen we maar één ding doen. Gewoon het terrein oplopen en doen alsof we hier horen.'

'Ja,' zegt Jochem meteen. 'Laten we dan maar beginnen in de ontbijtzaal.'

'Laten we dat dus maar niet doen,' lacht Sharilla zachtjes.

'Even serieus nou,' sist Pieter gespannen.

'Je moet wel eerst dat zand van je kleren afhalen,' zegt Sharilla nog tegen Jochem als ze al op het punt staan om te gaan. Als Jochem ook weer toonbaar is, stapt Pieter als eerste het terrein op. Hij houdt zijn adem in en doet zijn uiterste best om niet te gaan hollen. Na een misslag op de tennisbaan ligt het spel daar even stil. De speler die met het gezicht naar hen toe staat steekt zijn hand op. Pieter reageert meteen en beantwoordt de groet. Hij hoopt tenminste dat het als groet bedoeld is. Dat dit inderdaad zo is, blijkt als het spel weer wordt hervat. Eindelijk staat hij zichzelf toe om weer te ademen. Hij voelt zijn hart tekeer gaan en zijn keel is droog. Ze lopen langs het zwembad en dan rechtstreeks naar het deel van de palmentuin waar de hotelkamer van Bonnie op uitkomt. In het hotel naar binnen gaan en op haar deur kloppen, dat gaat Pieter te ver. Dat is te riskant. Hij wil proberen haar van buitenaf te bereiken. Als ze tenminste op haar hotelkamer is en dat betwijfelt hij sterk. Waarschijnlijk is ze nog in de kliniek, om te herstellen van de operatie. Hij probeert zich koortsachtig te herinneren wat ze daarover heeft gezegd. *Als ik die nier eenmaal heb, dan blijven we hier nog een week,* schiet hem ten slotte te binnen. Maar betekent dit een week in de kliniek of in het hotel? Dat weet hij niet. Hij telt in zijn hoofd de kamers die ze passeren. De kamers op de begane grond hebben allemaal een eigen terrasje. Sommige gasten hebben hun deur openstaan.

'Volgens mij is het hier,' tikt Jochem hem op zijn schouder.

Pieter haalt zijn schouders op. 'Weet je het zeker? Volgens mij is het eentje verder.'

'Krijg nou wat, we kunnen ons niet vergissen, hoor. Straks staan we bij de verkeerde binnen.'

Pieter aarzelt. 'Het is kamer nummer zeven en volgens mij is dat de kamer hiernaast.' Hij wijst naar de kamer waarvan de deur openstaat.

'Zal ik teruglopen en opnieuw tellen?' stelt Jochem voor.

Pieter kijkt snel even om zich heen en knikt ten teken dat het goed is. Jochem loopt terug en begint opnieuw te tellen.

'Goedemorgen,' klinkt er plotseling

Meteen weet Pieter dat de kamer die Jochem net aanwees dus niet de goede is.

'Goedemorgen,' weet hij met moeite uit te brengen.

'Jullie zijn al vroeg uit de veren,' zegt de man. Hij schuift de gordijnen verder opzij en stapt op zijn terrasje. Daar blijft hij staan. De lange kamerjas die hij aan heeft kan niet verbergen dat de man veel te dik is. Hij steekt de handen in zijn zakken en kijkt hen onderzoekend aan.

'Eh ja,' verzint Pieter snel. 'We zijn even op het strand wezen kijken.'

'Ja, ja,' laat de man in zijn onmiskenbare Amerikaanse Engels horen. 'Nou ja, dat is heel mooi, zo in de vroege ochtend, hè?'

Jochem komt er zwijgend bijstaan en de man neemt hem keurend op. Als ze geen van drieën wat zeggen, praat de man verder.

'Ik hoorde wat geluiden buiten, dus ik dacht, ik ga even kijken.'

Pieter knikt maar. Hij heeft geen idee wat hij nog moet zeggen en hij heeft al helemaal geen idee hoe het nu verder moet.

'We komen even kijken hoe het met mijn vriendin gaat,' komt Sharilla hem te hulp. 'Ze is pas geopereerd, weet u.'

Ze wijst op de kamer naast die van de man. 'Maar misschien slaapt ze nog.'

'Je bedoelt Bonnie,' zegt de man zelf al.

'Bingo,' sist Jochem vlak bij Pieters oor.

'Ik weet het niet. Of ze nog slaapt bedoel ik,' voegt de man er met een wat onzekere glimlach aan toe.

'Nou, we zullen zachtjes even kijken,' fluistert Sharilla en ze loopt al verder.

Pieter aarzelt even, maar komt dan ook in beweging.

Op datzelfde moment doet de man een paar stappen naar voren. 'Weet ze dat jullie komen?'

'Het is een verrassing,' fluistert Sharilla terwijl ze al op het terrasje van de kamer van Bonnie staat. 'We zijn pas gisterenavond laat aangekomen.'

'O,' reageert de man nu ook op fluistertoon. 'Nou, leuk voor haar. Maar eh,' gaat hij verder. 'Zijn jullie niet bang dat ze vreselijk schrikt als je zo van buitenaf haar kamer binnensluipt? Dat lijkt me namelijk niet verstandig nu ze pas geopereerd is. Jullie kunnen misschien beter even wachten tot iedereen hier wakker is. Dan wil ik straks haar ouders wel even voor jullie waarschuwen.'

'Ga toch weg, man,' fluistert Jochem onhoorbaar voor de buurman die vol belangstelling naar ze blijft kijken. 'Bemoei je met je eigen zaken.'

'Nee hoor,' reageert Sharilla vrolijk. 'Ze weet wel dat we komen, hoor, alleen niet vandaag. Maakt u zich maar geen zorgen. Mijn vriendin schrikt niet zo gauw.' Ze schenkt de man haar mooiste glimlach en zegt dan: 'Maar het is lief dat u zo bezorgd voor haar bent, hoor.'

'En ga nu maar gauw terug naar je bed,' sist Jochem er achter aan.

'Ga jij maar eerst,' sist Sharilla tegen Pieter als ze voor de open deur van Bonnies kamer staan. 'Als ze mij als eerste ziet begint ze misschien te gillen.'

Jochem knikt en fluistert: 'Dan gaat de buurman vast ook door het lint.'

Pieter duwt voorzichtig het gordijn opzij en blijft dan doodstil staan.

Overstuur!

Met ingehouden adem wacht Pieter op de drempel van Bonnies kamer. Hij gebruikt de eerste seconden om zijn ogen aan het donker te laten wennen. Ondanks de open deur staat de airconditioning aan. Maar niet zo hard dat Pieter de ademhaling uit de richting van het bed niet kan horen. Die klinkt allesbehalve regelmatig. Op zijn tenen sluipt hij verder de kamer binnen. Jochem en Sharilla volgen hem op de voet.

'Je was briljant,' hoort hij Jochem achter zijn rug tegen Sharilla fluisteren. Een paar tellen later zegt Jochem: 'Zullen we de deur dichtdoen? Dan gaat die pottenkijker hopelijk weg.'

'Of juist niet,' bedenkt Sharilla. 'Volgens mij vindt hij het toch een beetje vreemd. Als we nu de deur dichtdoen, vertrouwt hij het vast niet.'

'Ik denk dat je gelijk hebt,' reageert Pieter op zijn zachtste fluistertoon.

Nu zijn ogen gewend zijn aan het schemerdonker van de slaapkamer ziet hij duidelijk de lange blonde haren van Bonnie. Ze ligt echter met haar gezicht naar de muur. Voorzichtig loopt hij verder. Hij voelt zich heel ongemakkelijk bij het idee dat hij hier in haar slaapkamer rondsluipt. Ze kreunt lichtjes en als Pieter naast haar bed knielt ziet hij hoe haar oogleden trillen. Langzaam gaat zijn hand richting haar schouder. Hij aarzelt, zucht onhoorbaar en raakt dan toch haar schouder aan.

'Bonnie,' fluistert hij zachtjes. 'Bonnie, ik ben het, Pieter.'

Opnieuw kreunt ze lichtjes. Pieter trekt snel zijn hand terug als ze beweegt.

'Bonnie,' zegt hij nu iets harder. 'Bonnie.'

Hij overwint zichzelf en pakt opnieuw haar schouder. Voorzichtig schudt hij eraan.

'Bonnie.'

Eindelijk opent ze moeizaam haar ogen.

'Hoi,' zegt hij.

Ze staart hem nu met grote ogen aan. Hij heeft het idee dat ze hem niet herkent.

'Ik ben het, Pieter,' zegt hij maar voor de zekerheid.

'Pieter,' fluistert ze op angstige toon. Alsof ze niet wil geloven wat ze ziet sluit ze haar ogen om ze daarna opnieuw te openen.

'Kijk uit dat ze niet gaat gillen,' hoort hij Jochem waarschuwen.

'Je hoeft niet te schrikken, ik ben het,' fluistert hij bij haar oor.

'Maar, maar...' fluistert ze. Van onder het laken komt een hand te voorschijn en ze raakt voorzichtig zijn gezicht aan. Dan begint ze zachtjes te huilen.

Zonder aarzeling brengt Pieter zijn hoofd dicht bij het hare en legt een arm om haar heen.

'Stil maar. Stil maar,' zegt hij automatisch. Precies op de toon die hij vroeger altijd gebruikte om zijn zusje Emma te troosten. Dat werkte altijd prima.

'Het is afschuwelijk,' weet ze moeizaam uit te brengen. 'Ik dacht, ik droomde dat je dood was. Ik bedoel, dat verhaal van je over de helikopter. Ik heb het allemaal voor me gezien in mijn droom.'

Dan plotseling breekt een lach door op haar gezicht en streelt ze teder zijn gezicht. 'Je bent het echt.'

Ze slaat een arm om zijn nek en trekt hem nog dichter naar zich toe. Zijn wang raakt haar betraande gezicht. Dan, even plotseling als onverwacht, begint ze opnieuw zachtjes te huilen.

'Het is vreselijk, Pieter,' klinkt haar stem in zijn oor. 'Mijn ouders wisten het. Ze wisten het de hele tijd.'

Terwijl ze geluidloos verder snikt, kost het Pieter een hele tijd om te bedenken waar ze het over heeft. Ten slotte komt hij tot de conclusie dat het over haar nieuwe nier moet gaan.

'Dus ze wisten dat het niet klopte?'

'Ja,' fluistert Bonnie. 'Ik heb ze er gisteren over horen praten. Ze dachten dat ik sliep, maar ik heb alles gehoord. Voordat we thuis vertrokken, wist mijn vader al dat dokter Lopez niet via de normale weg aan zijn organen komt. Mijn vader denkt dat Lopez mensen betaalt om een nier af te staan.'

Ze veegt een paar van haar blonde haren weg voor haar ogen en gaat verder.

'Ik heb hun verteld dat ik alles gehoord had. We hebben daarna verschrikkelijke ruzie gehad. Ze zeiden maar steeds dat ze het voor mij gedaan hebben en mijn vader zei ook dat ik het nooit aan iemand mag vertellen.'

Ze valt even stil en haalt de rug van haar hand snel langs haar ogen. Zachtjes en met een trillend stemmetje praat ze verder: 'Het is zo erg. Het lijkt wel of het mijn vader niets kan schelen, dat arme mensen hun nieren verkopen om toch aan geld te komen. Het enige wat hem bezighoudt is die stomme baan van hem. Hij is pas benoemd als senator in de Amerikaanse senaat. Ik heb hem tegen mijn moeder horen zeggen, dat hij het domme pech vindt dat juist nu het nieuws over het onderzoek van de Filippijnse regering naar de kliniek van Lopez openbaar is geworden. Hij is bang dat het een groot schandaal voor hem wordt als mensen van de Amerikaanse pers erachter komen dat

246

ik hier een illegale nier heb gekregen. Hij is bang dat hij dan gedwongen zal worden om af te treden. En dat niet alleen. Hij zegt dat zijn carrière dan voorbij is.'

Pieter slikt en twijfelt of hij Bonnie op dit moment de waarheid moet vertellen. De waarheid die veel erger is dan wat zij nu denkt. Zij heeft geen nier gekregen van iemand die ervoor is betaald om een nier af te staan. Nee, zij heeft een nier gekregen die gestolen is, uit het lichaam van een ander kind! Hij kijkt haar aan en twijfelt. Vertellen of niet? Het is duidelijk dat ze nu overstuur is. Maar toch weet hij dat hij het zal moeten vertellen. Ze zijn hier gekomen om hulp te halen voor de kinderen in het kamp. Hij moet vertellen wat daar gaande is. Hij slikt en begint aarzelend. 'Eh...'

Ze kijkt hem verwachtingsvol aan, maar er komt niets. Hij merkt dat hij haar de waarheid niet durft te zeggen. Nog niet, tenminste.

'Ik, eh...,' gaat hij opnieuw van start. 'Ik ben niet alleen gekomen. Jochem is er ook en Sharilla.'

Bonnie laat hem los en veert geschrokken omhoog. Meteen grijpt ze met een pijnlijk gezicht naar haar zij.

'Ik moet nog een beetje voorzichtig doen,' lacht ze wat ongemakkelijk.

'Hoi,' laat Jochem horen. Sharilla buigt zich vanaf het voeteneinde over het bed en geeft Bonnie een hand.

'Dus je bent weer vrij,' zegt Bonnie terwijl ze Sharilla toelacht. 'Wat geweldig.'

Ze kijkt Pieter aan en zegt: 'Dus jullie zijn erin geslaagd om de koker te ruilen?'

'Eh ja, maar hoe gaat het met jou? Heb je veel pijn?'

'Nee hoor, bijna niet. Dokter Lopez heeft de nieuwste operatietechniek gebruikt. Alles via een paar kleine gaatjes, met camera's en zo. Ik heb niet eens een echt litteken. Alleen wat minimale sneetjes. Als die genezen zijn, zie je er niets meer van.'

Plotseling maakt de lach op Bonnies gezicht plaats voor een angstige uitdrukking.

'Maar, maar...' stottert ze. 'Het is toch gevaarlijk hier voor jullie? Als Lopez jullie ziet dan...'

Pieter pakt haar hand vast. 'Dat weten we. Maar we, ik was, ik ben bang dat jij ook gevaar loopt. Lopez heeft bijna al onze gesprekken afgeluisterd. We zijn hier om jou en je ouders te waar-

247

schuwen. Het is veiliger om hier zo snel mogelijk te vertrekken en...'

Hij slikt even. 'En dat is niet alles. We hebben hulp nodig voor kinderen die de Lopez heeft ontvoerd. Het zijn kinderen van de vuilnisbelt in Manilla. Ze zitten hier in een soort gevangenis-kamp op het eiland en hij gebruikt ze om medicijnen uit te testen.'

Bonnie slaat verschrikt haar vrije hand voor haar mond. Voordat Pieter het kan voorkomen flapt Jochem eruit: 'En die rot-zak gebruikt ze ook als levende donoren. Hij steelt hun nieren.' Als vanzelf verstevigt Pieter zijn greep om Bonnies hand. De ogen van Bonnie flitsen van Pieter naar Jochem en weer te-rug. Als haar ogen op hem blijven rusten, durft Pieter niet terug te kijken.

'Is dat echt waar?' fluistert ze met een verstikte stem.

Hij slikt en slikt, maar slaagt er niet in om te antwoorden.

'Het is echt waar,' klinkt zachtjes de stem van Sharilla op de achtergrond.

Bonnie maakt haar hand voorzichtig los uit die van Pieter. Hij verwacht dat ze in tranen zal uitbarsten, maar in plaats daarvan wringt ze haar handen in elkaar.

'Dus het is nog veel erger dan mijn vader dacht,' slaagt ze erin uit te brengen.

'Lopez is iets van plan,' begint Pieter in een poging om de aan-dacht af te leiden. 'Maar we weten niet precies wàt. De twee jon-gens over wie je verteld heb, je weet wel die we op de vuil-nisbelt hebben ontmoet, die zitten ook in dat kamp.'

'Robelito en...'

'Robelito en...'

'Robelito en Bibi,' maakt Pieter af. 'Ik eh, we zijn bang dat ze vandaag misschien, eh nou ja, Lopez heeft een uitstapje voor ze bedacht. Ik ben bang dat ze het niet zullen overleven.'

Bonnie staart hem aan. 'Maar hoe...?' begint ze. 'Ik eh, ik snap het allemaal niet. Hoe komen zij en jullie dan hier?'

Ze schudt haar hoofd. 'Ik eh, nou ja. Maar hoe moet ik jullie hel-pen?'

'Ontvoerd,' beantwoordt Pieter toch haar eerste vraag. 'Nadat ik met jou had gesproken zijn we met ons vieren ontvoerd vanaf de vuilnisbelt in Manilla, net als alle kinderen die in het kamp hier op het eiland zitten. In het kamp hebben we Sharilla weer ontmoet. Gisterenavond zijn we met ons drieën ontsnapt.'

'Hij staat er nog steeds,' sist Jochem vanaf de deur naar het terras. Hij gluurt voorzichtig door een kier van de gordijnen.

'Wie?' vraagt Bonnie verschrikt.

'Je nieuwsgierige buurman.'

'Laat maar lekker staan,' sist Pieter. Hij pakt Bonnies hand en zegt zacht maar dwingend: 'We moeten aan je vader vragen om te helpen. Hij moet mensen waarschuwen en vertellen wat Lopez hier uitspookt op dit eiland.'

Bonnie schudt zachtjes haar hoofd. 'Ik weet het niet,' zegt ze.

Pieter laat haar hand los en staart haar aan.

'Ik weet niet of hij dat zal doen,' legt ze uit als ze zijn verbazing merkt. 'Het is allemaal veel erger. Als hij dit hoort, zal hij nog banger zijn dat hij die stomme baan van hem zal kwijtraken.'

Ze pakt Pieters hand vast en fluistert: 'Ik zal het natuurlijk aan hem vragen, maar...'

Ze maakt haar zin niet af, maar begint in plaats daarvan zachtjes te huilen.

'Ik dacht dat ik hem kende,' snikt ze met overslaande stem. 'Ik snap ook wel dat ze mij wilden helpen. Maar dit is zo vreselijk allemaal.'

Pieter weet niet goed hoe hij moet reageren. Hij beperkt zich tot ja knikken.

'Laat mij Julia bellen,' laat Sharilla plotseling horen. 'Je weet wel, de kapitein van het kinderziekenhuisschip. Die zal mij zeker geloven en ze is heel aardig. Zij zal vast helpen.'

Bonnie schudt haar hoofd en laat haar hand al in de richting van de telefoon naast haar bed gaan. 'Het is niet dat ik hem niet wil bellen,' fluistert ze. 'Maar ik...' Verder komt ze niet.

'Laat mij Julia nu maar bellen,' dringt Sharilla aan. 'Je ziet toch wel hoe moeilijk het voor haar is.'

Bonnie heeft inmiddels de hoorn al opgepakt. Plotseling grist Pieter die uit haar hand.

'Lopez luistert de gesprekken af!' fluistert hij gespannen. 'We moeten je vader op een andere manier waarschuwen.'

'Met het mobieltje,' stelt Jochem voor.

Bonnie schudt haar hoofd. 'Dat zet hij hier altijd uit als hij slaapt. Anders storen ze hem de hele tijd. Vanwege het tijdverschil, begrijp je? Als het thuis overdag is, is het hier nacht.'

'Mag ik jouw mobieltje dan gebruiken?' dringt Sharilla aan.

Een minuut of wat later heeft ze contact.

'Het schip is goed aangekomen in Manilla,' fluistert ze al na een paar tellen. Met een minimaal gebruik van woorden legt ze in de volgende minuut de situatie uit.

'Julia vraagt waar we precies zitten,' fluistert ze op een gegeven moment de kamer in.

'Op een eiland,' grijnst Jochem. 'Eentje met veel bomen.'

'Het enige eiland met een eigen vliegverbinding naar Manilla,' neemt Pieter het over. 'Ze hebben hier een hotel en je kunt er duiken.'

'Julia zegt dat er tientallen eilanden zijn met hotels en plekken waar je kunt duiken,' zegt Sharilla een tel later.

'Het heet het *José Lopez Philippines Hospital and Holiday resort*,' helpt Bonnie.

Terwijl Sharilla de naam doorgeeft, staren de jongens elkaar verbijsterd aan.

'Als we dat van tevoren hadden geweten,' merkt Jochem ten slotte veelbetekenend op.

Pieter knikt, maar ondertussen is hij toch blij dat ze het niet hebben geweten. Hij omklemt de hand van Bonnie nog steviger.

'Zij gaat aan het werk,' zegt Sharilla tevreden als ze klaar is met het gesprek. 'En nu ga ik John bellen,' zegt ze beslist. 'Hij is journalist. Hij kan ervoor zorgen dat het allemaal in de krant en op de televisie komt.'

'Naturlijk,' roept Jochem uit. 'Perfect idee, Sharilla,'

'Ga je ook vertellen over mijn vader?' vraagt Bonnie angstig.

'Nee, natuurlijk niet,' reageert Sharilla meteen. 'Dat hoeft niemand te weten.'

Het duurt niet lang of de bulderstem van de Amerikaan knalt uit het kleine mobieltje de kamer in. Pieter luistert er niet echt naar.

'Degene van wie ik een nier gekregen heb,' fluistert Bonnie in zijn oor. 'Is die ook in dat kamp?'

Heel even twijfelt Pieter opnieuw, maar kiest dan toch voor de waarheid.

'Je hebt waarschijnlijk de nier van een meisje gekregen,' begint hij.

Het is misschien twee minuten later als er zachtjes op de kamerdeur wordt geklopt.

Sharilla is net klaar met bellen en staat nog met Bonnies mobieltje in haar hand.

250

Pieter voelt Bonnie verstrakken.

'Kan dat je vader zijn, of je moeder?' sist hij zijn vraag vlak bij haar oor.

'Ik, ik weet het niet,' stamelt Bonnie. 'Hoe laat is het?'

'Kan het iemand van Lopez zijn?' fluistert Pieter zijn volgende vraag. 'Iemand van de verpleging of zo?'

'Kom op dan,' mengt Sharilla zich haastig in het gesprek. 'Wij kunnen nog naar buiten.'

Het gordijn van de deur aan de tuinkant beweegt even.

Zonder te spreken gebaart Jochem heftig naar de schoen die net onder het gordijn door zichtbaar is.

Pieter houdt zijn hurkzit naast het bed van Bonnie meer vol. Zonder Bonnies hand los te laten schiet hij, gespannen als een veer, omhoog.

Hij staart naar de schoen en vraagt zich af of de buurman schoenen aan had. Het zou kunnen, maar hij kan het zich niet goed voorstellen. Het is niet echt normaal om eerst je schoenen aan te trekken als je net uit bed komt. Maar als het de buurman niet is, wie dan wel?

Opnieuw wordt er zachtjes op de deur geklopt, dan klinkt een sleutel in het slot. De badkamer, bedenkt Pieter nog. We kunnen ons in de badkamer verschuilen. Maar het is al te laat.

Lopez lijkt heel even verbaasd maar schudt dan lachend zijn hoofd.

'Ik had jullie eigenlijk al niet meer verwacht,' zegt hij kalm. 'We dachten...' Hij valt even stil. 'Nou ja, het doet er ook eigenlijk niet toe wat we dachten. Slim om zo lang te wachten. Maar uiteindelijk niet slim om toch nog te komen.'

Op dezelfde kalme toon praat hij verder als hij naar Bonnie kijkt.

'Hoe voel je je, Bonnie? Heb je goed geslapen of hebben ze je wakker gemaakt?'

Pieter voelt haar hand oncontroleerbaar trillen. Ze opent haar mond, maar er komt geen geluid uit.

'Kom nou, meisje,' zegt de dokter geruststellend.

'Je hoeft voor mij toch niet bang te zijn.' Na een korte pauze vraagt hij: 'Of hebben zij je bang gemaakt?' Bonnie slaagt er met moeite in nee te knikken.

'Het lijkt me voor Bonnie beter als we haar met rust laten, denken jullie ook niet?'

251

Het lijkt een vraag die Lopez stelt, maar het antwoord is blijkbaar al bekend. Hij voegt er meteen aan toe: 'Jullie gaan mee met mijn collega's.'

Die stappen op datzelfde moment vanaf het terras de kamer binnen. De deur naar het terras toe wordt meteen gesloten. Een van de zeven verplegers haalt uit zijn witte jas een injectiespuit tevoorschijn en houdt het ding duidelijk zichtbaar omhoog.

'Jullie mogen kiezen,' zegt Lopez slepend langzaam. 'Een verdoving of kalm meekomen.'

Pieter wisselt een snelle blik met zijn vriend. Zonder woorden weten ze van elkaar dat verzet geen zin heeft. De overmacht is te groot. En dat is niet alles. Voor een derde keer op deze manier uitgeschakeld te worden, daar hebben ze allebei geen zin in.

Hij knijpt een laatste keer in Bonnies hand en fluistert: 'Het komt allemaal goed.'

'Natuurlijk komt alles goed,' laat Lopez horen.

'Bonnie vliegt vanavond terug naar Manilla en morgen van daaruit naar huis. Haar ouders willen zo snel mogelijk weg.'

'Maar ik niet,' zegt Bonnie met een onverwacht krachtige stem. 'Ik weet precies wat u voor verschrikkelijke dingen doet, dokter Lopez. En ik laat mijn vrienden niet zomaar in de steek. Wat bent u met ze van plan?'

Lopez lijkt oprecht verbaasd als hij Bonnie aanstaart. 'Maar meisje,' begint hij ten slotte. 'Ik heb je de kans op een nieuw leven gegeven. Je ouders zijn mij heel dankbaar. Hoe kun je zo over mij denken?'

'Je bent gewoon een rotzak, Lopez, en dat weet je best,' sist Jochem verontwaardigd.

Het is even doodstil in de kamer. De verplegers staren geschrokken naar Lopez, alsof ze doodsbenauwd zijn voor de reactie van de dokter.

Even denkt Pieter te zien dat de ogen van Lopez zich vernauwen. Maar misschien vergist hij zich, want de dokter schudt slechts zijn hoofd en mompelt: 'Domme kinderen. Jullie snappen er niets van.'

Na de uitval van zijn vriend kan Pieter zich niet langer inhouden.

'We snappen het heel goed,' zegt hij. 'We snappen heel goed dat u kinderen ontvoert vanaf de vuilnisbelt. We snappen heel goed dat u hun nieren steelt en ze dwingt om medicijnen te testen.'

Ondanks het feit dat Pieter kans heeft gezien kalm te blijven, valt Lopez razend uit: 'Mijn toekomst en die van mijn kliniek staat op het spel!' schreeuwt hij door de kamer.

Zijn nek lijkt iets op te zwellen en de dokter balt zijn vuisten. Even heeft Pieter het idee dat de kleine man gaat stampvoeten. Maar in plaats daarvan schreeuwt de dokter verder: 'Na vandaag zal ik eindelijk ongestoord kunnen werken! Dan hoef ik me niets meer aan te trekken van allerlei achterlijke wetten en regels! Niets en niemand zal mij daarvan afhouden!'

Hij kijkt dreigend de kamer rond voordat hij uitschreeuwt: 'Begrijpen jullie dat?! Niets en niemand!'

'Ik wist het wel,' roept de buurman opgetogen als ze langs zijn kamer lopen. 'Ik zag het meteen aan die koppies, dat ze niet te vertrouwen waren.'

'Stomme vetzak,' sist Jochem.

Proefkonijnen

'Ik eet nooit van mijn leven meer vis,' merkt Jochem op terwijl hij een vies gezicht trekt.

Pieter knikt instemmend. Hij bedenkt hoe ze minder dan een uur geleden nog in de kamer van Bonnie stonden. Maar opnieuw hebben ze zich laten pakken door Lopez, opnieuw zitten ze opgesloten in het ruim van een vissersboot. Het stinkt hier zo mogelijk nog erger naar vis dan in de vorige boot. Maar gelukkig komt er meer licht naar binnen.

'We zitten te ver uit de kust,' merkt Jochem op nadat hij, samen met Sharilla, voor de zoveelste keer op het mobieltje van Bonnie heeft gekeken. 'We kunnen hier geen verbinding met het netwerk krijgen.'

Bonnie gaat kreunend verzitten. Opnieuw doet ze een poging om haar korte slaap-T-shirt over haar blote benen te trekken.

'Gaat het?' vraagt Pieter bezorgd.

Bonnie knikt zwakjes. Ze heeft weinig gezegd sinds ze aan boord zijn gebracht.

Pieter zit naast haar. Hij heeft zijn arm om haar middel geslagen. Hij bedenkt dat Bonnie beter haar mond had kunnen houden tegen Lopez. Dan had die haar vast met rust gelaten. Nu moest ze mee. Mee op het uitstapje dat Lopez voor ze heeft georganiseerd. De motoren gaan hoorbaar zachter lopen en even later liggen ze stil.

'Stil eens,' sist Jochem. De stemmen van bovendeks dringen door in het ruim.

'Niets van te verstaan,' constateert Pieter al snel. Even later is duidelijk hoorbaar hoe een andere boot langszij komt. Het felle zonlicht dringt in het ruim door als het luik wordt opengeklapt.

'Help! You help us,' wordt er naar binnen geroepen. Pieter veert omhoog als hij ziet hoe het slappe lichaam van Robelito door het luik naar binnen wordt geschoven. Samen met Jochem is hij net op tijd om te voorkomen dat Robelito naar binnen valt. Voorzichtig leggen ze hem op de bodem. Daarna is Bibi aan de beurt. Pieter knielt bezorgd naast hem neer.

'Is hij dood?' vraag Bonnie angstig.

Pieter brengt zijn hoofd vlak bij dat van Bibi. 'Nee,' laat hij al snel horen. 'Dit is trouwens Bibi van Smokey Mountain.'

'En dit is Robelito,' laat Jochem weten, 'en die lijkt ook nog te leven. Ik denk dat ze zo'n heerlijk spuitje van Lopez hebben gekregen.' Hij grijnst wat ongelukkig naar de anderen. 'Nou, dan zijn we denk ik wel compleet voor ons uitstapje. Het wordt vast gezellig.' Er volgt geen reactie.

Als de motoren van de boot weer tot leven komen, gaan de jongens weer naast de meisjes zitten. Pieter kijkt bezorgd opzij naar Bonnie.

'Met mij gaat het wel hoor,' stelt ze hem gerust, terwijl ze zijn blik met een glimlach beantwoordt. 'Ik vraag me af of mijn vader nu wel in actie komt.'

Pieter haalt zijn schouders maar op. Hij weet niet goed hoe hij moet reageren. Hij staart naar het bewusteloze lichaam van de dikke Amerikaan. De man die hun aanwezigheid in het hotel heeft verraden. Nadat de man verbaasd had gevraagd waarom Bonnie ook mee werd genomen, aarzelde Lopez geen moment. Hij gaf zijn verplegers opdracht om de man te verdoven. Ze hadden zeker vier spuiten nodig om die kolos plat te krijgen. We zeggen wel dat hij is ontvoerd door de islamitische rebellen van Abu Sayaf, heeft Lopez geroepen. Daarna zijn ze met zijn allen ongezien weggevoerd bij het hotel en naar de boot gebracht. Pieter weet bijna zeker dat Lopez ook een of andere

254

smoes zal gebruiken voor de ouders van Bonnie. Misschien zegt hij tegen hen ook wel dat hun dochter door islamitische rebellen is ontvoerd.

'Kunnen we Robelito en Bibi niet proberen bij te brengen?' vraagt Sharilla zich hardop af.

'Mij best,' reageert Jochem, 'maar hoe?'

Sharilla heeft al iets bedacht, want ze staat op en loopt naar het voorste deel van het ruim. Tegengehouden door een dwarsbalk klotst daar een flinke plas zeewater heen en weer. Pieter denkt dat het water is dat door de naden van de scheepswand naar binnen is gelekt.

Ze maakt een kom van haar handen en schept het water op.

'Proost,' roept Jochem als Robelito als eerste aan de beurt is.

Een zwakke kreun geeft aan dat de aanpak succes kan hebben. Als ook Pieter en Jochem meehelpen is het snel voor elkaar.

'Waar ben ik?' Bibi kijkt versuft om zich heen.

'We maken een leuk boottochtje,' legt Jochem grijnzend uit. 'Je weet wel, het uitstapje dat Lopez ons had beloofd.'

'Lopez!' Bibi sist de naam.

'Ja, hebben jullie hem ook weer gezien? Wij wel, jammer genoeg.'

Moeizaam gaat Bibi zitten. Zijn ogen glijden langs de bewusteloze Amerikaan om ten slotte stil te houden bij Bonnie.

'Hoi,' zegt die onzeker. 'Ik ben Bonnie.'

Zwijgend staart Bibi haar aan. Ondanks het schaarse licht is duidelijk dat hij allesbehalve vriendelijk kijkt. Pieter snapt maar al te goed dat dit een uiterst pijnlijke ontmoeting is.

'Ze heeft het voor ons opgenomen,' begint hij snel. 'Daarom is ze nu ook hier.'

Veel indruk maken zijn woorden niet. Robelito, die inmiddels ook overeind zit, neemt het woord: 'Dus jij hebt een nier van een vriendin van ons gestolen?' vraagt hij op een onmiskenbaar vijandige toon. Pieter voelt Bonnie verstijven. Haar adem stopt. Met een wanhopige blik in haar ogen kijkt ze opzij naar Pieter. Die trekt haar beschermend tegen zich aan. 'Ze wist het niet. Ze wist het niet, want zoiets kun je ook niet bedenken.'

'Nee,' komt Jochem te hulp. 'Wat die Lopez doet is finaal gestoord. Dat kan een normaal mens echt niet bedenken.'

'Het spijt me,' zegt Bonnie op een vreemde snikkende manier. 'Het spijt me heel erg. Ik, ik...'

Verder komt ze niet want de tranen zijn niet meer te stoppen. 'De pater zegt dat er overal gebrek is aan nieren en zo,' gaat Robelito op kille toon verder. 'Dan wist je toch best dat er iets niet klopte?'

Pieter weet dat Robelito gelijk heeft, maar opnieuw wil hij er niet over nadenken. Hij zoekt al naar nieuwe argumenten om Bonnie te verdedigen als Sharilla zich laat horen. Heel kalm en beheerst zegt ze: 'We kunnen beter geen ruzie maken. Het is juist nu belangrijk om samen te werken en ervoor te zorgen dat Lopez zijn zin niet krijgt.' Ze kijkt even rond en voegt er dan aan toe: 'Wat hij ook van plan is.'

Pieter ziet hoe Bibi iets lijkt te ontspannen. Robelito haalt zijn schouders op en negeert Bonnie nadrukkelijk. De hierop volgende stilte lijkt Pieter eindeloos te duren. Bibi is uiteindelijk degene die zegt: 'Oké, je hebt gelijk. We zullen vertellen wat we over Lopez hebben gehoord. Een meisje uit het kamp heeft gisteren in het ziekenhuis ongemerkt en onbedoeld een gesprek kunnen afluisteren. Ik denk dat die commandant van het marineschip toen bij Lopez op bezoek was. Ze had het tenminste over iemand in een wit uniform met heel veel medailles en een grote snor.'

'Zeker weten,' reageert Pieter. 'Dat is Krulsnor. Maar waar ging het over?'

'Wacht eens,' onderbreekt Sharilla hen. 'Vertel eerst eens hoe het is afgelopen in de tent. Waarom gaven jullie het op?'

'Heel simpel,' verklaart Robelito. 'Ze bedreigden onze vrienden en vriendinnen die in het ziekenhuis liggen. We hadden geen keus.'

'Maar eh,' gaat Sharilla verder, 'kregen jullie op je kop omdat wij weg waren?'

'Wacht nou even,' roept Pieter gespannen. 'Dat komt later allemaal wel. Kunnen we nou eerst horen waar dat gesprek tussen Lopez en commandant Krulsnor over ging?'

Bibi knikt en neemt weer het woord. 'Over vandaag,' zegt hij simpelweg.

Pieter heeft het idee dat de geluiden van buiten verstommen. Plotseling is het angstig stil in het ruim. Hij houdt zijn adem in. Maar Bibi schudt afwezig zijn hoofd en staart voor zich uit. Pieter wil het wel uitschreeuwen. Toe dan, vertel dan wat je weet. Maar hij houdt zich in.

Na een korte stilte begint Bibi toch. 'Ik had het het niet gedacht, maar het is toch zo. Lopez is bang, heel bang. Hij is bang om de gevangenis in te gaan. Daarom helpt hij ze.'

Opnieuw valt Bibi stil.

'Wie, wat?' roept Jochem na een paar tellen. 'Vertel nou verder!'

Zachter dan voorheen begint Bibi weer te praten. 'Als hun plan slaagt, zijn de kinderen van Smokey Mountain echt verloren. Dan kan Lopez eindeloos doorgaan met wat hij doet.'

'Maar wat dan?' roept Jochem ongeduldig. 'Wat zijn ze dan van plan?'

Bibi haalt lusteloos zijn schouders op. 'Ze willen de macht in de Filippijnen overnemen. Die commandant, dat is een overloper, een verrader. Hij en Marcos werken samen. Ze willen een staatsgreep plegen. Lopez helpt ze daarmee, zodat hij straks ongestoord zijn gang kan gaan.'

'Ik snap er niets van. Helemaal niets,' roept Sharilla. 'Waarom wil een dokter een coup plegen?'

'Een coup?' roept Jochem verbaasd uit. 'Heeft dat niet iets met je haar te maken?'

'Een coup,' reageert Sharilla ernstig, 'dat is hetzelfde als een staatsgreep. En de mensen die meedoen aan een staatsgreep noem je de coupplegers.'

'O, bedankt,' grijnst Jochem haar toe.

'Ik snap het wel,' klinkt zachtjes de stem van Bonnie. 'Er stond in de krant dat de regering met een onderzoek begint naar de kliniek van Lopez. Ze vermoeden dat er iets niet klopt met zijn donororganen. Daar is Lopez natuurlijk bang voor.'

'En daarom helpt hij dus bij een staatsgreep,' praat Pieter nadenkend verder. 'Zodat er straks een nieuwe regering is die hem met rust laat.'

'Zodat hij heerlijk verder kan gaan met nieren stelen. Zodat hij de kinderen van Smokey Mountain als proefkonijnen kan blijven gebruiken,' vult Jochem aan.

'Het klopt precies met wat we gisteren op het marineschip hoorden,' roept Pieter. 'Toen die meneer Marcos ons zag zei hij: "Nog meer proefkonijnen voor onze dokter. Nou ja, hij gaat zijn gang maar. Dat is de afspraak."'

'Weet je wat ik denk?' laat Sharilla horen. 'Ik denk dat die meneer Marcos familie is van de vroegere president Marcos van de Filippijnen. Misschien is het wel een kleinzoon of zo. Misschien

257

wordt die man na de staatsgreep wel de nieuwe president van de Filippijnen.'

Jochem drukt Sharilla dicht tegen zich aan en zegt: 'Je hebt vast gelijk. Die Marcos was daar duidelijk de baas.'

'Als Marcos aan de macht komt zijn de kinderen van Smokey Mountain vogelvrij,' merkt Pieter somber op. 'Dan kan Lopez met ze doen waar hij zin in heeft.'

'Dat doet hij nu ook al!' reageert Robelito fel.

Bibi knikt. 'Het maakt voor ons niets uit wie er president is. Ze zijn toch allemaal hetzelfde. Niemand trekt zich iets van ons aan. Wij moeten voor onszelf zorgen. Daarom moeten we Lopez stoppen.'

Ze worden even afgeleid als de Amerikaan kreunt.

'Die vuile verrader zal straks wel opkijken,' merkt Jochem op. 'Hij heeft vorige week een nieuwe nier gekregen,' legt Bonnie uit. 'Maar hij is best aardig, hoor. Het was, denk ik, alleen maar goed bedoeld van hem.'

Jochem knikt weinig overtuigend en kijkt ondertussen nijdig naar de Amerikaan.

'Wat gaat er nu weer gebeuren?' sist Pieter als de vissersboot vaart mindert.

'Weten jullie ook wat Lopez met ons van plan is?' vraagt Sharilla zachtjes terwijl ze naar Bibi en Robelito kijkt. 'Heeft dat meisje dat ook gehoord?'

Het schouderophalen van Bibi zegt genoeg.

'En die staatsgreep is dus vandaag?' vraagt Pieter voor de zekerheid. Eigenlijk weet hij het antwoord al. Hij weet nog maar al te goed wat Lopez vanochtend riep.

Na vandaag zal ik eindelijk ongestoord kunnen werken! Niets en niemand zal mij daarvan afhouden!

Bibi knikt. 'Vandaag,' antwoordt hij zachtjes. 'En de koker is bedoeld om de president en zijn ministers en belangrijke generaals en zo van het leger te doden. Die zijn vandaag allemaal bij elkaar op een van de kleinere eilanden. Ze zijn daar vanwege een belangrijke processie.'

'Een watte?' roept Jochem.

'Een processie,' reageert Sharilla meteen. 'Die heb je veel in de Filippijnen. De mensen lopen in optocht door de stad. Meestal wordt er dan een beeld meegevoerd van Christus of Maria, of een of andere heilige. Het is dan in ieder geval groot feest.'

258

'Maar wat zit er dan toch in die koker?' roept Pieter uit terwijl de wanhoop in zijn stem doorklinkt. 'Een bom?'

'Gas,' fluistert Bibi. 'Een dodelijk gifgas dat Lopez in Rusland heeft gekocht. Iedereen die het gas inademt zal meteen doodgaan.'

Terwijl het doodstil blijft in het ruim kan Pieter een serie rillingen niet onderdrukken.

Dat is het dus, bedenkt hij. Gifgas. Daar hebben ze dus de hele tijd mee rond gelopen, een dodelijk gifgas. Hij slikt en bedenkt hoe de angst in de ogen van Lopez nu eindelijk verklaard is. De angst die hij heeft gezien in de hotelkamer in Hong Kong. Nu is duidelijk waarom de dokter zo bang was toen hij dacht dat de koker was geopend. Pieter kan zich die angst nu maar al te goed voorstellen. Ik had die koker toch in zee moeten gooien, verwijt hij zichzelf. Maar hij weet dat het daar nu te laat voor is.

Alle ogen zijn op Bibi gericht, als die zijn schouders ophaalt en na een korte stilte verder praat. 'Als de president dood is zullen de vrienden van Lopez de macht overnemen. Die commandant in dat witte uniform helpt ook mee.'

'Oké,' zegt Pieter zo kalm mogelijk. 'Dat begrijp ik allemaal. Maar wat doen wij hier nu op deze vissersboot? Heeft dat iets met die staatsgreep te maken?'

Op dat moment maakt een flinke klap tegen de zijwand duidelijk dat er een andere boot langszij is gekomen.

Pieter voelt Bonnie verstijven.

Ditmaal is het Robelito die antwoord geeft. 'We weten het niet,' zegt hij. 'Maar wat we wel weten is dat Lopez en zijn vrienden de schuld van de aanslag aan de islamitische rebellen van Abu Sayaf willen geven.'

Pieter knikt, maar hij is er niet echt meer bij met zijn gedachten. Gespannen luistert hij naar de geluiden van buiten: stemmen, voetstappen, het geratel van een ankerketting die wordt uitgerold. Er is veel kabaal, alsof iemand met een hamer bezig is. Een minuut of wat later horen ze het motorgeluid van de andere boot. Een laatste klap als de boten door de golven tegen elkaar worden geduwd en dan het brullen van de andere motoren.

'Die vaart weg,' is de voor de hand liggende conclusie van Robelito.

'Ik hoor geen stemmen meer,' fluistert Bonnie angstig in Pieters oor.

Minutenlang vormen de golven die tegen de boot aanklotsen het enige geluid.

Sharilla is de eerste die de onheilspellende stilte doorbreekt. 'Volgens mij is er niemand meer aan boord,' verwoordt ze de gedachten van allemaal.

Alleen aan boord

'Hallo! Jochem schreeuwt zo hard als hij kan. 'Hallo! Is daar iemand?'

Er volgt geen enkele reactie.

'Nou, dat is dan mooi geregeld,' merkt hij op. 'We hebben de boot voor onszelf.' Hij kijkt er niet echt vrolijk bij.

'Behalve die daar dan,' merkt Bibi op, terwijl hij knikt in de richting van de Amerikaan. 'Wat doet die vent hier?'

'Lekker bewusteloos zijn,' legt Jochem grijnzend uit. 'Lopez heeft hem plat laten spuiten. Maar dat is niet erg, hij heeft ons verraden.'

Terwijl Jochem uitlegt wat er gebeurd is staat Pieter al onder het luik dat toegang geeft tot het bovendek. Er gaat van alles door zijn hoofd. Hij kan niet goed bedenken waarom de bemanning de boot verlaten heeft. Maar van één ding is hij wel zeker: veel goeds kan het niet betekenen.

'We moeten hieruit,' zegt hij op besliste toon. Hij bedenkt hoe ze met een trap in het ruim naar binnen zijn gegaan. Maar die trap is weer naar boven gehaald. Die ligt nu waarschijnlijk op het dek. Daar hebben ze dus niets aan. Op elkaar klimmen dan maar, besluit hij. De toren is snel gebouwd. Jochem, Bibi en Robelito slaan hun armen over elkaars schouders en vormen zo een stevig platform. Pieter klimt erop.

'Dicht,' roept hij vrijwel meteen. 'Het zit dicht.'

'Probeer het nog een keer, Pieter,' moedigt Jochem hem aan. Pieter zet zich schrap en duwt wat hij kan, maar er zit totaal geen beweging in het luik.

'Het lijkt wel of er een blok beton op ligt,' laat hij de anderen weten.

Hij springt naar beneden en met de hulp van Sharilla en Bonnie

260

wordt het platform verstevigd. Deze keer klimmen Pieter en Jochem er samen op. Maar ook deze gezamenlijke poging levert niets op.

'En nu dan?' vraagt Jochem zich hardop af. 'We liggen voor anker en we zijn de enigen aan boord. Alleen zitten we opgesloten in het ruim. Wat is die Lopez van plan?'

Pieter heeft inmiddels wel een vermoeden, maar spreekt dat liever niet uit.

Bibi doet dat wel. 'Lopez heeft vast opdracht gegeven om de boot te laten zinken,' merkt hij somber op.

Pieter weet dat het weinig zin heeft te ontkennen. Lopez is er al de hele tijd op uit om ze te vermoorden en nu heeft hij de kans. Plotseling schiet hem te binnen wat Robelito net heeft verteld: dat Lopez en zijn vrienden de schuld van de aanslag aan de islamitische rebellen van Abu Sayaf wil geven.

Pieter schudt langzaam zijn hoofd. Ze willen de schuld van de moord op de president dus op een ander schuiven. Dat lukt alleen als niemand te weten komt dat Lopez naar Rusland is geweest en daar een dodelijk gas heeft opgehaald. Het gas dat nu gebruikt gaat worden om de president en zijn ministers te vermoorden. Alle getuigen moeten dus verdwijnen. Hij laat zijn adem met een zucht ontsnappen. Nu is het meteen duidelijk waarom het voor Lopez zo belangrijk is om hen te vermoorden. 'Denk jij ook dat ze de boot met ons erin zullen laten zinken?' fluistert Bonnie in zijn oor.

Pieter slaat zijn arm om haar heen. 'We komen er wel uit,' klinkt zijn stem door het ruim. Hij probeert zijn woorden geruststellend te laten klinken. Maar als hij Bonnie aankijkt wordt hem duidelijk dat hij daarin niet is geslaagd.

'Sorry,' zegt hij als hij haar loslaat. 'Maar we moeten aan de slag. Kom op,' spoort hij de anderen aan. 'We moeten iets zoeken om het luik open te breken.'

'En als er nou echt iets zwaars op ligt?' vraagt Jochem. 'Dan kom je er nog niet uit.'

'Dan breken we dwars door dat houten dek,' zegt Pieter vastberaden.

'Hier liggen drie balken,' laat Sharilla al snel horen. 'Kunnen we die gebruiken?'

'Perfect,' roept Pieter. 'Die gebruiken we als stormram'.

Bonnie staat er op dat ze meehelpt en al snel zijn ze in ploegen van twee bezig om de houten balken tegen het luik aan te rammen.

Robelito gilt enthousiast als hij er samen met Bibi als eerste team in slaagt het houten luik te doorboren. Vanaf dat moment gaat het snel. Misschien een kwartier nadat de bemanning de boot heeft verlaten, staan ze met z'n zessen aan dek.

Pieter staart verbaasd naar de versieringen. Overal zijn lijnen met vlaggetjes gespannen. Tussen de masten aan de achterkant van de visserboot is een spandoek opgehangen. Met grote letters staat erop: WELCOME PRESIDENT en dan een naam.

'Dat is de naam van de huidige president,' legt Sharilla uit.

'Nou, toch aardig dan van die Lopez,' merkt Jochem spottend op.

'Dat haal ik nooit,' roept Robelito terwijl hij naar de kustlijn van een nabijgelegen eiland wijst.

'We slopen wel wat kurken van die visnetten af,' merkt Pieter afwezig op. 'Dan blijf je vanzelf drijven.'

Robelito laat het zich geen twee keer zeggen. Samen met Bibi gaat hij meteen aan de gang.

Pieter lijkt het niet op te merken.

'Wat zijn ze nou van plan?' mompelt hij nadenkend voor zich uit.

'Dit zal het eiland wel zijn van dat feessie,' laat Jochem horen.

'Processie,' roept Sharilla.

'Oké, een processie dan,' grijnst Jochem. De grijns is meteen weer verdwenen als hij naar Pieter kijkt.

'Wat denk je?' vraagt hij zachtjes.

Pieter haalt zijn schouders op en wijst met een breed gebaar naar het eiland.

'Ik denk dat je gelijk hebt,' zegt hij, 'Dit moet het eiland zijn waar de president en zijn ministers vandaag op bezoek zijn.'

Hij kijkt Jochem even aan en richt zijn ogen dan weer op de kust.

'Dat betekent,' gaat hij somber verder, 'dat ze op het eiland de koker met gifgas zullen openen.'

'En dan gaan wij er hier dus ook aan,' maakt Jochem het af. 'Je bedoelt dat het gas door de wind wordt verspreid?' vraagt Pieter.

'Klopt. Heb ik ook in een film gezien.'

'Nog steeds geen verbinding met een netwerk,' laat Sharilla weten.

262

Jochem knikt ten teken dat hij het begrepen heeft en praat dan verder met Pieter.

'Tenzij,' begint hij, 'tenzij we hier snel uit de buurt kunnen komen.'

Hij hoeft niet verder uit te leggen wat hij bedoelt, want Pieter komt al in beweging. Samen lopen ze naar het stuurhuis.

'Krijg nou wat!' roept Jochem als ze het stuurhuis instappen.

'Blijkbaar zijn ze niet meer van plan deze boot ooit nog te gebruiken.'

Pieter herinnert zich het gehamer en hij snapt nu waar dat geluid vandaan kwam. Het stuurrad en alle instrumenten zijn grondig vernield.

'Dat kunnen we dus wel vergeten. Ja toch?'

Als Pieter niet meteen reageert, vraagt Jochem: 'Of denk je dat je de motor nog op gang kunt krijgen?'

'Weinig kans,' laat Pieter weten, maar ze besluiten toch om te gaan kijken.

'Als we hier niet wegkomen, kunnen we beter aan boord blijven dan naar het eiland zwemmen,' merkt Jochem op, terwijl ze naar het achterdek lopen. 'Als we dan een explosie horen, duiken we in het water en dan blijven we zo lang mogelijk onder. Heb ik in diezelfde film gezien,' legt hij uit. 'Dat gifgas was na een paar uur uitgewerkt. Of beter gezegd, het was zo door de wind verspreid en daardoor zo verdund, dat het niet dodelijk meer was.'

'Dus we hoeven maar een paar uur onze adem in te houden?' informeert Pieter.

'Ja,' grijnst Jochem. 'Makkie toch?'

'Pieter, Pieter,' klinkt de stem van Bonnie over het dek. 'Kom kijken! Ik denk dat ik de koker gevonden heb!'

Vrolijk versierd

Met zijn zessen staren ze roerloos naar de dodelijke installatie die ze voor zich zien. Het vuile zeil dat ze eraf hebben getild ligt op het dek en klappert zachtjes in de wind. Nu is het Pieter duidelijk waarom de vissersboot zo uitbundig is versierd. Het ziet er uit als een vrolijk welkom voor de bezoekende president. Niemand zal het daarom verdacht vinden dat ze hier voor anker liggen. Maar in werkelijkheid is de boot een levensgevaarlijke drijvende bom.

'Is dit echt de koker met gifgas?' vraagt Bonnie voor de tweede keer. Ze kijkt Pieter smekend aan. Het is maar al te duidelijk dat ze hoopt dat hij deze keer nee zal zeggen. Maar in plaats hiervan knikt Pieter traag. Hij kan zijn ogen niet losmaken van de glimmende koker. Er is geen twijfel mogelijk. Dit is de koker van Lopez. Het ding zit midden in een rechthoekig stalen frame gemonteerd. Rondom de koker loopt een wirwar van gekleurde draden. Aan weerskanten van de koker zitten staven springstof gemonteerd. Alsof het aantal van enig belang is begint Pieter in zichzelf te tellen. Hij komt tot drieëntwintig staven aan de linkerkant en een zelfde aantal aan de rechterkant. De staven zijn keurig met breed plakband tegen elkaar geplakt en vervolgens met hetzelfde plakband aan het frame bevestigd. Nadat hij de staven heeft geteld laat hij zijn ogen langzaam langs de knopen, metertjes en het toetsenbord met nummers gaan die aan de voorkant op het frame zijn gemonteerd. Als hij alles heeft bestudeerd gaan zijn ogen terug naar het midden. Het kastje dat daar zit eruit als de digitale wekker die hij thuis naast zijn bed staat. Met ingehouden adem leest hij de cijfers op het display: 00.17.21.

Het volgende moment verandert 21 in 20 en dan in 19. Hij heeft niet veel fantasie nodig om te bedenken dat deze klok aan het aftellen is.

'Nog net iets meer dan zeventien minuten voordat we de lucht ingaan,' fluistert Jochem vlak bij zijn oor.

Pieter knikt alleen maar. Hij slikt en slikt, maar hij is niet tot spreken in staat.

'Nog precies zeventien minuten,' deelt Jochem droogjes mee als het display 00.17.00 laat zien.

'Nou, kom op dan,' roept Bibi plotseling. 'Waar wachten we dan op?'

'We hebben genoeg kurk voor allemaal,' laat Robelito weten. Pieter reageert niet meteen. Hij weet dat Jochem gelijk heeft. Het heeft geen enkele zin om naar de kant te zwemmen. Het gifgas zal hen hoe dan ook doden. En uren onder water blijven is onmogelijk. Het enige dat hen nog kan redden is het onklaar maken van de bom. Er is geen keus. Hij haalt diep adem en zegt onverwacht krachtig: 'We moeten hier blijven. We moeten ervoor zorgen dat deze bom niet ontploft. Dat is onze enige kans om te overleven.'

Hij kijkt Bibi en Robelito aan. 'Als deze bom ontploft zal het gifgas vrijkomen en door de wind verspreid worden. Het zal iedereen op en rondom het eiland doden. Ook de president en zijn ministers. Dan zal die Marcos de nieuwe president worden.'

'En dan zal die rotzak van Lopez met de kinderen van Smokey Mountain kunnen doen wat hij wil,' maakt Jochem het verhaal af.

Pieter ziet hoe Bibi zijn handen tot vuisten balt en zegt: 'Het maakt mij niet uit wie er president wordt. Voor mij mogen ze iedere dag een staatsgreep plegen. Dat maakt voor ons geen verschil. Maar Lopez, die moeten we stoppen. Het mag niet gebeuren dat Isabella opnieuw in handen valt van die man en...'

Bibi maakt zijn zin niet af. De tranen glinsteren in zijn ogen als hij zich met een ruk omdraait. Pieter heeft ondertussen zijn ogen opnieuw op de klok gericht. Onverstoorbaar tikt die de seconden weg.

'Nog zestien minuten en tien seconden,' mompelt hij voor zich uit.

Eindelijk weet hij zijn ogen los te maken van de klok en doet een stap in de richting van de bom. Rode, groene, gele, grijze, blauwe en paarse draden lopen kriskras door elkaar. De koker zelf is omringd door een netwerk van bijna onzichtbare metaaldraadjes.

'Ik denk,' zegt Jochem die naast hem is komen staan, 'dat het hele zaakje ontploft als we die draadjes aanraken. Dat is een beveiliging, om ervoor te zorgen dat de koker niet uit het frame wordt gehaald.'

Pieter knikt, maar eerlijk gezegd heeft hij er geen idee van hoe deze bom in elkaar zit. Hij heeft al zijn hoop op Jochem gevestigd.

'Heb je zoiets wel eens in een film gezien?' vraagt hij, zonder de bom met zijn ogen los te laten.

'Hmmm,' laat Jochem horen. 'Ik heb wel eens gezien dat ze zo'n soort bom onschadelijk moesten maken. Ze moesten kiezen tussen het doorknippen van een rode en een groene draad.'

'En toen?'

'Ze knipten de rode draad door en toen stopte de klok.'

'Dus de bom ontplofte niet?'

Jochem haalt zijn schouders op en zegt somber: 'Wel, dus. De klok die je zag was alleen als afleiding bedoeld. Het was een soort valstrik. Ze dachten dat ze de bom onschadelijk hadden gemaakt maar in werkelijkheid ging de installatie verder met aftellen. Vijf minuten later ging het hele zaakje alsnog de lucht in.'

'Nergens aankomen,' roept Pieter nerveus als Robelito in actie komt.

Geschrokken trekt Robelito zijn hand terug.

'Maar we moeten toch iets doen?' roept hij over het dek. 'Kunnen we niet gewoon de draden lostrekken?'

'Nee, natuurlijk niet,' reageert Jochem. 'Dan gaan we echt de lucht in.'

'Maar wat dan?' roept Bibi. 'Wat willen jullie dan doen?'

'We moeten eerst rustig even kijken hoe dat ding in elkaar zit,' zegt Pieter tenslotte.

'Rustig, rustig?' schreeuwt Bibi. 'Er is toch helemaal geen tijd voor rustig. Die klok tikt door!'

'Laten we dat ding dan overboord gooien,' stelt Robelito voor. Sharilla doet een stap naar voren. 'Ja, is dat geen goed idee? Dan komt dat gifgas misschien niet in de lucht.'

Pieter wijst op de bouten waarmee het stalen frame op het dek is vastgemaakt. 'Die krijgen we zonder gereedschap nooit snel genoeg los.'

Jochem knielt bij het frame en fluit zachtjes tussen zijn tanden door. Hoofdschuddend zegt hij: 'Daar kunnen we ook beter niet aan beginnen.' Hij wijst op een dunne, strak gespannen staaldraad die naar één van de bouten loopt. 'Ik denk dat de bom ontploft als deze draad losser komt te staan.'

Hij komt met een diepe zucht overeind. 'Dat ding is echt aan alle kanten beveiligd.'

'De hele boot!' roept Sharilla. 'Kunnen we de hele boot niet laten zinken? Met bom en al?'

'Briljant,' roept Jochem al, maar ditmaal is het Pieter die nee schudt.

Hij wijst vanaf een afstandje op iets dat eruit ziet als een rechtopstaande waterpas.

'Je hebt gelijk,' fluistert Jochem. 'Als dat ding te scheef komt of op zijn kop komt te liggen is het ook afgelopen.'

Hij is even stil. 'Degenen die dit ding in elkaar hebben gezet, hebben aan alles gedacht.'

'Behalve aan mijn neef,' klinkt onverwacht de stem van Bonnie. 'Die is explosievenexpert bij het Amerikaanse leger.' Ze zucht even. 'Maar dan moeten we wel kunnen bellen.'

Sharilla heeft het mobieltje al in haar hand, maar schudt vrijwel meteen haar hoofd.

De teleurstelling is voelbaar als ze zegt: 'Nog steeds geen verbinding met het netwerk.'

'Geef eens hier,' zegt Jochem. Hij neemt het mobieltje van Sharilla over en loopt ermee over het dek.

'Wat nu weer?' vraagt Bibi zich hardop af. 'Wat doet hij?'

'Hij kijkt of we ergens verbinding kunnen krijgen met het netwerk voor mobiele telefoons,' legt Pieter uit. 'Soms lukt het op de ene plek niet en tien meter verderop wel.'

'De pater heeft ook zo'n ding,' vertelt Robelito. 'Maar die doet het altijd.'

'Dat komt omdat er in de stad een heleboel antennes staan om mobiele gesprekken door te geven. Maar hier dus niet.'

Het is even stil terwijl ze allemaal naar Jochem kijken.

'Probeer eens boven op het stuurhuis!' gilt Pieter plotseling over het dek. 'Misschien werkt dat?'

Gespannen wacht hij af.

'Bingo,' gilt Jochem een paar tellen later. 'Perfect, Pieter.'

'Oké, kom op,' zegt Pieter gehaast. Hij pakt de hand van Bonnie en samen lopen ze naar het stuurhuis.

'Ik leg het je later allemaal wel uit,' hoort Pieter Bonnie een minuut later zeggen. 'Maar nu moet je ons helpen.'

Vanaf het stuurhuis steekt hij zijn duim op naar de anderen.

'Dus ze heeft contact?' gilt Sharilla.

Ditmaal is het Jochem die grijnzend zijn duim omhoog steekt.

'Ben je nu al klaar?' vraagt hij verbaasd als Bonnie de verbinding na een paar tellen verbreekt.

Bonnie aarzelt geen moment. Met haar mobieltje in de hand klautert ze al naar beneden. Er is weinig van te merken dat ze nog maar zo kort geleden is geopereerd.

'We moeten foto's van de bom maken. Zoveel mogelijk,' laat ze ondertussen weten. 'O ja, hij zei dat we misschien gereedschap nodig hebben. Schroevendraaiers en een kniptang.'

'Kan hij ons helpen?' is het eerste dat Sharilla vraagt als Bonnie terug is.

'Dat weet hij nog niet,' reageert Bonnie terwijl ze haar mobieltje al klaar heeft voor de eerste foto. 'Hij moet eerst de foto's zien. Dan kan hij hopelijk aanwijzingen geven hoe we de bom onschadelijk moeten maken.'

'Dit, daar moet je een foto van maken.'

'En hiervan ook,' roept Pieter, in navolging van zijn vriend.

Terwijl Bonnie, Pieter en Jochem bezig zijn met foto's maken staart Bibi somber naar het eiland.

'Als het ons nu niet lukt om de bom onklaar te maken...' denkt hij hardop.

'Dan wint Lopez,' vervolgt Robelito.

Bibi knikt traag. 'Dat mag niet,' mompelt hij voor zich uit.

'Misschien kunnen we ervoor zorgen dat de president wordt gewaarschuwd,' bedenkt Sharilla. 'Ik kan Julia en John bellen. Die kunnen daar vast voor zorgen. Misschien kan hij nog wegkomen met een helikopter.'

'Maar nu niet,' roept Jochem achterom. 'Iedere seconde telt nu. We moeten eerst de foto's maken en doormailen. Ik hoop dat we daarna aanwijzingen krijgen om die bom onschadelijk te maken.'

'Die president kan me niets schelen,' laat Bibi weten. 'Die bom mag gewoon niet ontploffen.'

'Nee, natuurlijk niet,' reageert Sharilla. 'Maar als het toch gebeurt?'

Ze is even stil. 'Misschien kunnen we dan tenminste nog die staatsgreep voorkomen.'

Als Bibi onverschillig zijn schouders ophaalt roept Sharilla opgewonden: 'Denk dan na. Als de president het overleeft, mislukt hopelijk de staatsgreep. De president zal ervoor zorgen dat Lopez in de gevangenis komt.'

'Je bedoelt zeker dat onderzoek? Ze geloven ons toch nooit,' houdt Bibi vol.

'Dat hoeft ook niet,' Sharilla schreeuwt de woorden bijna uit. 'Het heeft niets met dat onderzoek te maken. Ze zullen hem veroordelen omdat hij heeft meegeholpen aan een staatsgreep.'

'En als hij dan kans ziet om te ontsnappen? Dan zijn we nog niet veilig voor hem. Er is volgens mij maar één oplossing en dat is dat we hem zelf pakken.' Bibi maakt een driftig armgebaar naar de bom en vervolgt: 'Maar dan moet dat ding nu niet ontploffen.'

'Toch moeten we proberen om de president en de andere mensen op het eiland te waarschuwen,' houdt Sharilla vol.

Bibi wendt ongeïnteresseerd zijn hoofd af. 'Mij best,' laat hij weten. 'Als dat maar niet betekent dat we minder tijd hebben om die bom uit te schakelen.'

Plotseling kijkt hij Sharilla weer aan. Met een gespannen uitdrukking op zijn gezicht roept hij: 'Die hele president kan me niets schelen. Er is voor mij maar één ding belangrijk en dat is dat ik Isabella en de kleine niet in de steek laat. Als ik hier doodga kan ik ze niet meer beschermen tegen Lopez.' Zijn arm maakt een breed gebaar naar de bom. 'Dat ding mag niet ontploffen,' roept hij met nadruk.

'Het fotogeheugen is vol,' laat Bonnie op datzelfde moment weten. 'We gaan ze doorbellen aan mijn neef.'

Ze grijpt naar haar zij, terwijl ze samen met Pieter terugrent naar het stuurhuis.

Daar aangekomen pakt Pieter haar hand. 'Gaat het?' vraagt hij bezorgd.

Hij ziet hoe Bonnie met moeite een glimlach op haar gezicht weet te brengen. 'Ja, natuurlijk,' laat ze hem weten. 'Maar kom, we mogen geen tijd verliezen. Anders gaat het hier straks met niemand meer goed.'

Ze knijpt snel even in zijn hand en maakt zich dan los om opnieuw op het dek te klimmen.

'Yes,' roept Pieter opgelucht als het opnieuw lukt om verbinding te krijgen.

'De foto's worden nu verzonden,' zegt hij tegen de anderen.

'Ga jij maar terug,' fluistert Bonnie. 'Ik geef de aanwijzingen vanaf hier wel door.'

'Doe je voorzichtig?' vraagt ze nog als Pieter zich weer op het dek laat zakken.

'Wat dacht je?' reageert hij ernstig.

'Gaat het lukken?' is het eerste dat Jochem vraagt als Pieter terug is bij de bom.

'Wat denk jij?' vraagt Pieter op zijn beurt.

Zwijgend kijken de jongens elkaar aan.

Zweetdruppels

Terwijl ze wachten op de aanwijzingen van Bonnie heeft Pieter zijn ogen opnieuw op de klok gericht.

00.09.27, ziet hij voor zich.

'In de stuurhut gevonden,' laat Robelito niet zonder trots weten als hij terugkomt met een tas vol gereedschap.

'Ik ga het toch proberen,' zegt Sharilla plotseling. 'Als ik nu niet bel dan is het in ieder geval te laat. Kan ik even bellen, terwijl je neef die foto's bestudeert?' roept ze naar Bonnie.

Bibi stapt naar voren en pakt haar arm. 'Wat kan die president jou nou schelen?' vraagt hij nijdig.

'Denk dan na!' gilt Sharilla terug. Ze laat Bibi verbaasd achter nadat ze zich met een simpele draai uit zijn greep heeft verlost.

'Kan het even?' roept ze opnieuw terwijl ze naar het stuurhuis rent.

Bezorgd kijkt Pieter toe als Sharilla de telefoon van Bonnie overneemt. Zijn ogen flitsen naar de klok en weer terug naar het stuurhuis. Hij weet dat ze gelijk heeft. Misschien kan de president nog vluchten en ervoor zorgen dat de staatsgreep mislukt. Maar aan de andere kant heeft Bibi gelijk. Haar telefoontje mag niet betekenen dat ze minder tijd krijgen om de bom onschadelijk te maken.

'Stop nou maar,' mompelt hij als ze na een volle minuut nog steeds in gesprek is. Twintig seconden later is Sharilla klaar.

'Ik heb de kapitein gesproken en ik blijf hier,' roept ze vanaf het dak van het stuurhuis. 'Ik roep de opdrachten die Bonnie krijgt naar jullie door.'

Weer twintig seconden later komen de eerste aanwijzingen.

'De klok!' gilt Sharilla opgewonden vanaf het dak. 'Haar neef wil eerst proberen de klok te isoleren! Jullie moeten een verbinding maken tussen de gele en de paarse draad die naar de klok toe gaan!' schreeuwt ze verder.

De jongens staan al startklaar. Pieter heeft de kniptang, Jochem houdt een setje schroevendraaiers vast.

Pieters handen trillen als hij zich vooroverbuigt. Hij ziet de gele en de paarse draad naar de klok toelopen. Maar ook een rode en een blauwe.

Oké, daar gaan we dan, spreekt hij in zichzelf. Hij heeft de gele draad met zijn kniptang al omklemd als er wordt gegild: 'Je mag die draden niet doorknippen!'

'Ja, wat dan?' sist hij geschrokken naar achteren.

'Wat dan?' gilt Jochem de vraag door.

Pieter trekt geschrokken zijn hoofd weg als een eerste zweet-

270

druppel op de klok valt. Gehaast veegt hij met zijn T-shirt zijn gezicht droog en buigt zich weer voorover.

'Niet doorknippen,' hoort hij Sharilla opnieuw roepen. 'Alleen de isolatie weghalen en dan met een losse draad op elkaar aansluiten. Daarna kun je knippen.'

'Waar weghalen? Waar moet ik de isolatie weghalen?' gilt hij deze keer zelf.

Geërgerd trekt hij zijn hoofd weer weg en kijkt naar Jochem.

'Wat bedoelt ze nou? Dit werkt zo toch niet. Ze moet wel duidelijk zijn.'

'Krijg nou wat, man. Ik kan het toch ook niet helpen.'

'We snappen het niet!' gilt Jochem het volgende moment. 'Je moet het beter uitleggen.'

'Oké!' sist Pieter als Sharilla iets meer dan dertig seconden later klaar is.

En wat gebeurt er als ik ze per ongeluk toch doorknip? vraagt hij zich in stilte af. Terwijl hij de vraag aan zichzelf stelt weet hij ook het antwoord. Iedere fout zal vrijwel zeker het einde betekenen. Hij staat in een ongemakkelijke houding voorovergebogen. Het deinen van de boot op de golven maakt zijn werk er niet eenvoudiger op. Vlak achter de klok houdt hij met zijn linkerhand de gele draad tussen duim en wijsvinger geklemd. Hij knippert met zijn ogen om de nieuwe zweetdruppels te weerstaan. Op een afstand van ongeveer twintig centimeter omklemt hij met zijn kniptang de gele draad.

'Alleen de isolatie doorknippen,' hoort hij de stem van Jochem van opzij komen.

Pieter knikt kort. Uit ervaring weet hij dat het moeilijk is wat hij moet doen. Net genoeg kracht zetten om de isolatie stuk te knijpen, maar niet zoveel dat ook de koperdraad doormidden gaat. En dan heel voorzichtig de isolatie een stukje wegtrekken zodat een deel van de koperdraad bloot komt te liggen. En diezelfde handeling moet hij ook bij de paarse draad uitvoeren.

Het zweet loopt nu in straaltjes van zijn gezicht af. Hij kan alleen maar hopen dat de zoute druppels de bom niet zullen laten ontploffen. De zon brandt ongenadig in zijn nek en zijn handen trillen ongelofelijk. Hij laat zijn tong langs zijn lippen glijden en proeft zijn eigen zweet. De cijfers van de klok dansen vlak voor zijn ogen. Hij moet drie keer knipperen om ze opnieuw scherp te krijgen. Nog iets meer dan vijf minuten, is zijn conclusie. Het is bijna voorbij, gaat er door zijn hoofd.

'Toe dan,' fluistert Jochem vlak bij zijn oor.

Langzaam voert hij met zijn rechterhand de druk op de tang op. Voorzover hij daar de ruimte voor heeft draait hij met de tang rond de draad om de isolatie door te snijden.

Concentreer je en denk verder nergens meer aan, vertelt hij zichzelf ondertussen. Als hij het idee heeft dat de isolatie rondom door is klemt hij de draad met zijn linkerhand nog steviger vast. Hij weet dat hij flink kracht zal moeten zetten om de isolatie weg te krijgen. Maar het mag niet zo hard zijn dat de draad uit de klok wordt gerukt. Zijn grootste angst is dat hij uit zal schieten en dat zijn hand het netwerk van draden dat rondom de koker is gespannen zal raken. Dan zal de bom vrijwel zeker ontploffen. Hij houdt zijn adem in en gaat verder. Millimeter voor millimeter ziet hij voor zijn ogen hoe een deel van de koperdraad vrij komt.

'Genoeg,' zegt hij hardop, als hij meer dan een centimeter glimmende koperdraad voor zich ziet.

'En nu de paarse,' spoort Jochem hem aan. 'En dan met elkaar verbinden en daarna allebei vlak achter de klok doorknippen. Ik heb al een losse draad voor je gevonden in de gereedschapstas. Ik zal de isolatie vast van de uiteinden afhalen.'

Pieter hoort de woorden wel, maar hij reageert er niet op. Geconcentreerd gaat hij aan de slag met de paarse draad.

'Is Pieter al klaar?' hoort hij Sharilla op de achtergrond roepen. 'We moeten opschieten.'

Even overweegt Pieter om te stoppen. Zijn handen trillen als een gek. Hij is drijfnat van het zweet en er is bijna geen tijd over. Het is volstrekt hopeloos. Ze zullen het nooit halen.

Jochem lijkt zijn twijfel te merken want die fluistert: 'Kom op Pieter. We hebben nog een kans.'

Zodra de isolatie van de gele en de paarse draad is afgestript geeft hij zijn tang aan Jochem. Die geeft op zijn beurt het verbindingssnoertje aan.

'Even wachten,' laat Pieter weten. Hij haalt diep adem en probeert het trillen van zijn handen te laten stoppen. Veel tijd om kalm te worden gunt hij zichzelf niet en dat kan ook niet. De verlichte cijfers op het display van de klok tonen de keiharde werkelijkheid: 00.01.57.

Ondanks het trillen gaat hij verder. Met moeite ziet hij kans om het verbindingssnoertje eerst aan de gele en dan aan de paarse draad vast te maken. Hij reikt met zijn rechterhand naar achteren en zonder een woord te spreken legt Jochem de kniptang erin.

'Eerst geel en dan paars, of maakt het niets uit?' vraagt hij nog met een schorre fluisterstem.

'Ik eh, ik...' Het volgende ogenblik gilt Jochem de vraag over het dek.

'Maakt niet uit!' volgt vrijwel meteen het antwoord.

Tijd om na te denken is er nu niet meer. Automatisch gaat Pieters hand naar de achterkant van de klok. Hij knippert het zweet weg en laat de bek van zijn tang zo kalm mogelijk om de gele draad heen glijden. Dan sluit hij zijn ogen, houdt zijn adem in en zet druk op het handvat van de tang. Bijna verbaasd hoort hij de droge tik die aangeeft dat de draad doormidden is. Nu de paarse draad, weet hij. Als de tang op zijn plaats zit, sluit hij opnieuw zijn ogen. Hij slikt en omklemt met zijn natte handen de tang. Heel even laten zijn ogen de bom los. De strakblauwe lucht, de blauwe zee, en het zonovergoten en ogenschijnlijk zo vredige eiland in de verte vormen een vreemd verschil met de allesvernietigende machine waar hij overheen gebogen staat. Hij vraagt zich af of ze er nog iets van zullen merken als de bom explodeert. Eigenlijk verwacht hij van niet. De explosie zal de vissersboot uit elkaar scheuren en hemzelf en de anderen aan boord op slag doden. Anders is het voor de mensen op het eiland. Die zullen gedood worden door het gifgas. Een snelle of een langzame gruwelijke dood? Hij weet het niet en hij wil er ook niet verder over denken. Even nog draait hij zijn hoofd opzij en kijkt naar Bonnie boven op het stuurhuis. Ze zit daar gevangen in het volle zonlicht en heeft niet eens in de gaten dat hij naar haar kijkt. Plotseling vraagt hij zich af hoe het gelopen zou zijn als hij de koker in zee zou hebben gegooid. Precies zoals hij van plan was toen ze op het zeiljacht van Yuko waren. Het maakt allemaal niets meer uit, weet hij. Zijn lippen bewegen als hij geluidloos de woorden vormt: dag lieve Bonnie. Hij wendt zijn hoofd af en terwijl een traan zich vermengt met het zweet spant hij de spieren van zijn hand. Het is alsof alle geluiden om hem heen verstommen. Het klotsen van de golven tegen de boot. Het zachte ruisen van de wind. Hij hoort het niet meer. Hij is klaar om te knippen.

Vloedgolf

Jochem legt een flinke hoeveelheid enthousiasme in de klap die hij Pieter op zijn schouder geeft.

'Perfect, man,' roept hij uit. 'Het is je gelukt.'

Ongelovig staart Pieter naar de klok: 00.00.43.

'Net op tijd,' roept Bibi met een brede lach op zijn gezicht. 'Ik dacht dat we er geweest waren.'

Ook Robelito blijft niet achter. Hij kiest Pieters andere schouder om hem te bedanken.

Pieter op zijn beurt haalt diep adem. Hij trilt over zijn hele lijf en is drijfnat van het zweet.

'Staat de klok stil?' dringt ten slotte het gegil van Sharilla tot de jongens door.

'Ja, geweldig hè,' reageert Jochem. 'Met nog precies drieënveertig seconden te gaan.'

'Je moet ook de andere twee draden die naar de klok lopen doorknippen,' roept Sharilla.

'Hoezo?' gilt Jochem terug. 'De klok staat stil, hoor.'

'Doe het nou!' De stem van Sharilla klinkt dwingend, smekend en wanhopig tegelijk. 'De rode en de blauwe draad. Het maakt niet uit welke je eerst knipt.'

Jochem lijkt te willen reageren, maar bedenkt zich.

'Ik doe het wel,' laat Pieter al weten.

Hij kijkt Jochem aan en schudt bijna onmerkbaar met zijn hoofd. Het is Jochem duidelijk wat hij bedoelt. 'Ik snap het ook niet,' laat hij Pieter weten.

Ook bij Robelito en Bibi heeft de vrolijkheid snel plaats gemaakt voor onzekerheid.

'Is het nog niet voorbij?' vraagt Robelito. 'Kan hij nog steeds ontploffen?'

Pieter weet weinig beters te doen dan zijn schouders op te halen en opnieuw naar de bom toe te lopen.

Hij doet een poging om zijn hand droog te vegen aan zijn broek. Veel effect heeft het niet, want ook zijn kleren zijn doorweekt. Nog natrillend van zijn vorige klus gaat hij aan de slag.

Gewoon doen, niet meer over nadenken, houdt hij zichzelf voor terwijl hij de rode draad met zijn kniptang vastpakt.

'Een, twee,' telt hij hardop, om bij drie te knippen. Een droge tik en verder niets.

'Een, twee,' gaat het ook bij de blauwe draad. Bij drie volgt wederom een droge tik.

'Gelukt,' gilt Jochem al naar het stuurhuis. 'Ze zijn doorgeknipt en de klok is weg. Die heeft geen stroom meer, denk ik.'

'Nu de verbinding tussen geel en paars doorknippen.'

'Weet je het zeker? Die hebben we net gemaakt!' protesteert Jochem.

'Ja!' luidt het korte maar duidelijke antwoord van Sharilla.

'Ik snap er niets meer van,' moppert Jochem terwijl hij zich weer naar Pieter toebuigt.

'Is die bom nou nog gevaarlijk of niet?'

Pieter reageert niet, maar doet wat hem gevraagd is.

'Een, twee,' klinkt het weer. Bij drie knipt hij het verbindingssnoertje doormidden dat hij met zoveel moeite heeft aangelegd. Hij wacht niet op nieuwe opdrachten, maar komt omhoog. Met een pijnlijk gezicht strekt hij zijn rug.

'Opdracht uitgevoerd,' laat Jochem de meisjes met een grijns op zijn gezicht weten. 'En we leven nog.'

De reactie van Sharilla komt onmiddellijk: 'De bom wordt radiografisch bestuurd,' schreeuwt ze vanaf het stuurhuis. 'Hij kan op afstand tot ontploffing worden gebracht. Die klok is nep en de bom staat nog steeds op scherp.'

Pieters ogen flitsen naar de bom en dan naar Jochem. De jongens staren elkaar aan totdat Jochem op fluistertoon weet uit te brengen: 'Het is net als in die film. Daar was die klok ook nep.'

Pieter knikt zwijgend. Hij weet nog maar al te goed wat Jochem erover vertelde. In de film bleek de klok ook nep en de bom ontplofte vijf minuten nadat de klok was gestopt. Maar hier is het anders. Deze bom wordt door een zender bestuurd. Hij kan ieder moment ontploffen. Vol ongeloof schudt hij zijn hoofd.

Het geschreeuw van Sharilla en vervolgens ook van Bonnie dringt maar vaag tot hem door. Voor even is het besef dat iedere keer dat hij nu ademhaalt de laatste kan zijn allesoverheersend.

'De ontvanger, Pieter!' hoort hij eindelijk wat Bonnie en Sharilla roepen. 'Je moet de ontvanger uitschakelen.'

Hij knikt, maar verroert zich niet. Hij snapt de bedoeling. Als ze de ontvanger uitschakelen, kan de zender de bom niet meer bereiken. Dat betekent dat de opdracht om de bom tot ontploffing te brengen hier niet zal aankomen.

'Links, Pieter. Je moet aan de linkerkant zoeken naar de ontvanger. Het is een langgerekt zwart doosje met een grijze en een groene draad die er naar toe lopen.'

Hij kijkt om naar de meisjes en steekt even zijn hand op als teken dat hij het heeft begrepen. Bonnie staat rechtop met een hand boven haar ogen om die af te schermen tegen de zon. Ze lijkt even te aarzelen maar dan gaat haar arm omhoog. Pieter ziet hoe haar hand daar in de lucht blijft hangen. Drie, misschien vier eindeloze seconden.

Dan, langzaam, heel langzaam laat Bonnie haar arm zakken. Pieter slikt en draait zich met een ruk om. Zo simpel als haar gebaar was, zo duidelijk is de betekenis die hij eraan geeft. Het is bedoeld als een afscheid. Een vaarwel.

Hij haalt diep adem en buigt zich weer voorover naar de bom. Hij ziet vrijwel meteen het langgerekte kastje dat de ontvanger moet bevatten. Met een kalmte die hem zelf verbaast pakt hij de groene draad en knipt hem zonder meer doormidden. Een tel later is de grijze draad aan de beurt. De reactie komt als hij weer rechtop staat. Zijn handen beginnen zo hevig te trillen dat de tang uit zijn handen schiet en op het dek klettert.

'Misschien kunnen ze hem nu niet meer activeren,' fluistert Jochem met een onmiskenbare trilling in zijn stem.

Robelito tikt de schouder van Pieter lichtjes aan. 'Is het gelukt? Is het nu afgelopen?'

Ook hij praat zachtjes. Alsof het geluid van zijn stem de bom kan laten ontploffen. Dat dit niet gebeurt wordt duidelijk als Sharilla de volgende aanwijzing naar ze schreeuwt.

'En nu de ontsteking! Als we die eruit kunnen halen zijn we veilig!' In snel tempo maakt Sharilla duidelijk wat er moet gebeuren.

'Goed,' zegt Jochem als ze klaar is. Samen met Pieter buigt hij zich over de bom.

'Dat moet hem zijn,' weet Pieter vrijwel meteen. Hij wijst op een gesloten, gele doos die aan de rechterkant van de cilinder aan het frame is gelast. 'Heb je een kleine schroevendraaier?'

Pieter aarzelt maar vraagt dan toch aan zijn vriend: 'Wil jij het doen?'

Hij houdt zijn handen voor zich uit en laat zien hoe erg die nog steeds trillen.

'Je moet maar geen hersenchirurg worden,' grapt Jochem, waarna hij aan de slag gaat.

Drie zenuwslopende minuten later heeft Jochem de ontsteking in zijn hand. Een klein, nietig onderdeel, zo groot als een lucifersdoosje. Hij geeft er een kus op en laat het ding vervolgens met een boog in het water verdwijnen.

Plotseling klinkt er een smekende stem: 'Wat moeten jullie hebben? Zeg het maar. Zeg maar wat het losgeld moet zijn. Ik kan ervoor zorgen dat jullie het krijgen, maar laat me alsjeblieft leven.'

De Amerikaan is uit het ruim geklommen en zit nu vlak bij hen in de buurt op zijn knieën naast het kapotgebeukte luik. Met zijn handen in elkaar gevouwen jammert hij verder: 'Het spijt me, het spijt me, maar doe me alsjeblieft niets. Ik ben bankier. Ik zal jullie alles geven wat jullie vragen.'

'Krijg nou wat,' fluistert Jochem. Met een brede grijns op zijn gezicht buigt hij zich naar Pieter toe. 'Die gek denkt volgens mij dat hij ontvoerd of gegijzeld is.'

'Laat mij het woord maar doen,' zegt hij snel, als Bibi zich er mee lijkt te willen gaan bemoeien.

'Misschien kan hij helpen met de kinderbank,' zegt Pieter nog snel voordat Jochem het woord neemt.

'Je hebt ons erbij gelapt,' begint Jochem langzaam. 'Dat was niet zo slim van je.'

'Het spijt me. Het spijt me echt. Het was een vergissing,' jammert de man.

'Dat gaat je geld kosten,' vervolgt Jochem. 'Heel veel geld. We hebben ongelofelijk veel geld nodig.'

'Hallo meneer Greenscan,' laat Bonnie vanaf het dak horen. 'U bent gelukkig weer bijgekomen?'

Pieter ziet hoe de Amerikaan verbijsterd omhoog kijkt naar Bonnie. Het is duidelijk dat hij haar niet eerder heeft opgemerkt. Omgekeerd geldt datzelfde voor Bonnie. Pieter is er zeker van dat zij Jochem niet heeft gehoord.

'Hebben ze je toch te pakken gekregen?' hoort hij de Amerikaan mompelen.

Dan kijkt hij de jongens aan. 'De dochter van een Amerikaanse

277

senator ontvoeren, dat zal jullie duur te staan komen. Ik weet zeker dat het Amerikaanse leger ingezet zal worden. Amerika zal op zijn kop staan. Ze zullen er alles aan doen om haar te bevrijden.'

'Kom op, man,' fluistert Pieter opzij naar zijn vriend. 'Laat maar zitten.'

'Wat, "laat maar zitten",' sist Jochem terug. 'We hebben toch geld nodig voor de kinderbank? Hij heeft geld zat, dat zegt hij zelf.'

'Ja, maar Bonnie...' begint Pieter.

Verder komt hij niet.

'Een vliegtuig,' gilt Sharilla. 'Mijn telefoontje heeft gewerkt. Joehoe,' schreeuwt ze enthousiast zwaaiend. 'Hier zijn we, hoor.'

De jongens draaien zich om en zien het vliegtuig meteen.

'Die komen vast de president redden,' merkt Pieter op.

'Het lijkt wel een zilveren vogel,' lacht Jochem.

Pieter knikt. Zijn vriend heeft gelijk. Met de strakblauwe lucht als achtergrond en het zonlicht dat weerkaatst op de vleugels en de romp ziet het vliegtuig er inderdaad uit als een zilveren vogel. Maar dan wel één die supersnel vliegt.

Ondanks het mooie beeld verliest Pieter zijn aandacht voor het vliegtuig en kijkt naar de twee meisjes op het dak. Sharilla springt heen en weer en zwaait uitbundig. Bonnie doet het iets kalmer aan, maar zwaait ook met de armen boven haar hoofd.

Als vanzelf verschijnt er een brede lach op Pieters gezicht als Bonnie in de gaten krijgt dat hij naar haar kijkt. Opnieuw gaat haar hand omhoog. Deze keer blijft hij kijken en zwaait terug. We hebben het gered, gaat er door zijn hoofd. De bom is onschadelijk gemaakt en de staatsgreep zal nu vrijwel zeker niet kunnen slagen. En Lopez? Hij hoopt dat Sharilla gelijk zal krijgen en dat Lopez veroordeeld zal worden voor zijn hulp aan de staatsgreep.

Dan dringt de vraag van de Amerikaan tot ze door: 'Wie zijn jullie?'

Als Pieter zich weer omdraait ziet hij dat de man is gaan staan. De kamerjas hangt open en laat een boxershort zien met fel gekleurde bloemen erop.

'Wij stellen hier de vragen, niet jij,' reageert Jochem meteen. 'Uit een film,' sist hij met een grijns op zijn gezicht opzij naar Pieter.

De Amerikaan doet zijn mond al open, maar zijn woorden gaan verloren in het gierende geluid van inslaande kogels en versplinterend hout. Even onverwacht als het begon is het ook weer voorbij. Geschokt staart Pieter naar de straaljager die bezig is met een bocht.

'Hij komt terug!' schreeuwt Sharilla vanaf het dak.

'Stop, stop!' gilt ze vervolgens. 'Wij zijn vrienden.'

'Het is er volgens mij één van het leger,' roept Bibi. 'Die vliegen ook wel eens boven de stad.'

Commandant Krulsnor, gaat er door Pieter heen. De commandant die samen met Marcos een staatsgreep wil plegen. Ze moeten ontdekt hebben dat de ontvanger van de bom niet meer werkt en nu hebben ze een straaljager gestuurd om de bom alsnog te laten ontploffen.

Een kogel die de koker raakt of een kogel die de springstof raakt zal voldoende zijn, weet Pieter. En de piloot zit veilig in zijn cabine.

'Weg!' gilt hij, 'We moeten weg.'

Maar hij is al te laat. Opnieuw duikt de straaljager op ze af.

'Maak je zo klein mogelijk,' gilt Pieter nog, maar hij weet dat het vergeefs is. In het helse kabaal zullen de anderen hem niet meer kunnen horen. Hij heeft geen idee of ze deze tweede kogelregen zullen overleven. Maar één ding weet hij zeker. Als de straaljager voorbij is en als ze dan nog leven, moet hij de koker losrukken uit de bom en hem overboord gooien. Anders is alles verloren. Dan is het voorbij.

Gehurkt en met zijn hoofd verborgen tussen zijn handen hoort Pieter hoe de helse kogelregen de houten boot geselt. Zonder zich nog te bedenken springt hij op als het voorbij is.

'Overboord,' gilt hij. 'We moeten overboord.'

Zelf is hij al opgesprongen en hij staat bij de bom. Met een wilde zwaai slaat hij het netwerk van metaaldraadjes, dat de koker omspant, opzij.

'Hier ben ik!' hoort hij de Amerikaan op de achtergrond schreeuwen.

'Kom op dan, Pieter,' roept Jochem. 'Kom dan mee.'

'Wat doe je?!' gilt de Amerikaan plotseling van dichtbij. Pieter voelt de hand op zijn schouder en het volgende moment rukt de man hem weg bij de bom.

'Je sleept mij niet mee in die waanzin!' gilt hij recht in Pieters gezicht. 'Als jullie de lucht in willen vliegen, dan zonder mij!' Op zijn gezicht verschijnt een vreemde lach als hij roept: 'Ze komen ons redden. Mij en Bonnie. Jullie zullen je straf niet ontlopen.' Een blik opzij leert Pieter dat de straaljager een nieuwe draai bijna voltooid heeft. Nog even en dan zal een nieuwe kogelregen de boot treffen.

'Man!' gilt Pieter. 'Ik probeer juist te voorkomen dat we de lucht invliegen! Laat me los!'

Het is meteen duidelijk dat zijn woorden geen enkel effect hebben. De man verstevigt zijn greep. 'Dan maar zo!' roept Pieter. Hij doet een stap naar voren en laat zijn knie keihard omhoog komen. Terwijl de man in elkaar klapt pakt hij het hoofd en draait het naar opzij weg. Dubbel geklapt blijft de man op het dek liggen. Maar opnieuw voelt Pieter een hand op zijn schouder. In een reflex draait hij om, klaar om opnieuw zijn jiu-itsu techniek te gebruiken.

Jochem deinst verschrikt achteruit. 'Kalm maar. Ik ben het.'

'Overboord, man,' schreeuwt Pieter met overslaande stem. 'Spring dan overboord.'

'En jij dan?' schreeuwt Jochem op zijn beurt hard terug. 'Wat doe jij dan nog hier?'

'Wat denk je?' gilt Pieter. 'Waarom denk je dat die straaljager hier is?' Hij neemt niet de moeite om te wachten op een antwoord maar geeft dat zelf al. 'Om te zorgen dat hun plan alsnog slaagt, natuurlijk.'

Hij stapt terug naar de bom en omklemt met twee handen de zilverkleurige koker. Terwijl een derde serie kogels inslaat, rukt hij de koker los uit de beugels. Een, twee, drie stappen naar de zijkant van de boot en de koker gaat overboord. Zonder een spoor na te laten verdwijnt het loodzware ding meteen onder water.

'En nu wegwezen, Pieter,' gilt Jochem.

'Bonnie en de anderen?' roept Pieter terug.

'Die zijn al onderweg naar het strand.'

Pieter knielt bij de Amerikaan, die nog steeds kreunend op het dek ligt. 'Ze komen je niet redden. Ze willen ons allemaal vermoorden,' schreeuwt hij van vlakbij. 'Je hebt nog maar één kans. Je moet nu opstaan en overboord springen.' Hij pakt een arm en begint aan de man te rukken.

'Pieterrr!' gilt Jochem wanhopig.

Vol twijfel kijkt Pieter op. Jochem, die al klaar staat om te springen, het vliegtuig dat opnieuw draait en dan de Amerikaan die nauwelijks reageert.

'Toe dan man, sta op,' doet Pieter een laatste poging.

'Ik ga hoor, Pieter,' klinkt het vanaf de andere kant

'Oké dan,' gilt Pieter keihard naar de Amerikaan. 'Dan moet je het zelf maar weten, stomme idioot.' Eindelijk komt de Amerikaan in beweging. Maar Pieter wacht niet langer af. Hij sprint naar Jochem toe en samen verdwijnen ze overboord.

De explosie die de vissersboot na de vijfde aanvalsgolf uiteenrukt davert als een duizendvoudige donderslag door de lucht. Een, twee, misschien drie tellen later worden de jongens meegesleurd in een reusachtige vloedgolf.

Kakelende hanen

'Is de eh, is het gifgas nu vrijgekomen?' is het eerste dat Sharilla vraagt nadat de jongens uitbundig verwelkomd zijn. Pieter en Jochem liggen uitgeput in het zand. Samen met de anderen hebben ze een schuilplaats gevonden aan de rand van het strand, daar waar de dichte begroeiing begint. Ze zijn hier uit het zicht van de straaljager die na de explosie verdwenen leek maar die toch is teruggekeerd en nu rondjes draait boven het gebied waar de boot is geëxplodeerd.

'Ik denk het niet,' weet Pieter met moeite uit te brengen. 'Voordat we sprongen heb ik de koker in zee gegooid.'

'En meneer Greenscan?' vraagt Bonnie bezorgd. 'Is die ook gered?'

'Die gek?' begint Jochem. 'Au!' laat hij vervolgens horen als Pieters voet uitschiet.

Pieter krabbelt snel overeind en schuift naast Bonnie.

'Ik weet het niet,' zegt hij zacht. 'Hij was flink in de war. Misschien door al die spuiten die hij gekregen heeft. Ik weet niet of hij op tijd van boord gesprongen is.'

De heftige reactie die hij verwacht blijft uit. Bonnie knikt ernstig maar laat zich dan tegen hem aan zakken.

'Ik was zo bang dat jullie ook te laat zouden zijn,' zegt ze zachtjes.

Pieter knikt alleen maar. Zijn hart gaat nog steeds als een bezetene tekeer. Hij weet dat het maar weinig gescheeld heeft of ze hadden het inderdaad niet gehaald. De vloedgolf is hen bijna fataal geworden. Opnieuw voelt hij de paniek van het moment dat ze onder water werden getrokken. Hij zuigt zijn longen een paar keer vol lucht en voelt zich meteen iets beter.

'En, wat gaan we nu doen?' vraagt Bibi zich hardop af.

'Opbellen,' zegt Pieter meteen. 'Krulsnor, Marcos en Lopez zullen razend zijn dat hun plan is mislukt. We moeten ervoor zorgen dat de anderen uit het kamp bevrijd zijn voordat er gekke dingen gaan gebeuren.'

John en de kapitein weten om welk eiland het gaat,' reageert Sharilla. 'Hopelijk is al er al hulp onderweg.'

Pieter knikt. 'Dat wil ik dan graag weten. 'Het mag niet zo zijn dat ze de kinderen uit het kamp als gijzelaar gaan gebruiken.'

'Of erger,' merkt Bibi somber op.

Bonnie heeft de telefoon al tevoorschijn gehaald. 'Niets. Hij doet helemaal niets.'

'Geef eens,' vraagt Jochem. 'Kun je wel weggooien,' zegt hij al snel. 'Dat ding zit vol water.'

Het besluit is snel genomen. Minder dan een minuut later zijn ze onderweg.

'En nou maar hopen dat dit echt het feesteiland is en geen onbewoond eiland,' grijnst Jochem. 'Anders staan we straks aan de andere kant zonder iemand gezien te hebben.'

In de brandende zon zorgen hun natte kleren nog voor enige verkoeling. Maar lang duurt dat niet. De hete wind droogt hun kleren sneller dan de beste wasdroger. Lang hoeven ze gelukkig niet te lopen.

'Volgens mij is dat een *galeria*,' roept Bibi als de eerste gebouwen in zicht komen. Hij wijst op een rond gebouw dat sprekend lijkt op een arena. Aan het gejoel en gejuich te horen is er volop activiteit. 'Daar wordt vast en zeker een *tupadas* gehouden,' vertelt hij met enige opwinding in zijn stem.

'Een hanengevecht,' legt Sharilla uit. 'Dat is echt walgelijk. Ik wil er niet eens in de buurt komen. Die arme beesten worden helemaal wild gemaakt en dan moeten ze elkaar te lijf gaan. Er worden vlijmscherpe mesjes aan hun poten gebonden. Het is ongelofelijk bloederig en ze laten die beesten vaak doorvechten tot er één dood is.'

'Je kunt er gokken,' gaat Bibi onverstoorbaar verder. 'Een jongen van ons heeft dat een keer gedaan. Hij heeft toen ongelofelijk gewonnen.'

'Dat is toch pure dierenmishandeling!' roept Bonnie verontwaardigd. 'Ik ga daar dus niet naar binnen!' zegt ze beslist.

'We moeten anders wel opbellen,' merkt Jochem op als ze de arena naderen, 'en verder zie ik hier niets en niemand op straat, alleen maar stof. Zo te horen zit iedereen daar binnen.'

'Kom op,' beslist Sharilla. 'We lopen nog even door. Dit is toch ook niet het centrum.'

'We hebben haast,' zegt Bibi. 'We proberen het hier.'

Voordat er iemand kan protesteren lopen Bibi en Robelito al naar de ingang toe.

'Dat gaat niet goed,' merkt Jochem op als hij Bibi heftig ziet gebaren.

Pieter stapt al naar voren. 'We kunnen nu geen ruzie gebruiken,' roept hij naar de anderen.

'Ze willen ons niet binnenlaten en we mogen alleen opbellen als we betalen,' maakt Bibi duidelijk als Pieter en de anderen erbij komen staan.

De mannen die bij de toegang staan, staren lacherig naar het vreemde groepje. Vooral Bonnie met haar lange blonde haren en in haar slaap-T-shirt lijkt hun belangstelling te wekken.

'Mogen we echt niet bellen?' probeert Sharilla nog. De enige reactie van de mannen is dat ze ook hun hoofden scheef houden en zielig terugkijken, om vervolgens in lachen uit te barsten.

'Stelletje rotzakken!' roept Jochem.

Meteen is de vrolijke sfeer verdwenen.

'Sorry,' roept Pieter maar. 'Kom op,' spoort hij de anderen aan om mee te komen. 'Dit is zonde van de tijd.' Hij kijkt nog even om als ze doorlopen, maar gelukkig worden ze met rust gelaten. Wat hij ook ziet is dat een paar jongens aan de zijkant van de arena door een gat in de buitenmuur naar binnen verdwijnen. We hadden er dus toch in gekund, concludeert hij. Een paar straten verder stuiten ze op de route waar de processie langs komt. Ze dringen zich tussen de mensenmassa door en zien hoe de deelnemers aan de optocht hun gezichten zwart hebben gemaakt met roet. Ze zijn zonder uitzondering gekleed in de meest kleurige gewaden en zijn uitgedost met veren, belletjes en allerlei andere versieringen.

'Hala-bira, hala-bira,' wordt er geroepen.

'Dat gaat lekker snel zo,' merkt Jochem op als hij ziet hoe de deelnemers steeds twee stappen voorwaarts en één achterwaarts doen.

'Misschien kunnen we de president wel vinden,' bedenkt Sharilla. 'Dan kunnen we alles vertellen.'

'Krijg nou wat. Je denkt toch echt dat we bij die man in de buurt kunnen komen? Die wordt natuurlijk bewaakt.'

'Het heeft toch ook helemaal geen zin,' reageert Bibi. 'Ze geloven ons toch nooit.'

'We kunnen bellen,' laat Bonnie het volgende moment weten. Ze laat het mobieltje zien en wijst op een Amerikaans echtpaar dat ze heeft aangesproken. 'Het zijn toeristen,' legt ze uit. 'Ze zijn hier speciaal naar toe gekomen voor de processie. Die is heel beroemd.'

'En wat heb je dan gezegd?' wil Pieter weten.

'Dat we in de problemen zitten natuurlijk. Aardig van ze, hè?'

'Krijg nou wat,' sist Jochem. Hij wijst ontzet naar de legerjeep met soldaten die zich al toeterend langs de deelnemers aan de processie wringt. Pieter hoeft niet te vragen wat zijn vriend bedoelt. Dat is meer dan duidelijk. Nog steeds gekleed in zijn kamerjas staat de Amerikaan als een soort commandant voor in de open jeep. Hij houdt zich vast aan het raam en speurt met zijn ogen langs de menigte. Achterin houden twee zwaar bewapende soldaten hun mitrailleurs dreigend in de aanslag.

Pieter keert zich met een ruk om als hij het idee heeft dat de Amerikaan zijn richting uitkijkt. Maar aan het geschreeuw te horen is hij al te laat.

'Hij wijst naar ons,' hoort hij Sharilla angstig roepen.

'Wegwezen dan,' roept Pieter. Zonder nog te denken grijpt hij Bonnies hand en wringt zich tussen de mensen door. 'Mijn mobieltje! Ze heeft mijn mobieltje gestolen!' hoort hij boven alle tumult uit roepen.

Waar vluchten we nou eigenlijk voor, vraagt hij zich ondertussen af. Het lijkt niet waarschijnlijk dat deze soldaten voor commandant Krulsnor werken. Of toch? Misschien hebben ze gasmaskers bij zich om zich tegen een gasaanval te beschermen. Maar als er soldaten van Krulsnor rondlopen, dan is de president nog steeds in gevaar. Dan is er nog steeds een kans dat de staatsgreep slaagt en dat Lopez wint. Hijgend schiet hij de straat in waar ze eerder gelopen hebben. En de Amerikaan, denkt hij verder. Wat heeft de Amerikaan aan de soldaten verteld? Niet veel goeds, in ieder geval. Anders hadden ze hem niet in een jeep geladen om midden tussen de processie op zoek te gaan. Of werkt de Amerikaan soms voor Lopez? Nee, bedenkt hij zelf al, anders hadden ze hem vast niet platgespoten. Of was dat soms allemaal onderdeel van het plan? Hoe meer hij erover nadenkt hoe minder hij ervan begrijpt.

'Langzamer, Pieter. We moeten iets langzamer,' weet Bonnie hijgend uit te brengen. Hij ziet hoe ze een hand in haar zij gedrukt houdt, terwijl ze haar best doet om hem bij te houden. Hij gaat iets langzamer en ze lopen vlug verder op de brede stoffige straat. Al snel is de arena weer in zicht. Pieter aarzelt niet en loopt uit het zicht van de hoofdingang naar het gat in de buitenmuur. Het gat waar hij op de heenweg een paar jongens door naar binnen heeft zien verdwijnen. Hij glipt naar binnen en trekt Bonnie mee. De anderen volgen en hijgend blijven ze staan in een koele stenen ruimte. De houten hokken die tot aan het plafond staan opgestapeld, zijn gevuld met hanen. De meeste wringen zich in de nauwe kooien onrustig heen en weer.

'Hallo,' roept Jochem. 'Kunnen jullie even stoppen met kakelen?'

'Hanen kakelen niet, hoor,' is de reactie van Sharilla.

'Nou ja, kukelen dan. Als ze nu maar even stil zijn. Ik word er gek van.'

'We moeten bellen,' sist Pieter. 'Nu meteen.' Zijn woorden worden overstemd door het daverende kabaal vanuit de arena.

'We moeten nu meteen bellen,' roept hij vervolgens, half schreeuwend. Sharilla heeft het mobieltje al van Bonnie overgenomen.

'Ik bel de kapitein weer,' roept ze. In de volgende minuut is duidelijk dat ze de grootste moeite heeft om zich aan de telefoon verstaanbaar te maken. En of ze zelf iets verstaat van wat er wordt teruggezegd? Pieter weet het niet.

'Zij snapt ook niet wie ons achterna zit,' schreeuwt Sharilla als ze klaar is. 'Ze gaat het proberen uit te zoeken en belt terug.'

'En heb je verteld over die straaljager en dat de boot is ontploft en over dat gifgas, o en misschien...'

'Ik heb alles verteld,' zegt Sharilla ernstig. 'Alles wat we weten. Nu moeten we afwachten.'

285

'Maar wanneer horen we iets?' roept Pieter. 'Heb je gezegd dat we haast hebben?'

Sharilla knikt.

'Kom kijken, man,' roept Jochem die samen met Bibi en Robelito door de spleten in de oude houten deur de arena inkijkt. 'Dit is echt smerig. Het bloed spat in het rond.'

Onwillekeurig moet Pieter denken aan zijn oudste zus Marieke. Die zal laaiend zijn als ze hoort over deze hanengevechten. Hij kijkt naar Bonnie. Die is gaan zitten. 'Ik hoef het niet te zien, hoor,' zegt ze meteen. 'Jij toch zeker ook niet?'

Pieter aarzelt even, maar laat zich dan naast haar zakken.

Ze kruipt dicht tegen hem aan en fluistert in zijn oor: 'Ik moet eigenlijk mijn ouders bellen. Die zijn natuurlijk doodongerust.'

'Oké, goed idee,' zegt Pieter meteen. 'Misschien kan je vader...'

Hij stopt midden in zijn zin als hij bedenkt wat Bonnie over haar vader verteld heeft. Die zal natuurlijk niets willen doen wat zijn baan in gevaar brengt.

'Ik doe het toch niet,' besluit ze onverwacht. 'Het is belangrijk dat de telefoon nu vrij blijft.'

'Ja maar...' begint Pieter. Maar als hij tranen in haar ogen ziet glinsteren besluit hij om niet verder aan te dringen.

'Shit,' laat Jochem horen. 'Er komt er eentje hier naar toe. Ze moeten zeker verse hanen hebben. Die twee van te net hebben zich allebei doodgevochten.'

Pieter veert al omhoog. 'Naar buiten dan,' roept hij hard genoeg om zich boven het kabaal uit verstaanbaar te maken.

'Kom op,' schreeuwt hij naar Bonnie die ook is opgesprongen.

'Ga maar vast,' roept ze terug terwijl de eerste haan al uit zijn kooi springt. 'Ik laat ze vrij.'

'Kom nou,' roept hij smekend, maar Bonnie is al aan een volgende kooi bezig. Precies op het moment dat ze een vierde haan bevrijdt valt het zonlicht naar binnen door de opengeslagen deur. Pieter ziet de eerste ogenblikken niets in het felle tegenlicht behalve dan de omtrekken van degene die de deur heeft geopend. Dat die persoon niet blij is blijkt uit het feit dat hij boven alles uit schreeuwt. Vriendelijk klinkt het niet. Als ook een vijfde en een zesde haan hun hok verlaten stapt de figuur naar binnen. Pieter springt vooruit als de man in blinde woede zijn vuist uithaalt richting Bonnie. Het heeft weinig zin want ze staan te ver weg. Gelukkig bukt Bonnie net snel genoeg, waarna de vuist zich in het gaas van een van de hanenhokken boort. De haan neemt onmiddellijk zijn kans en gaat zijn belager te lijf. De man schreeuwt het uit en probeert zonder veel resultaat zijn hand los te rukken uit het gaaswerk. Die gelegenheid gebruiken ze om ook naar buiten te kruipen.

We zijn erbij, weet Pieter meteen, we zitten in de val. Hij ziet hoe Sharilla, Jochem en de anderen met hun gezichten in het stof liggen. De benen wijd en de armen naar voren gestrekt. Precies zoals de terroristen die ze in Manilla gezien hebben, schiet er door Pieter heen. Hij krijgt niet eens de kans om te tellen hoeveel gewapende soldaten er om hen heen staan, want een paar tellen later liggen hij en Bonnie net als de anderen in het stof.

Misverstand

De plaatselijke gevangenis is een somber stenen gebouw, dat volgens de schatting van Pieter zeker honderd jaar oud moet zijn. Het lijkt erop of hier in al die tijd niet is schoongemaakt. De stank roept bij Pieter de herinnering op aan Smokey Mountain. Speciaal voor hen is er een cel vrijgemaakt. Hierdoor zijn de overige cellen die hij gezien heeft nog voller geworden. Vooral Bonnie en Sharilla zijn door de gevangenen, uitsluitend mannen, juichend en joelend ontvangen. Maar dat is wel het minste waar ze zich op dit moment met zijn allen druk over maken. Ze zijn meer bezig met de vraag door wie ze nou eigenlijk gevangen zijn genomen.

'Waarom zou het gewone leger ons oppakken?' vraagt Sharilla zich hardop af. 'We hebben niets gedaan. Integendeel, we hebben een ramp voorkomen.'

'Dan zijn het dus soldaten van Lopez en zijn vrienden,' mengt Bibi zich in het gesprek.

Pieter schudt nadenkend zijn hoofd. Hij weet dat hij dat zelf ook even heeft gedacht. Maar die gedachte lijkt hem nu toch niet meer zo logisch. Dat vindt Jochem blijkbaar ook niet, want die zegt: 'Die lui zijn toch niet gek? Die coupplegers, bedoel ik.' Hij grijnst even naar Sharilla. 'Goed onthouden hè?' zegt hij en gaat dan verder. 'Waarom zouden ze hier hun soldaten laten rondlopen terwijl ze weten dat het eiland met gifgas wordt aangevallen? Dat is toch niet logisch?'

287

Voor het traliehek aan de voorkant van de cel verschijnt een heel gezelschap van soldaten. Nadat de deur in het traliehekje is opengemaakt stapt een van hen naar binnen. Aan de vele sterren op zijn schouders en pet te zien is hij de baas. Als de man in het midden blijft staan is hij verzekerd van de volle aandacht van Pieter en de anderen. Hij lacht vriendelijk en kijkt langzaam rond. 'Ik ben kolonel Bartelo Rodriguez,' stelt hij zichzelf voor. 'Ik ben het hoofd van de persoonlijke lijfwacht van de president,' laat hij vervolgens weten.

Van de president, herhaalt Pieter de woorden in zichzelf. Maar van welke president? Marcos of de andere president? Hij durft het niet te vragen. De man gaat alweer verder.

'Het spijt me dat jullie hier in de gevangenis terecht zijn gekomen. Het is allemaal een misverstand.'

Geen van allen zeggen ze wat. Pieter betrapt zich erop dat zijn mond openstaat van verbazing.

'Ik ben bang dat de waarschuwing die wij kregen voor een aanslag op mijn president niet helemaal goed is overgekomen,' vertelt de man rustig.

Dat moet het telefoontje van Sharilla zijn geweest, weet Pieter meteen.

'Wij gingen uit van een aanslag door terroristen,' praat de kolonel verder. 'In de paniek heeft iemand opdracht gegeven aan de luchtmacht om een vissersboot voor de kust van het eiland tot zinken te brengen. Later hebben we op die plek een Amerikaan uit zee gevist. Die beweerde ontvoerd te zijn door terroristen en zei dat die terroristen op het eiland waren geland. Er zijn onmiddellijk patrouilles op stap gestuurd om de terroristen op te pakken.' Hij pauzeert even en kijkt veelbetekenend rond. 'Zo zijn jullie dus in deze cel beland. Maar,' zegt hij met stemverheffing, 'ik heb het persoonlijk een zekere kapitein Julia gesproken. Zij was ook degene die ons eerder waarschuwde voor de aanslag. Zij heeft mij alles uitgelegd. Ik begrijp dat we dankzij jullie aan een absolute ramp zijn ontsnapt.'

'Bijna niet dus,' fluistert Jochem in Pieters oor. 'Als jij die koker niet overboord had gegooid, hadden die sufkoppen alsnog voor een ramp gezorgd.'

'En Lopez?' vraagt Bibi gespannen. 'Hebben jullie die al opgepakt?'

288

'Dokter José Lopez,' spreekt de kolonel de volledige naam van de dokter nadenkend uit. 'Ik begreep van kapitein Julia dat hij één van de coupplegers is. Het onderzoek is natuurlijk nog maar net gestart. Als hij hier inderdaad bij betrokken is, dan zal hij zijn straf niet ontlopen.'

'Dus hij is nog niet gevangen genomen!' roept Bibi.

'Hij is erbij betrokken!' roept Pieter nu. 'Hij is degene die het gifgas uit Rusland hier naar toe heeft gesmokkeld. Maar er is nog veel meer. Hij houdt kinderen gevangen op zijn eiland. Die moeten gered worden.'

'En hij moet mijn vriendin en onze baby op Smokey Mountain met rust laten!' schreeuwt Bibi met overslaande stem. 'Die man moet gepakt worden, echt!'

De kolonel kijkt ernstig als hij zijn handen op steekt. 'Kalm, kalm. Ik snap jullie zorgen. Ik wil jullie vragen om mee te gaan. Dan hoor ik graag het hele verhaal uit jullie eigen monden. Daarna worden jullie met een helikopter overgebracht naar het kinderziekenhuisschip van kapitein Julia. Ik heb begrepen dat zij met haar schip, de *Childhope*, onderweg is naar het eiland van dokter Lopez. Er is ook een eenheid van de marine onderweg naar dat eiland, of misschien zijn ze daar al. Ik zal voor de zekerheid opdracht geven dat ze haast moeten maken.'

Een snelle blik opzij en een knip met zijn vinger is voldoende om een van de soldaten naar een mobieltje te laten grijpen. Die gaat er meteen mee aan de slag.

'Kom mee, we gaan hier weg,' zegt de kolonel, terwijl hij al naar de uitgang stapt.

'Meneer Greenscan!' roept Bonnie verbaasd als ze de huilende Amerikaan op weg naar buiten tegenkomen. De man is geboeid en wordt door twee soldaten de gevangenis ingebracht.

Hij lijkt Bonnie niet eens te horen. Hij staart naar Pieter en dan naar Jochem. 'Wie zijn jullie toch?' jammert hij.

'Eh, meneer de kolonel,' roept Bonnie. 'Ik ken deze meneer. Hij zat in, eh, in hetzelfde hotel als ik.'

De kolonel aarzelt geen moment als hij zegt: 'Deze meneer blijft voorlopig netjes hier. Hij heeft een valse verklaring afgelegd. Jullie zijn geen terroristen. Nee toch?'

'Nee,' haast Jochem zich om te zeggen.

Het kinderziekenhuisschip

'Welkom aan boord.' Het gezicht van kapitein Julia is een en al lach als zij Pieter en de anderen aan boord van het kinderziekenhuisschip de hand schudt. Het licht van de ondergaande zon geeft haar haren een rode gloed.

'Jullie vrienden uit Manilla zijn ook aan boord,' laat zij meteen weten. 'Het testcentrum is door de Filippijnse marine ontruimd.'
'En het hotel?' vraagt Bonnie als de kapitein haar de hand schudt.

'Haar ouders logeren daar,' legt Pieter uit.
'Alle gasten zijn met het vliegtuig onderweg naar Manilla en daar gaan wij ook naar toe.'
Zij legt even haar hand op Bonnies schouders. 'Dus dat komt wel goed, meisje.'

Als ook Robelito en Jochem een hand hebben gekregen vraagt Bibi gespannen: 'En Lopez?'
De lach verdwijnt van het gezicht van de kapitein. 'Ik ben bang dat ze die nog niet hebben gevonden. Ik ben zelf in het kamp geweest en ik heb rondgekeken in het laboratorium daar en in het kantoor van Lopez. Het is mij nu al duidelijk wat hij voor vreselijke dingen heeft gedaan. Hij werkte samen met een fabrikant van medicijnen en geneesmiddelen. Een bedrijf waar medicijnen gemaakt worden. De kinderen werden gebruikt om experimentele medicijnen uit te testen. Dat zijn medicijnen die nog nooit eerder zijn gebruikt. Dat is natuurlijk heel erg verboden. Ik weet zeker dat hij daar veel geld voor heeft gekregen. Heel veel geld zelfs.'

'Zijn dat dan gevaarlijke medicijnen?' wil Bibi weten.
'Dat moeten we nog uitzoeken. Maar ik heb al wel ontdekt dat hij onder andere bezig was met het testen van nieuwe medicijnen om de afstoting van donororganen tegen te gaan.'
Ondanks alles lacht de kapitein als ze de verbaasde gezichten ziet. 'Dat moet ik dus even uitleggen,' bedenkt ze zelf al.
'Soms accepteert het lichaam van de patiënt het donororgaan niet. Het lichaam gaat dan aan het werk om het orgaan, dat hij of zij van een ander heeft gekregen, af te stoten. In het ergste geval sterft de patiënt dan alsnog. Lopez was bezig met de ontwikkeling van een medicijn om dit gevaar te verminderen.'

290

'Maar dan is het dus eigenlijk een heel nuttig onderzoek waar dokter Lopez mee bezig was,' merkt Sharilla op.

'Absoluut!' roept de kapitein. 'Absoluut. Die Lopez is waarschijnlijk een briljante dokter. Maar hij heeft gemeend dat zijn onderzoek belangrijker was dan de kinderen van Smokey Mountain. Hij heeft niet alleen hun nieren gestolen, maar ze ook letterlijk als menselijke proefdieren gebruikt.'

De kapitein knikt bedachtzaam voordat zij zegt: 'Ik hoop dat het allemaal goed komt met de kinderen. Ze worden op dit moment al onderzocht door de andere doktoren aan boord. We zullen ze helpen waar we kunnen, maar ik kan natuurlijk niemand zijn of haar eigen nieren teruggeven.'

Pieter voelt hoe Bonnie verstrakt en stevig in zijn hand knijpt.

Sharilla heeft alweer een vraag voor de kapitein. 'Is het dan gevaarlijk om maar één nier te hebben?' wil ze weten.

'Nee hoor, met één nier kun je uitstekend leven. Maar die moet natuurlijk wel gezond blijven, want als je een nier mist, heb je geen reservenier meer.'

'We zijn klaar voor vertrek, kapitein!' wordt er door een van de bemanningsleden geroepen.

'Als jullie me nodig hebben, dan ben ik voorlopig op de brug,' deelt Julia mee.

In de hierop volgende minuten varen ze weg uit de baai; vanaf de open zee zien ze hoe het eiland van Lopez langzaam kleiner wordt.

'Julia, eh, ik bedoel, de kapitein, heeft gevraagd of ik even een paar foto's van jullie wil maken met het eiland op de achtergrond,' komt een verpleegster zeggen. 'Voor onze website,' legt ze uit. 'We hebben tenslotte niet iedere dag helden aan boord.'

'Mij best,' grijnst Jochem. Hij aarzelt even maar slaat dan zijn arm om Sharilla heen. Ze volgt zijn voorbeeld meteen. Samen lopen ze over het dek naar de reling. 'Wij staan klaar hoor,' laat Jochem grijnzend weten.

'Ik ben geen held,' zegt Bonnie zachtjes. Ze staart naar haar voeten. 'Integendeel zelfs.' Ze kijkt naar Pieter en fluistert: 'Ik wist het echt niet. Mijn ouders hebben me wijsgemaakt dat er door de wetgeving op de Filippijnen meer donornieren beschikbaar zijn. Ze zeiden dat er in de wet staat dat iedereen na zijn dood verplicht is zijn organen te laten gebruiken. Ik heb ze geloofd.'

Dus dat is het, weet Pieter nu. Haar ouders hebben gewoon

tegen haar gelogen. Bonnie kon dus niet weten dat er iets niet klopte.

'Het is goed,' fluistert hij terug. Hij legt zijn armen om haar heen en drukt haar tegen zich aan.

'Kom op, Bonnie!' roept Sharilla. 'Dankzij jou is de bom niet ontploft. Als jij er niet aan had gedacht om je neef te bellen dan stonden we hier nu niet. Je hoort er echt bij, hoor.'

Bonnie knikt zwakjes en laat zich door Pieter meevoeren naar de reling van het schip.

Als Robelito en Bibi er ook bij zijn komen staan roept de verpleegster: 'Dit wordt een prachtig romantisch plaatje zo, met de ondergaande zon op de achtergrond. Maar wacht even,' zegt ze nadat ze door haar camera heeft gekeken.

Heel even roept ze en ze holt weg om even later terug te komen met een jurk voor Bonnie.

'Anders sta je er wel erg bloot bij,' lacht ze.

Nadat ze met zijn zessen nog een tijd bij de reling hebben gestaan maakt Pieter zich los van Bonnie.

'Even iets aan de kapitein vragen,' fluistert hij in haar oor. 'Ik ben zo terug.' Hij vindt niet dat Bonnie hoeft te horen wat hij wil vragen. Het is allemaal al moeilijk genoeg voor haar.

'Flinke afstanden hier, hè,' zegt Julia glimlachend als ze Pieter op de brug ontvangt. 'Dit is vroeger een cruiseschip geweest,' legt ze uit. 'Maar op een gegeven moment was het niet luxe genoeg meer. Toen moest de rederij besluiten of ze het schip zouden opknappen of verkopen en gelukkig hebben ze het laatste gedaan. Maar daar kom je natuurlijk niet voor. Je wilt vast iets vragen.' Ze wacht zijn antwoord niet af. 'Kom maar, dan lopen we naar buiten. Ze kunnen het hier wel even zonder mij af.'

'Nou eh,' begint Pieter, 'ik wil iets vragen over, eh, over nieren.' Hij herinnert zich dat de kapitein ook dokter is. Dus hij hoopt dat ze zijn vraag zal kunnen beantwoorden.

'Is dat bij nieren ook zo?' begint hij. 'Ik bedoel dat degene die een nieuwe nier krijgt dood kan gaan omdat...'

Hij maakt zijn zin niet af, maar slikt en kijkt gespannen naar de kapitein. Hij heeft het idee dat ze hem even verbaasd aankijkt, maar dan krijgt hij toch zijn antwoord: 'Een nier is gelukkig een makkelijk donororgaan,' legt ze uit. 'Zolang je ervoor zorgt dat de donor en de ontvanger dezelfde bloedgroep hebben, gaat het meestal wel goed. Het gebeurt maar zelden dat een donornier door het lichaam van de ontvanger wordt afgestoten.'

Pieter kan de glimlach die op zijn gezicht verschijnt niet onderdrukken.

'Ken je iemand die een donornier heeft?' vraagt de kapitein vervolgens.

'Oh, nee hoor,' liegt hij vlot. Hij kijkt haar niet aan. 'Ik vroeg het me gewoon af.'

Het blijft stil. Als hij opzij kijkt ziet hij hoe de ogen van de kapitein over de zee dwalen. Dan zegt ze: 'Er zijn veel zieke mensen die een donororgaan nodig hebben. Niet alleen nieren, maar ook een lever, longen, een hart of een ander orgaan. Maar spijtig genoeg is er in bijna alle landen gebrek aan donoren. Gebrek aan mensen die bereid zijn om na hun dood andere mensen het leven te redden. Als meer mensen het goed zouden vinden dat hun organen na hun dood gebruikt worden om zieke kinderen en volwassenen te helpen zouden we...' Zij stopt even en lijkt iets weg te slikken. 'Dan zouden we,' gaat ze verder, 'niet zulke trieste zaken meemaken zoals hier.' De kapitein legt haar handen op de reling en terwijl zij in de verte staart praat zij verder.

'Juist omdat er gebrek is aan donororganen, is er een verboden handel in zulke organen ontstaan. Een handel waar de allerarmsten het slachtoffer van zijn en waar de rijken van kunnen profiteren. Zij hebben het geld om flink te betalen om toch de organen te krijgen die ze nodig hebben.'

Pieter slikt en denkt aan Bonnie. Hij weet maar al te goed dat wat de kapitein nu zegt, precies op haar van toepassing is.

Haar ouders hebben veel geld betaald voor haar nieuwe nier.

'Maar,' vraagt hij aarzelend, 'komt het dan vaker voor? Ik bedoel, wat Lopez nu heeft gedaan?'

'Ik ben bang van wel,' zegt de kapitein zachtjes. 'Het is geen geheim dat sommige straatarme mensen één van hun eigen nieren of die van hun kinderen voor een paar euro verkopen. De operatie om de nier te verwijderen wordt lang niet altijd deskundig gedaan. Sommigen overleven het dan ook niet. De handelaren verkopen die nieren weer voor vele duizenden euro's. Maar er zijn ook verhalen bekend over straatkinderen die zijn ontvoerd en vermoord voor hun organen. Voor orgaanhandelaren zijn donororganen handelswaar,' vertelt de kapitein toonloos. 'Ze willen er geld aan verdienen en liefst zoveel mogelijk.

De meeste van die mensen kan het helemaal niets schelen dat die straatarme kinderen en volwassenen het slachtoffer worden van hun handel.'

Pieter knikt. 'Dus als er meer mensen donor willen zijn...'

'Dan kan dat heel veel menselijke ellende schelen,' maakt de kapitein de zin af. 'Niet alleen zullen de allerarmsten niet langer het slachtoffer zijn van de orgaanhandelaren, maar ook veel meer zieke mensen kunnen beter worden.'

Bibi is er zwijgend bij komen staan.

'Eh,' begint hij aarzelend als de kapitein lijkt uitgesproken. 'Eh, eh, mevrouw Julia, u bent toch ook dokter hè?'

'Meer dokter dan kapitein. Om precies te zijn kinderarts,' lacht Julia. 'De hulporganisatie waar ik voor werk heeft helemaal geen geld om ook nog eens een dure kapitein te betalen. Dus dat doe ik er gewoon bij.'

'Mijn baby, eh, mijn vriendin en ik hebben een baby. Maar ze is ziek. En ik, eh, nou, ik wil graag...'

'Ik snap het al. Natuurlijk wil ik kijken of ik iets voor jullie kindje kan doen.'

'Ze wonen midden op het vuilnis, op Smokey Mountain,' merkt Pieter op.

Hoofdschuddend legt de kapitein een hand op Bibi's schouder. 'Dat is geen gezonde omgeving, jongen. Maar ik beloof je dat ik met je meekom zodra we in Manilla hebben aangemeerd.'

'Kapitein, kapitein,' komt een van de bemanningsleden hijgend aangerend. 'We hebben radiocontact met een marineschip, recht voor ons uit. 'Maar we begrijpen het niet. Kunt u naar de brug toekomen?'

'Krijg nou wat,' roept Jochem uit nadat hij, Pieter en de anderen naar de voorplecht van het schip zijn gelopen.

Hij kijkt Pieter aan. 'Denk jij wat ik denk?'

Terwijl Pieter in het laatste daglicht naar het schip in de verte blijft staren zegt hij: 'Ik denk het niet alleen, ik weet het zeker.'

Hijgend melden Pieter en de anderen zich op de brug bij de kapitein.

'We zijn gevraagd te stoppen,' legt de kapitein uit. 'Ze sturen een sloep met mariniers om ons te bewaken.'

'Nee,' Pieter schreeuwt het uit. Half buiten adem gaat hij verder. 'Niet doen. Dat is een schip van de coupplegers. Het is een val.'

De ogen van de kapitein flitsen van Pieter naar het verlichte marineschip in de verte. Heel even lijkt ze te aarzelen, maar dan geeft ze het commando: 'Volle kracht vooruit.'

'Je weet het zeker?' vraagt ze vervolgens.

'Heel zeker,' haast Pieter zich om te zeggen. 'Dat schip lag in de baai bij het eiland van Lopez. We zijn erop geweest en vanaf daar naar het kamp gebracht.'

Ze steekt haar hand op als Pieter nog iets wil zeggen. 'Ik zal kolonel Rodriguez waarschuwen.'

'Maar die kan nooit meer op tijd zijn,' roept Jochem.

'Meer kan ik niet doen,' is de reactie van Julia. 'We hebben geen wapens aan boord.' Ze is even stil voordat ze eraan toevoegt: 'Die horen hier ook niet.'

Dag 5

Afscheid!

Onrustig draait Pieter zich nog een keer om in zijn bed. Ondanks het gevoel van uitputting heeft hij de afgelopen nacht nauwelijks geslapen. Heel even verschijnt een glimlach rond zijn mond als hij terugdenkt aan gisteravond. De vergissing was snel duidelijk nadat kapitein Julia met de kolonel had gebeld. Het was toch niet het schip van de coupplegers dat ze dachten te zien, maar gewoon een zelfde soort marineschip. De glimlach is snel weer verdwenen als Bonnie in zijn gedachten terugkeert. Toen ze gisteravond laat aankwamen in de haven van Manilla werd ze, volkomen onverwacht, al opgewacht door haar ouders. Daarna is ze meteen meegenomen. Tijd om behoorlijk afscheid te nemen is er niet geweest. Ze zijn van het ene op het andere moment van elkaar gescheiden. Pieter hoort met een klap een deur openslaan en meteen daarna de bulderstem van John.

'Opstaan, slaapkoppen,' klinkt er door de slaapruimte. 'De ochtendkranten zijn al uit.'

Met tegenzin schuift Pieter het gordijntje van zijn slaapkooi open en slingert zijn benen naar buiten. Ze hebben John de afgelopen nacht uitgebreid over hun avontuur verteld en die is er meteen mee aan de slag gegaan.

'Ik heb geen oog dichtgedaan,' laat John opgewekt weten. 'Maar ik voel me beter dan ooit. Jullie hebben me absoluut opwindend nieuws bezorgd. We halen er wereldwijd de voorpagina's mee.' 'Je hebt het toch ook aan mijn vader doorgegeven hè?' roept Sharilla die half uit haar kooi hangt.

'Wat dacht je. Die heeft het als eerste gehoord. Hij gaat er een mooi artikel van maken en hij zet jullie namen eronder. O, en voor ik het vergeet: de ouders van Pieter en Jochem worden door de vader van Sharilla op de hoogte gebracht van de gebeurtenissen.'

Pieter zucht eens diep en start naar zijn tenen. Het maakt hem allemaal even niet zoveel uit. Hij hoopt alleen dat ze erin zijn geslaagd om Bonnie uit het nieuws te houden. Het zou afschu-

296

welijk voor haar zijn als mensen te weten komen dat ze leeft met een gestolen nier. Ze hebben niets over haar verteld. Ook niet aan John. Dat hadden ze onderling afgesproken. Maar of ook Bibi en Robelito zich aan die afspraak zullen houden, daar is hij niet zeker van. Hij heeft in ieder geval flink zijn best gedaan om de twee jongens duidelijk te maken dat Bonnie volop heeft meegeholpen in de strijd tegen Lopez. Het is tenslotte dankzij haar idee dat het is gelukt om de bom onschadelijk te maken.

Net nu hij over Bibi nadenkt stapt die ook naar binnen.

'En?' vraagt Sharilla meteen. 'Hoe is het met de baby?'

'Julia zegt dat het weer helemaal goed komt met haar,' glundert Bibi.

Zijn gezicht betrekt als hij over Lopez begint. 'Ze hebben hem nog niet gevonden,' vertelt hij. 'Maar Julia heeft gezegd dat we zo lang als het ziekenhuisschip in Manilla ligt, aan boord mogen wonen.'

'Dat is mooi,' reageert Sharilla. 'Hier zijn we met zijn allen in ieder geval veilig voor die gek.'

'En nog wat,' gaat Bibi verder, 'de vriendin van Isabella, je weet wel, van wie Lopez een nier heeft gestolen. Daarmee gaat het gelukkig goed. Julia zegt dat ze er weer helemaal bovenop komt.'

'We kunnen straks bij haar op bezoek,' zegt Sharilla terwijl ze naar de jongens kijkt.

Pieter knikt, maar bedenkt tegelijkertijd dat het vreemd zal zijn om dit meisje te ontmoeten. Vreemd, omdat Bonnies nieuwe nier uit háár lichaam komt.

'Groot nieuws, mensen!' roept Julia als ze binnenloopt. 'Lopez is opgepakt. Hij probeerde, vermomd als schoonmaker, spullen uit zijn villa te halen.'

'Dus ze hebben hem!' juicht Bibi. 'En nu? Wat gaat er nu met hem gebeuren?'

'Reken er maar op dat je van die man nooit meer last zult hebben,' lacht John. 'Met coupplegers weten ze hier in de Filippijnen wel raad.'

'Kom op,' zegt Jochem, 'ik wil ook naar die villa toe.'

Als reactie op de verbaasde blikken zegt hij: 'Die Lopez heeft mijn laptop gestolen en ook nog een digitale camera. Ik wil alles terughebben.'

'Nou, stap maar in dan, zou ik zo denken,' roept John. 'Ik heb een huurauto op de kade staan. We kunnen even een kijkje gaan nemen. Dan kunnen we daar meteen wat foto's nemen. Dat is goed voor het verhaal.'

'Maar die villa staat in een hele luxe wijk,' merkt Pieter op. 'Daar kom je niet zomaar binnen. En in dat huis is natuurlijk politie.'

De bulderlach van John kaatst tegen de stalen wanden van het schip. 'Maak je maar geen zorgen,' weet hij ten slotte uit te brengen. 'Ik kom overal binnen.'

Na een snel ontbijt zijn Pieter, Jochem en John een klein half uurtje later onderweg. Sharilla heeft besloten aan boord te blijven om te helpen.

Ondanks dat het verkeer druk is schieten ze toch redelijk op. Jochem stoot Pieter aan als ze een vuilniswagen passeren. 'We zitten hier wel beter, hè?' merkt hij op.

'Dat is het hotel waar ik logeer,' zegt John, als ze al even op weg zijn. Hij wijst op het hoge gebouw dat de jongens maar al te goed kennen. 'Ik moet even wat van mijn kamer halen. Lopen jullie mee of wachten jullie liever in de auto?'

'We wachten wel in de auto,' zegt Pieter snel.

'Kunnen we hier niet wachten?' roept Jochem nog als John met een flink vaartje de oprijlaan van het Intercontinental Hotel opdraait.

'In de brandende zon?' roept John verbaasd. 'Waarom zou je? De ingang is overdekt. Daar staan jullie heerlijk in de schaduw.'

'Maar misschien staan we daar anderen in de weg,' probeert Pieter nog.

'Ik laat de sleutels erin zitten, hoor. Dan kan de portier hem wegrijden als dat nodig is.'

Met ogen vol schrik kijken de jongens elkaar aan. Ze weten allebei hoe gevaarlijk het voor hen is om zelfs maar bij het hotel in de buurt te komen. De kans op herkenning is te groot. Maar hoe moeten ze John op andere gedachten brengen? De waarheid vertellen is uitgesloten. Dat staat voor Pieter vast. En zonder dat hij het besproken heeft weet hij dat dat voor Jochem ook geldt. Ze zullen hun geheim nooit met iemand delen.

'Wacht,' roept Pieter in een poging om tijd te winnen. John remt iets af en kijkt verbaasd over zijn schouder. 'Waar moet ik op wachten?'

'O, nee,' verzint Pieter snel. 'Ik dacht dat er een dier overstak.'

John remt nog verder af en rijdt stapvoets verder naar de ingang. 'Zo lopen we geen risico om onschuldige beestjes dood te rijden,' roept hij lachend door de auto

Hoe Pieter zijn best ook doet, het lukt hem niet om nog helder te denken. Pal voor het hotel stopt John de auto. Vanuit zijn ooghoek ziet Pieter al iemand op de deur aan zijn kant afkomen. Hij kijkt meteen de andere kant op. Zijn deur zwaait open op het moment dat John uitstapt en roept: 'Mijn passagiers blijven even in de auto wachten. Ik ben zo weer terug.'

Pieter hoort hoe de deur aan zijn kant weer wordt dichtgeslagen. John heeft zijn deur open laten staan.

'Dat is lekker,' sist Jochem als John uit beeld verdwijnt.

'Ze mogen onze gezichten niet zien,' sist Pieter terug. Zelf bukt hij voorover en verbergt zijn hoofd zoveel mogelijk tussen zijn handen. Hij merkt dat Jochem hetzelfde doet.

Hij heeft er geen idee van hoe lang hij zo zit, maar het lijken wel uren.

'Mag ik even storen?' klinkt plotseling een stem. Pieter verstijft.

Hij heeft het gevoel dat hij de stem herkent.

'Zeg het maar,' hoort hij Jochem naast zich mompelen.

'Voelt u zich beiden wel goed?' vraagt de stem.

'Ja hoor,' antwoordt Jochem.

'We bidden,' verzint Pieter. Hij probeert zijn stem zwaar te laten klinken als hij er aan toevoegt: 'Stoor ons maar niet.'

'O sorry, maar heeft u er bezwaar tegen als ik de auto aan de kant zet?'

'Nee hoor,' laat Pieter weten.

Pieter hoort de man van de stem instappen. Zodra de motor start waagt hij het om even te kijken. Geschokt begraaft hij zijn gezicht weer diep in zijn handen. Het is precies wie hij dacht. Het is de portier van het hotel. De man die weet wat er met de Rat is gebeurd.

Of toch niet? Hij durft niet opnieuw te kijken. De auto komt traag in beweging en tegelijkertijd klinkt het motorgeluid van een andere wagen. De auto die erlangs moet, veronderstelt Pieter. Ze stoppen en hij hoort de portier uitstappen. Met ingehouden adem wacht hij af. Hij heeft het gevoel dat de portier nu om de auto heenloopt en uitgebreid naar binnen kijkt. Pieter vraagt zich af wat er zal gebeuren als ze worden herkend. Hij drukt zijn gezicht nog steviger tegen zijn knieën. Maar hij weet ook dat ze niet kunnen verbergen dat Jochem bruin is en hijzelf blank. Dat zal de portier zien. Hij vraagt zich af wat er zal gebeuren als ze worden gepakt. Zal het helpen dat ze hebben meegeholpen om de staatsgreep te voorkomen of zal dat de rechter niets uitmaken? Hij zal vast zeggen: 'Een moord is en blijft een moord.'

'Het is de portier die ons kent,' klinkt de gesmoorde fluisterstem van Jochem.

'Stil nou!' sist Pieter. Hij durft zich niet te verroeren, bang als hij is dat elke beweging hen kan verraden.

Heel voorzichtig haalt hij adem. Jochem heeft de portier dus ook herkend, weet hij nu. Dan is er geen twijfel meer mogelijk. Dit is de man die precies weet wat ze hier in het hotel hebben gedaan. De man die weet dat ze verantwoordelijk zijn voor de dood van de Rat. Met moeite weet Pieter te slikken. Misschien belt hij nu de politie al, gaat er door hem heen.

'Stond hij in de weg?' Sorry,' dringt de stem van John door in de auto, gevolgd door het geluid van iemand die instapt en de autodeur die dicht wordt geslagen.

'Zijn jullie in slaap gevallen?' informeert John belangstellend.

'Nee hoor, zo zitten we altijd,' is de reactie van Jochem.

'Dus ik kan gewoon gaan rijden?'

'Met de airco graag aan,' roept Jochem van tussen zijn knieën. Pas als ze het stadsverkeer weer om zich heen horen, durven de jongens omhoog te komen.

'Dat scheelde niet veel,' sist Jochem opzij.

Pieter knikt. Hij kan zich bijna niet voorstellen dat ze ontdekking hebben weten te voorkomen, maar toch lijkt dat het geval. 'Zo, zijn jullie weer ontwaakt?' lacht John naar achteren. Hij reikt naar de stoel van de bijrijder en komt tevoorschijn met een stapel kranten in zijn handen.

'De staatsgreep en de organediefstal van Lopez zijn voorpaginanieuws in alle kranten hier!' roept hij enthousiast.

Pieter pakt de kranten aan, maar kijkt er nauwelijks naar. Een angstige gedachte heeft zich van hem meester gemaakt.

'We moeten ervoor zorgen dat we hier niet met onze foto in de krant komen,' fluistert hij opzij naar Jochem.

'Hoezo, zit mijn haar niet goed?' grapt Jochem, terwijl hij met een hand door zijn haar strijkt.

'Even serieus,' zegt Pieter gespannen. 'Ik bedoel, als die portier

300

of een van de anderen uit dat hotel ons in de krant herkennen dan...'

Hij hoeft zijn niet af te maken.

De grijns is van Jochems gezicht verdwenen. 'Ik begrijp het. Dan hollen ze natuurlijk naar de politie.'

'Precies.'

Een dik kwartier later komen ze aan bij Forbes Park, de luxe woonwijk waar ook de villa van Lopez staat.

'Dit kunnen we dus vergeten,' meldt John, als hij na een eindeloze discussie met de bewaking terugkeert in de auto. 'Zolang de politie hier bezig is met haar onderzoek, is de wijk verboden gebied voor iedereen die er niet woont.'

'Krijg nou wat,' moppert Jochem. 'En je zei dat je overal binnenkwam.'

'Vandaag dus niet,' lacht John een beetje ongelukkig.

'Terug naar de haven dan maar, heren?'

'Mij best,' laat Jochem weten terwijl hij zich onderuit laat zakken. 'Mijn vader zal weer blij zijn,' moppert hij verder. 'Een laptop, een satelliettelefoon en een digitale camera, allemaal weg.'

Pieter sluit zijn ogen. Hij voelt zich moe en allesbehalve vrolijk. De terugkeer naar het hotel heeft hem geen goed gedaan. Maar dat is niet alles. Hij mist Bonnie vreselijk en hij vraagt zich af of hij haar nog wel zal terugzien. Haar vader zal dat vast niet goed vinden. Die is natuurlijk veel te bang dat bekend wordt dat zijn dochter rondloopt met een gestolen nier.

'Dat geld voor de kinderbank zijn we natuurlijk ook kwijt,' dringen de woorden van Jochem vaag tot hem door.

Pieter knikt afwezig.

Schadevergoeding

'Kijk nou!' roept Jochem opgewonden op de achterbank.

Hij hamert met zijn vinger op een van de kranten die opengeslagen op zijn knieën ligt.

'Hier, kijk dan!' probeert hij Pieters aandacht te krijgen. 'Het is die Amerikaan. Die gekke bankier.'

Dat hoeft hij geen tweede keer te zeggen. Pieter gaat rechtop zitten en kijkt mee in de krant. Boven het artikel met daarin een grote kleurenfoto van de Amerikaan staat in vette letters de kop:

Amerikaanse topbankier woedend op Filippijnse regering.
De bekende Amerikaanse Bankier Theodore Greenscan van de International Trade Group Bank is woedend op de Filippijnse regering, zo begint het artikel. De heer Greenscan beweert dat hij ten onrechte is opgepakt en gevangen gezet. De inmiddels alweer vrijgelaten bankier eist schadevergoeding en excuses van de regering.

Jochems gezicht vertoont een brede grijns. 'We krijgen nog geld van hem. Hij zei toch dat we mochten vragen wat we wilden?'
'Mag ik even? Dat was toen hij dacht dat we hem ontvoerd hadden. Dat we terroristen waren. Hij is nu weer vrij en de politie heeft hem blijkbaar ook laten gaan. Het is nu wel even anders.'

'Hmm. Ja, daar heb je wel gelijk in. Maar het zou toch leuk zijn als we nog wat geld voor die kinderbank kunnen verdienen. Ja toch?'
'Wacht eens.' Pieter gaat stijf rechtop zitten. 'Herinner jij je ook nog wat Bonnie over hem zei?'
'Over die bankier, bedoel je?'

'Ja natuurlijk, over wie hebben we het anders.'
'Goed, goed. Nou eh, dat zij hem best aardig vond.'
'Ja, dat ook,' gaat Pieter gehaast verder. 'Maar ik bedoel dat ze zei dat hij net als zij een nieuwe nier gekregen heeft. Snap je wat dat betekent?'

'Ja, ik ben niet gek. Dat hij een nieuwe nier heeft natuurlijk, of wat bedoel je nou?'
'Ik bedoel dat hij van tevoren heeft geweten dat er niets van kon kloppen. Dat Lopez genoeg nieren had, terwijl er overal gebrek aan donornieren is. Snap het dan, hij heeft geweten dat er iets illegaals aan de hand was. Ja toch?'
Jochem knikt langzaam, maar Pieter fluistert opgewonden door.
'Bonnie wist het niet omdat haar ouders tegen haar hebben gelogen. Maar die man is bankier. Die zijn toch niet achterlijk.'
'Lijkt me niet, nee. Maar eh, je wilt dus eigenlijk zeggen dat hij vooraf kon weten dat Lopez met gestolen nieren werkte?'
'Hij kon in ieder geval bedenken dat Lopez zijn donornieren niet op een normale manier kreeg. En nu het in alle kranten heeft gestaan weet hij dat hij rondloopt met een gestolen nier.'
'En hij is bankier,' zegt Jochem peinzend. 'Ook een belangrijke baan, net als de vader van Bonnie. Ik begin geloof ik te begrijpen waar je naar toe wilt. Hij wil vast ook niet dat het bekend wordt dat hij met al zijn geld een nieuwe nier heeft gekocht, die

gestolen is uit het lichaam van een kind.' Jochem knikt goedkeurend. 'Slim bedacht. Die kerel is een rotzak. We gaan gewoon geld van hem eisen.'

'Precies,' fluistert Pieter op besliste toon. 'We gaan hem dwingen om de kinderbank te helpen. Ik vind dat de kinderen van Smokey Mountain daar recht op hebben.'

'Ik ook,' grijnst Jochem.

'Oké,' gaat Pieter zachtjes verder, zodat John het niet kan horen. 'We weten zijn naam en we weten nu ook bij welke bank hij werkt.'

'Nou, dat is genoeg,' reageert Jochem. 'Ik zoek op internet alle gegevens bij elkaar. Dan bellen we naar de bank en vragen waar hij is. Misschien is hij nog hier, in Manilla. Als we hem eenmaal zelf aan de telefoon hebben, dwingen we hem om de kinderen van Smokey Mountain te helpen.'

'Het is eigenlijk een soort schadevergoeding,' meent Pieter.

'Het maakt mij niet uit hoe we het noemen, als hij maar betaalt.' Jochem laat zich tevreden in de kussens zakken. 'Dan kunnen we hem zijn verraderswerk toch nog betaald zetten.'

'Die kinderbank heeft natuurlijk geen rekening bij een echte bank,' denkt Pieter hardop. 'Dus waar moeten we het geld dan naar laten overmaken?'

Hij geeft zelf al het antwoord op zijn vraag. 'De pater,' zegt hij. 'Je weet wel die pater Joel waar Robelito en Bibi het steeds over hadden. Die helpt Boy met de kinderbank. Hij heeft vast wel een echte bankrekening.'

'Perfect idee,' grijnst Jochem.

'Kijk eens aan,' roept John als ze de kade oprijden, waar het kinderziekenhuisschip ligt afgemeerd. 'Mijn collega's van de pers hebben het nieuws ook geroken.'

'Nee hè?' reageert Pieter.

'Dat zijn ze!' hoort hij het geschreeuw van buiten.

'Ja jongens, dat hoort erbij,' lacht John als hij achterom kijkt en de verschrikte gezichten ziet.

'Er zijn ook tv-ploegen,' meldt Jochem somber.

'We willen niets zeggen,' laat Pieter weten terwijl hij weer wegduikt tussen zijn knieën.

'En we willen niet op de televisie of met onze foto in de krant,' vult Jochem aan.

303

Het blijft even stil. Pieter voelt gewoon hoe John hen aanstaart.

'Hebben jullie iets te verbergen, jongens?' klinkt het ten slotte.

Pieter slikt en fluistert dan: 'We willen het gewoon niet. In de krant en zo.'

'Nee,' laat ook Jochem van tussen zijn knieën weten. 'We hebben er vandaag geen zin in.'

'Goed dan. Ik kan jullie niet dwingen natuurlijk. Maar eh, als er iets is, ik bedoel als jullie ergens mee zitten, dan kun je het me gerust vertellen. Misschien kan ik helpen.'

Heel even komt Pieter in de verleiding om over de moord te beginnen. Maar hij bedenkt zich meteen.

'Nou, ik denk toch dat er iets is wat jullie voor me verzwijgen,' merkt John op. 'Maar goed, ik zal mijn best doen om jullie, zonder dat je herkend kunt worden, op het schip te krijgen.'

Hij wijst op de kranten. 'Houd die maar voor je gezicht. Dan loods ik jullie wel naar binnen.'

'Geen commentaar,' roept Jochem zodra ze buiten de auto zijn en worden belaagd door de journalisten.

'Laat ze alsjeblieft met rust,' buldert John. 'Deze jongens zijn doodmoe. Gun ze wat rust.'

Over de loopplank verdwijnen ze een paar tellen later in het schip.

'Of je bij de kapitein wilt komen,' krijgt Pieter van een van de bemanningsleden te horen.

'Ik wil Pieter graag even alleen spreken,' laat Julia weten als John en Jochem zich samen met Pieter op de brug melden.

'Jochem mag er wel bij blijven, hoor,' zegt Pieter meteen.

'Ik snap hier steeds minder van,' buldert John. 'Iedereen heeft geheimen voor me. Kijk maar uit,' voegt hij er lachend aan toe, 'ik ben journalist!'

Zodra John uit het zicht is buigt Julia zich naar Pieter toe en fluistert: 'Bonnie is aan boord.'

In plaats van te juichen kijkt Pieter haar verschrikt aan. 'Is het niet goed met haar?' is het eerste dat hij vraagt. Het is natuurlijk misgegaan met haar nier, gaat er door zijn hoofd.

Julia buigt zich nog dichter naar Pieter toe en fluistert nauwelijks hoorbaar: 'Met haar gezondheid gaat het prima, maar ze zit er vreselijk mee dat ze een gestolen nier heeft gekregen. Ze wilde het meisje ontmoeten van wie ze een nier heeft gekregen en zeggen dat het haar vreselijk spijt.'

'Maar Bonnie wist het niet,' protesteert Pieter. 'Haar ouders hebben tegen haar gelogen. Die hebben haar wijsgemaakt dat er...'

Julia steekt haar hand op. 'Bonnie heeft me alles verteld en ik weet dus precies wat er gebeurd is. Ik neem haar ook niets kwalijk, maar ik kan begrijpen dat ze er mee zit en dat meisje wil ontmoeten.'

Ze wordt even afgeleid door een vraag van een van de verpleegsters, maar gaat dan verder.

'Bonnie en het meisje hebben elkaar inmiddels gezien en dat was heel goed. Voor allebei.'

'En Bibi en Robelito,' vraagt Pieter. 'Waren die er ook bij?'

'Eerst niet, maar later wel. Ik heb ze erbij gevraagd en we hebben er met zijn allen over gepraat. Bonnie heeft alles uitgelegd en heel goed laten merken dat ze het heel erg vindt wat er is gebeurd. Ik geloof echt dat ze het Bonnie hebben vergeven. Maar,' gaat Julia met een lach op haar gezicht verder, 'Bonnie is hier natuurlijk ook voor jou.'

Pieters gezicht breekt open in een lach van oor tot oor. 'Voor mij,' herhaalt hij tevreden.

'Precies,' lacht Julia, 'voor jou. Maar het is beter dat niet te veel mensen weten dat ze hier aan boord is.'

Pieter knikt, maar eigenlijk begrijpt hij niet wat Julia bedoelt. Dat wordt snel duidelijk als zij verder praat: 'Bonnie vindt het vreselijk dat haar ouders tegen haar hebben gelogen over de niertransplantatie. Ze heeft hun verteld dat ze een gestolen nier heeft. Maar haar vader wil er niet over praten. Nu niet en nooit niet, heeft hij kwaad geroepen.'

Julia legt een hand op Pieters schouder. 'Bonnie zou vanavond met haar ouders terugvliegen naar huis, maar ze is weggelopen uit het hotel. Ze wil niet terug naar huis, vanavond in elk geval nog niet.'

Pieter knikt, maar hij hoort het nauwelijks. Hij wil nu maar één ding: naar Bonnie toe.

'Waar is ze?' vraagt hij gehaast. 'Kan ik naar haar toe?'

'Ik heb je toch verteld dat dit vroeger een cruiseschip was?' lacht Julia. 'Nou, ik heb Bonnie een van de mooiste hutten gegeven. Daar is ze nu dus.'

'Maar haar ouders komen hier natuurlijk zoeken,' mengt Jochem zich in het gesprek.

305

'Voor mij komen kinderen op de eerste plaats,' zegt Julia ernstig. 'Ik kan heel goed begrijpen dat Bonnie haar ouders even niet wil zien, dus daar werk ik aan mee. Ze heeft al opgebeld om haar ouders gerust te stellen en uit te leggen dat ze even alleen wil zijn.'

'Maar heeft ze ook gezegd dat ze hier op het schip is?' vraagt Pieter geschrokken.

'Dat weet ik niet. Dat is iets tussen Bonnie en haar ouders. Maar wat ik wel weet is dat ik kapitein ben op dit schip. Zonder mijn toestemming komt hier niemand aan boord.'

Ze lacht naar Pieter. 'En nu als de bliksem naar dat meisje toe. Ze zit op je te wachten.'

'Moet ik erbij blijven?' grijnst Jochem, als ze naar de hut van Bonnie lopen.

'Nou eh, echt niet dus, dacht ik zo.'

'Mooi zo. Dan zien we elkaar vanavond wel weer. Want ik ga met Sharilla de stad in. Ze wil naar haar familie toe. John gaat ons brengen.'

'We moeten ook die bankier nog bellen,' brengt Pieter hem in herinnering.

'Denk je dat ik dat vergeet?' grijnst Jochem. 'Ik vraag wel aan Julia of ik de computer en de telefoon hier aan boord mag gebruiken. Ik zal die kerel flink bang maken.'

'Eh, heb je misschien nog een film gezien waar je iets aan hebt?' vraagt Pieter lachend.

'Reken maar van yes.'

In de val

'Pieter, Pieter!' De stem van Jochem klinkt opgewonden en dwingend. Slaperig komt Pieter overeind. Zijn eerst reactie is om op zij te kijken. Daar ligt Bonnie nog in diepe slaap. Hij heeft geen idee hoe laat het is. In ieder geval avond of nacht, want buiten is het donker. Met enige moeite vindt hij de lichtschakelaar.

'Ik kom,' roept hij als Jochem zich opnieuw laat horen.

Het licht floept aan en terwijl Bonnie ook wakker wordt loopt Pieter naar de deur.

'Wat...?' weet Pieter nog net te zeggen als hij de deur openmaakt. De kans om zijn zin af te maken krijgt hij niet.

Jochem wringt zich door de half geopende deur naar binnen en duwt die meteen weer achter zich dicht. Hij kijkt even snel naar Bonnie die rechtop in bed zit. Dan buigt hij zich naar Pieter toe en fluistert zo zacht mogelijk: 'We staan met onze koppen in de krant. Vandaag stonden we in de avondkrant en morgenochtend waarschijnlijk in alle ochtendkranten.'

'Maar…,' begint Pieter. Opnieuw krijgt hij geen kans.

'Het is een van de foto's die die verpleegster heeft gemaakt. Je weet wel, toen we van het eiland wegvoeren. Ze heeft die foto's aan iemand van de krant gegeven.'

'Maar waarom?' krijgt Pieter de kans om te vragen.

'Zij is degene die voor het kinderziekenhuisschip altijd met de kranten en zo praat. Als ze ergens aankomen, zijn er altijd wel journalisten die een verhaal over het werk van de dokters en de verpleegsters hier aan boord willen schrijven. Een van die journalisten heeft aan haar gevraagd of ze foto's van ons had.'

'En ze heeft ja gezegd,' fluistert Pieter.

'Precies. Ze dacht dat wij het juist leuk zouden vinden om in de krant te komen.'

'En wat heb je haar gezegd?'

'Niets natuurlijk. Ze kwam heel enthousiast naar me toe om de krant te laten zien. Wat had ik dan moeten zeggen? "Stomme trut, nou herkennen ze ons vast en worden wij opgepakt voor een moord"?'

'Is er wat?' roept Bonnie vanaf haar bed.

Pieter aarzelt heel even. Dan roept hij luchtigjes: 'Nee hoor, maar ik moet heel even met Jochem mee. Ben zo terug.'

Op de gang trekt hij snel de deur dicht. Hij kijkt naar links en naar rechts en sist dan gespannen: 'We kunnen hier niet blijven. Als een van die mensen uit het hotel die krant ziet…'

Hij maakt zijn zin niet af, maar dat is ook niet nodig.

'Mee eens,' fluistert Jochem terug. 'Er is een kans dat het goed gaat, maar het risico dat ze ons herkennen is te groot. Maar durf jij nog naar het vliegveld? Het kan best zijn dat die lui de politie al gewaarschuwd hebben.'

Met een duizelig gevoel in zijn hoofd laat Pieter zich tegen de wand aanzakken. Het is hopeloos, weet hij.

'John,' mompelt hij. 'We moeten John om hulp vragen. Misschien weet hij een manier om hier ongezien weg te komen.'

'Maar wil je het hem dan vertellen?' vraagt Jochem geschrokken. 'Hij is wel journalist, hoor.'

'Nee, natuurlijk niet.'

Hij kijkt Jochem strak aan. 'We vertellen het aan niemand. Nooit.'

'Dat snap ik ook wel,' reageert Jochem voor zijn doen ongewoon fel. Maar de felheid maakt snel plaats voor wanhoop. 'Maar wat zeggen we dan? We moeten toch een reden opgeven?'

Jochem ziet kans om een flauwe grijns te produceren als hij zegt: 'Of zullen we opa weer te hulp roepen?'

Pieter schudt beslist zijn hoofd. 'Nee, we moeten iets bedenken dat verklaart waarom we nu meteen moeten verdwijnen en niemand ons meer mag zien.'

Opnieuw kijkt hij zenuwachtig naar links en rechts in de gang. De gedachte dat de politie nu al onderweg kan zijn is om gek van te worden. Terwijl hij steunt tegen de wand sluit hij zijn ogen.

'Misschien kunnen we ons op Smokey Mountain verstoppen,' denkt hij hardop. Maar meteen verwerpt hij zijn eigen idee alweer.

'Laat maar zitten,' verzucht hij. 'Daar komt de politie natuurlijk ook zoeken.'

'We moeten het land uit, Pieter.'

'Je hebt gelijk,' fluistert hij. 'Dat is de enige manier om te ontsnappen aan de Filippijnse politie.'

Hij voelt bijna hoe de seconden wegtikken, terwijl ze hier besluiteloos staan. En ieder moment kan de politie hen nu komen halen. Hij opent zijn ogen, maakt zich los van de wand en begint te lopen.

'Wat ga je doen?' sist Jochem.

'Weet ik veel,' laat Pieter nijdig horen. 'Maar we kunnen hier niet blijven staan. We moeten weg. Nu!'

Terwijl ze door de verlaten gang van het schip lopen, tollen de gedachten door Pieters hoofd. Hij heeft er geen idee van wat ze moeten doen en wat ze tegen iedereen moeten zeggen. Hoe zal Bonnie reageren als hij straks vertelt dat ze meteen moeten vertrekken? En Sharilla, hoe zal zij het vinden? Die wil natuurlijk hier blijven om haar moeder en haar halfzusje te bezoeken. En wat zullen ze thuis zeggen? Niemand zal het begrijpen, tenzij ze een goed verhaal hebben, een goede reden. Heimwee, is dat misschien de oplossing? Zal hij zeggen dat hij ziek is van de heimwee? Hij schudt zijn hoofd. Geen goed idee, weet hij met-een al. Zijn ouders zullen hem nooit geloven. Hij is al zo vaak van huis geweest zonder echt heimwee te krijgen. Plotseling staat hij stil. Zijn stem klinkt hees. 'Als de politie hier naartoe komt en vertelt waarom ze ons zoeken, dan...'

'Ja, wat dan?' vraagt Jochem vol ongeduld.

Pieter slikt en slaagt er uiteindelijk in om met een ver-stikte stem verder te praten. 'Dan zullen ze allemaal weten waarom we hier zo snel weg wilden. Ze zullen allemaal weten dat wij zijn gevlucht omdat we de Rat hebben vermoord.'

Jochem staat doodstil als Pieter verder fluistert. 'En als ze het hier weten, dan komen ze het thuis ook te weten. Niet alleen onze ouders maar ook de politie.'

Hij kijkt zijn vriend angstig aan. 'Denk je dat ze ons zullen uit-leveren aan de Filippijnen? Ik bedoel, als we erin slagen om weer thuis te komen.'

Jochem is bijna onverstaanbaar. 'Geen idee en ik wil het niet weten ook.'

Pieter zucht diep. 'Het enige dat nu belangrijk is, is dat we hier wegkomen,' denkt hij hardop. 'Verder moeten we nergens aan denken.'

'De enige echte oplossing,' fluistert Jochem, 'is dat we ervoor zorgen dat degenen die tegen ons kunnen getuigen de kranten waar wij in staan niet te zien krijgen.'

'En hoe wil je dat dan doen?'

Jochem schudt nijdig met zijn hoofd. 'Weet ik veel. Misschien opbellen dat er een bom in het hotel ligt. Dan zijn ze daar even zoet mee.'

'Man, dat is toch onzin. De portier en de anderen die ons heb-ben gezien, kunnen die kranten toch overal bekijken. Je hebt toch gezien dat je op bijna elke staathoek in de stad kranten kunt kopen.'

'Laat maar zitten,' sist Jochem nijdig. 'Dat weet ik ook wel.'

Pieter voelt hoe zijn benen week aanvoelen als hij weer begint te lopen.

'Misschien kunnen we ons op één van de vrachtschepen hier in de haven verstoppen en dan meevaren,' stelt hij fluisterend voor.

'Ja, lekker,' reageert Jochem. 'Weet je wat ze op sommige schepen met verstekelingen doen? Overboord gooien,' laat Jochem weten nadat Pieter zijn schouders heeft opgehaald.

'Heb je dat uit een film?'

'Dat wel, maar ik heb gehoord dat het ook in het echt gebeurt.'

'Maar wat dan?' sist Pieter wanhopig.

'Ik kan alleen maar bedenken dat we John vragen om ons te helpen,' reageert Jochem. 'Misschien moeten we alles maar gewoon vertellen.'

Pieter kijkt zijn vriend ongelovig aan. 'Dus echt niet. Net zei je nog...'

'Ik weet ook wel wat ik net nog zei, maar jij hebt zelf bedacht dat het toch allemaal uitkomt. Straks weet iedereen het. Dan kunnen we het net zo goed nu vertellen zodat we hulp kunnen krijgen. John wil natuurlijk alles weten. Hij vond het vanmiddag ook al verdacht.'

'Maar we weten het toch niet honderd procent zeker,' protesteert Pieter. 'Er is nog steeds een kans dat de politie niet achter ons aan komt.'

'Geloof je het zelf?'

'Dat moeten we geloven,' zegt Pieter beslist. 'Maar we moeten hier wel weg. Als we hier blijven is het risico te groot.'

Vol twijfel loopt Pieter verder. Hij heeft wel geprobeerd om Jochem te overtuigen, maar dat wil niet zeggen dat hij zelf overtuigd is. Hij weet maar al te goed dat de kans dat de portier, de ober, de badmeester of één van de anderen hun foto onder ogen krijgt groot is. En dan? Dan zullen ze vast en zeker naar de politie toegaan. Of toch niet?

'Misschien herkennen ze ons niet,' mompelt hij onhoorbaar voor zich uit.

'Ah, zijn jullie daar,' klinkt plots de stem van Julia door de gang. 'Kom snel mee, er is bezoek voor jullie.'

'Bezoek?' weet Pieter met dichtgeknepen keel uit te brengen.

'Is het de politie?' vraagt Jochem met een al even verstikte stem.

'Nee hoor,' gaat Julia nietsvermoedend verder. 'Maar het is een verrassing. Kom snel mee naar boven.'

Ze heeft zich al omgedraaid als ze weer terugdraait en vraagt: 'Komt Bonnie ook?'

'O, eh, die slaapt,' verzint Pieter snel.

'O nou, laat dat arme kind dan maar lekker liggen. Ze heeft al zoveel meegemaakt.'

'Ik, eh, wij zijn eigenlijk ook doodmoe.'

Julia kijkt Pieter bezorgd aan en doet een stap in hun richting.

'Dat snap ik best. Het lijkt me goed als we jullie morgen grondig onderzoeken. Maar dit moet je echt even meemaken. De kolonel die jullie uit de gevangenis heeft gehaald en naar mijn schip heeft laten brengen is persoonlijk hier naartoe gekomen om jullie weer te ontmoeten.'

Het duizelt Pieter. Is dit goed of slecht nieuws? Hij weet het niet.

Laatste kans

In een hoek van de grote restaurantzaal van het voormalige cruiseschip worden ze opgewacht door kolonel Bartelo Rodriguez. Sharilla, Robelito en Bibi met Isabella en hun baby zijn er ook. Pieter let goed op het gezicht van de kolonel als ze naar hem toelopen.

Weet hij het of weet hij het niet? Dat vraagt hij zich in stilte af. Als hij het al weet, laat de kolonel niets merken. Hij loopt naar ze toe en schudt ze allebei hartelijk de hand.

'Dit is een betere plek dan de plek waar ik jullie de vorige keer zag,' lacht hij breeduit.

'Ik kom jullie bedanken namens de president van de Filippijnen,' begint hij een paar tellen later zijn toespraak.

Pieter luistert er maar half naar. Zijn ogen flitsen zenuwachtig heen en weer tussen de grote klok die aan de wand hangt en de hoofdingang van het restaurant. Daar staat een groepje van vier soldaten dat blijkbaar met de kolonel is meegekomen.

'En als er iets is waarmee ik jullie een plezier kan doen, dan kunnen jullie het me rustig zeggen,' besluit de kolonel.

Zich nauwelijks bewust van wat hij doet stapt Pieter naar voren.

'Kan ik u even alleen spreken?' vraagt hij aan de kolonel.

'Wat doe je,' sist Jochem, als de kolonel knikt en wegstapt bij het groepje.

Pieter maakt een gebaar, alsof hij wil zeggen 'even wachten, niet nu'.

Jochem trekt zich er weinig van aan. 'Ga je het vertellen?' vraagt hij onhoorbaar voor de anderen.

Pieter is even in verwarring. Hij kijkt nadenkend opzij naar zijn vriend en vraagt zich af wat de kolonel zal doen als hij te weten komt dat ze een moord hebben gepleegd. Misschien kan hij er wel voor zorgen dat ze niet naar de gevangenis hoeven. Maar het kan ook zijn dat hij zegt: moordenaars moeten worden gestraft, altijd en overal. Niet doen, vertelt hij zichzelf. Je moet vasthouden aan je plan. Je moet het niet vertellen. Dit is de laatste kans, Pieter. De laatste kans om hier weg te komen.

'Je opa,' sist hij nog snel opzij naar Jochem.

Jochem kijkt hem verbaasd aan. Hij lijkt nog iets te willen zeggen, maar dan blijft de kolonel al staan. Hij buigt zich vriendelijk naar Pieter toe. 'Zeg het maar, knul.'

'De opa van Jochem,' begint Pieter onzeker. 'Die is erg ziek. Heel erg zelfs. Hij gaat bijna dood en ik weet...' Heel even begeeft zijn stem het, dan gaat hij trillend verder. 'Ik, eh, het is voor mijn vriend heel belangrijk om zijn opa nog een keer te zien. En eh, nou ja we willen dus eigenlijk zo snel mogelijk terug naar huis. Eigenlijk nu meteen wel.'

'Dat is een vreselijk bericht,' reageert de kolonel ernstig. Hij kijkt Jochem aan die naar zijn voeten staart en zwakjes knikt. Pieter ziet hoe de hand van de kolonel omhoog gaat. Opnieuw is een knip met zijn vingers voldoende om één van de soldaten in beweging te brengen. Hollend komt de man eraan, waarna de kolonel wat in zijn oor fluistert.

'Hij gaat jullie brengen,' zegt de kolonel al heel snel.

'Naar huis?' roept Jochem verbaasd.

'Nou, dat niet. Maar wel naar het vliegveld.'

'Naar het vliegveld?' reageert Pieter verschrikt. 'Maar eh, daar moeten we misschien nog uren wachten. En de douane...'

'Daar moet je ook altijd zo lang wachten,' vult Jochem aan.

De kolonel knikt begrijpend en overlegt even met de soldaat.

'Hij brengt jullie naar een militair vliegveld hier in de buurt. Daar zoeken we uit waar en wanneer de eerste vlucht terug naar huis vertrekt. Daar zetten we jullie rechtstreeks op het vliegtuig, zonder gedoe met douane en zo. Desnoods brengen we jullie naar Hong Kong of Tokio,' mompelt hij erachteraan. Opnieuw is er even overleg met de soldaat die voortdurend knikt.

'O,' zegt de kolonel. 'En jullie vliegen natuurlijk op onze kosten. Dat is wel het minste dat mijn land voor jullie kan doen.'

'Kunnen we dan nu vertrekken?' vraagt Pieter.

De wenkbrauwen van de kolonel gaan omhoog. 'Zonder bagage, zonder afscheid?'

'Iedere minuut telt,' zegt Jochem snel. 'Maar wel even gedag zeggen,' roept hij terwijl hij al op weg is naar Sharilla en de anderen. Pieter blijft besluiteloos achter. Hij wil niets liever dan naar Bonnie teruggaan. Maar hij heeft geen idee wat hij tegen haar moet zeggen. Opnieuw de smoes met opa gebruiken, dat kan niet. Bovendien wil hij niet meer tegen haar liegen. Maar de waarheid vertellen wil hij ook niet.

'Wat erg voor je,' hoort hij Sharilla tegen Jochem roepen. 'Waarom heb je dat niet eerder verteld?' Pieter hoort niet wat Jochem antwoordt, want de anderen zijn naar hem toegelopen.

Bibi steekt zijn hand uit en kijkt Pieter veelbetekenend aan: 'Bedankt,' zegt hij simpelweg.

Julia is de laatste die afscheid van hem neemt. Alsof ze precies weet wat er aan de hand is zegt ze: 'Pas goed op jezelf, Pieter.'

'Heb je Bonnie al gedag gezegd?' dringt de stem van Sharilla tot hem door.

'Eh, ze sliep. Wil jij dat alsjeblieft voor me doen? Zeg maar dat ik haar bel.'

'En John?' is de volgende vraag van Sharilla.

'Doe hem de hartelijke groeten maar,' hoort Pieter zijn vriend roepen.

Zelf is hij al op weg naar de uitgang. Tegen de tijd dat hij daar aankomt, stromen de tranen over zijn gezicht. Hij draait zich niet meer om.

Op het nippertje

Pieter is al half in de auto gestapt die bij de loopplank staat geparkeerd.

'Wacht jongens, wacht nog even.' Hijgend komt John ze achterna gerend.

'Sorry, we moeten meteen weg,' zegt Pieter snel als John bij de auto is aangekomen.

'Mijn opa,' begint Jochem, maar verder komt hij niet.

John steekt beslist zijn hand op. 'Wij moeten even praten. Ik hoor net dat jullie overhaast willen vertrekken en ik denk te weten waarom.'

313

Hij wenkt de jongens naar voren en vouwt in het licht van een van de koplampen een krant open.

Zijn vinger tikt ritmisch op een grote kleurenfoto. 'Ik heb zo het vermoeden dat jullie deze man kennen,' laat hij horen.

Niet tot praten in staat staart Pieter naar de foto. Hij grijpt het portier stevig vast om te voorkomen dat hij door zijn slappe knieën zakt.

'De Rat,' hoort hij Jochem fluisteren. 'Het is de Rat.'

'Dus jullie kennen deze figuur?' vraagt John op wat voor hem als een fluistertoon moet doorgaan.

Pieter staart naar de foto van de man in het ziekenhuisbed. De twee armen en twee benen zitten volledig in het gips en zijn aan katrollen omhoog getrokken. Op het gezicht van de Rat is geen enkele uitdrukking te ontdekken.

'Dus jullie kennen hem?' vraagt John nog een keer.

'Dus hij leeft,' stamelt Pieter. 'Hij leeft.'

John knikt. 'Dat klopt. Het is een wonder, maar deze man heeft een val vanaf het dak van mijn hotel overleefd. De doktoren verwachten dat hij volledig zal herstellen, het enige probleem is dat deze man zijn geheugen kwijt is. De politie vermoedt dat hij Harry heet en is op zoek naar twee jongens die bij de val betrokken waren.'

John kijkt ze allebei onderzoekend aan. 'Jullie vreemde gedrag voor de ingang van het hotel is mij natuurlijk niet ontgaan.'

Pieter klemt zich nog steeds vast aan het autoportier en knikt zwakjes. Langzaam begint de vreugde over het feit dat de Rat nog leeft de overhand te krijgen.

'We wilden het niet,' begint Pieter.

Opnieuw gaat de hand van John de lucht in. 'Het is belangrijk dat jullie me eerlijk vertellen of jullie die man geduwd hebben of niet.'

'Het is er één van Lopez,' begint Jochem.

'Dat vermoedde ik al,' reageert John, 'maar dat is nu mijn vraag niet.'

Pieter zucht en zegt dan: 'Wij hebben hem naar de rand gesleept, maar we hebben hem niet geduwd. Hij kwam bij en is per ongeluk zelf gevallen. Wij hebben nog geprobeerd om hem tegen te houden.'

John lijkt opgelucht als hij zegt: 'Ik geloof jullie en ik geloof ook dat er geen enkele reden is om te vluchten. Ik stel voor dat we nu samen naar de kolonel lopen en alles uitleggen.'

Hij vouwt de krant in elkaar. 'Dat van opa, dat hebben jullie toch maar bedacht, toch?'

Pieter knikt zonder aarzeling, blij dat ze nu gewoon de waarheid kunnen vertellen.

John laat een brede lach zien als hij de jongens één voor één aankijkt. 'Ik ben blij dat ik jullie nog op tijd heb tegengehouden.'

'Ik ook,' zegt Pieter vol overtuiging.

'Wat mij betreft mag die meneer Benigno, alias oom Harry, de rest van zijn leven in de gevangenis gaan bedenken wie hij ook weer is,' lacht de kolonel nadat alles is uitgelegd.

Hij kijkt de jongens aan en vraagt dan: 'En opa?'

Jochem staart naar zijn tenen. 'Die is al jaren dood.'

De kolonel knikt, maar geeft verder geen commentaar.

'Ik was al bang dat ik jullie moest missen,' merkt Julia op. 'De verfkwasten liggen namelijk al klaar.'

Jochem trekt een scheve grijns. 'O, fijn,' reageert hij niet al te enthousiast.

Als de jongens even later samen door het schip lopen slaat Jochem zijn arm om Pieters schouder. 'Nog even het laatste nieuws van vanmiddag,' gaat hij opgewekt van start. 'Ik heb die bankier gesproken. Hij wist meteen wie ik was. En weet je,' gaat Jochem grijnzend verder. 'Hij heeft beloofd dat hij de kinderbank zal helpen.'

'O, en er was ook e-mail. Eén van Daan en Vincent, over twee jongens die door een slang zijn gebeten. Verder nog eentje van Emma. Karlijn heeft haar geholpen met een wedstrijd soepblikwerpen en het was een groot succes.'

Pieter knikt vrolijk, maar een beetje afwezig. Hij wil op dit moment maar één ding; zo snel mogelijk terug naar Bonnie.

'O,' praat Jochem verder, 'en morgen zijn we met ons allen uitgenodigd bij de familie van Sharilla. Je raadt nooit wat ze voor ons gaat maken.'

Als Pieter niet reageert roept Jochem: 'Filippijnse patatas, je weet wel, aardappelen op een stokje.'

Voorzichtig duwt Pieter een paar minuten later de deur van Bonnies hut open.

'Ben jij dat, Pieter?' klinkt haar stem.

In twee stappen staat hij binnen en lacht hij haar toe.

Dan gaat de deur dicht.

315

In *Vlaamse frieten, heilige koeien en groot applaus* gaat de Nederlandse Pieter de strijd aan met een bende gevaarlijke terroristen uit de Indiase provincie Kashmir. Samen met zijn vriend Jochem, zijn zus Marieke en zijn vader Hugo komt hij erachter dat de bende plannen heeft voor een oorlog tegen India en voor de ontvoering van de Amerikaanse president. Ze komen op het spoor van de bende nadat ze in de metro van Parijs getuige zijn van een spectaculaire juwelenroof. Hierdoor verandert een gewone kampeervakantie in de Belgische Ardennen in een avontuur vol onverwachte wendingen.

Vanaf hun camping vertrekken ze halsoverkop naar India. Hier moeten ze alles op alles zetten in de strijd tegen de terroristen. In de hoofdstad New Delhi zien ze de wonderlijkste dingen: orenschoonmakers, naakte mannen op straat en apen die de stad onveilig maken. Maar het zijn de vele straatkinderen die de meeste indruk maken. Terwijl ze uit handen van de bende proberen te blijven, denkt Pieter na over een plan om de straatkinderen in India te helpen. Dan slaat het noodlot toe. Jochem verdwijnt en de bende staat klaar om haar plannen ten uitvoer te brengen. Pieter moet al zijn slimheid gebruiken om zijn vriend terug te vinden en de bende te verslaan. Tenslotte belanden ze in de Verenigde Staten, waar ze als helden worden ontvangen.

ISBN 90 443 0356 2

Meer informatie: www.peterhoogenboom.nl

In *Dansende kamelen, dode farao's en weinig slaap* krijgen Pieter en zijn vriend Jochem een week vrij van school om een bijeenkomst over kinderrechten in Egypte te bezoeken. Vanaf de aankomst in de hoofdstad Caïro loopt alles anders dan verwacht. De jongens maken kennis met de islam en komen op het spoor van een vermist meisje. Dit is het begin van een adembenemend avontuur dat hen dwars door het Afrikaanse land Soedan voert.

Via een vluchtelingenkamp komen de jongens terecht in de woestijn. Hier loopt een ontmoeting met vreemde handelaren volledig uit de hand. Samen met meisjes en jongens uit Soedan worden ze tegen hun zin meegenomen. Harige spinnen, een computer en kisten vol dynamiet spelen een rol bij de poging van de jongens om samen met hun nieuwe vrienden te ontsnappen en de oorlogsplannen van een krankzinnige commandant te dwarsbomen. Terwijl Pieter en Jochem in Zuid-Soedan voor flink wat vuurwerk zorgen, wachten de vader van Pieter en zijn zus Marieke in Caïro gespannen op een teken van leven.

ISBN 90 443 0485 2

317

Meer informatie: www.peterhoogenboom.nl

In *Rumoer in Rio, dolle stieren en een geheime kluis* krijgt de internationale kinderhulporganisatie van Pieters vader een erfenis van vele miljoenen. Samen met zijn vader en vriend Jochem reist Pieter naar Zuid-Amerika om het geld op te halen. Bij aankomst in Brazilië wacht de jongens een onaangename verrassing. Door een misverstand ziet de beruchte politie van Rio de Janiero hen aan voor straatkinderen. Dit is het begin van een duizelingwekkend avontuur waarbij de jongens vanuit een sloppenwijk in Rio terechtkomen in het hart van het gevaarlijke Amazone-regenwoud en uiteindelijk in Colombia belanden. Hier raken ze verzeild in een levensgevaarlijke strijd om het presidentschap. Niet alleen de erfenis is in gevaar, ook de toekomst van de straatkinderen en de kindarbeiders in Colombia staat op het spel. De Zuid-Amerikaanse Claudia en Maria schieten de jongens te hulp. Goudzoekers, snelle paarden, computers, een stierenvechtersschool en een vakbond voor straatkinderen spelen een rol bij hun gezamenlijke pogingen om te redden wat er te redden valt.

ISBN 90 443 0797 5

Meer informatie: www.peterhoogenboom.nl

In *Russisch ijs, plastic slippers en een gezonken vliegtuig* winnen Pieter, Jochem en Karlijn een prijs met hun hulpactie voor Russische straatkinderen: ze mogen naar Moskou. Na een ruzie over haar hoofddoek besluit hun klasgenoot Shadi om weg te lopen van huis en met hen mee te reizen. Bij aankomst in Rusland is ze echter spoorloos. Dit betekent voor Pieter, Jochem en Karlijn het begin van een wanhopige zoektocht. Maar al snel gaat het niet meer alleen om Shadi. In het razend koude Siberië komen ze terecht in een dorp met een geheimzinnige leider. Deze heeft een ongelofelijk en levensgevaarlijk plan, dat gevolgen heeft voor de toekomst van alle mensen. Pieter en zijn vrienden gaan tot het uiterste bij hun pogingen om een ramp te voorkomen en zelf te overleven. Hierbij spelen een Spaanse hond, een duikboot, sneeuwscooters, een op hol geslagen trein, een hockeyteam en een school voor flamencodanseressen een belangerijke rol.

ISBN 90 443 1014 3

Meer informatie: www.peterhoogenboom.nl